La vie épicée de Charlotte Lavigne

De la même auteure

La Vie épicée de Charlotte Lavigne, tome 2, *Bulles de champagne et sucre à la crème*, Éditions Libre Expression, 2012.

La Vie épicée de Charlotte Lavigne, tome 1, *Piment de Cayenne et pouding chômeur*, Éditions Libre Expression, 2011.

Nathalie Roy

La vie épicée de Charlotte Lavigne

Tome 3
Cabernet sauvignon
et shortcake aux fraises

Libre Expression
Une société de Québecor Média

Catalogage avant publication de Bibliothèque et Archives nationales du Québec et
Bibliothèque et Archives Canada

Roy, Nathalie, 1967-

La vie épicée de Charlotte Lavigne
Sommaire: t. 3. Cabernet sauvignon et shortcake aux fraises.
ISBN 978-2-7648-0593-0 (v. 3)
I. Titre. II. Titre: Cabernet sauvignon et shortcake aux fraises.

PS8635.O911V53 2011   C843'.6   C2011-941345-0
PS9635.O911V53 2011

Édition : Nadine Lauzon
Révision linguistique : Sophie Sainte-Marie
Correction d'épreuves : Julie Lalancette
Couverture et mises en pages : Clémence Beaudoin
Photo de l'auteure : Sarah Scott

Remerciements
Nous reconnaissons l'aide financière du gouvernement du Canada par l'entremise du Fonds
du livre du Canada pour nos activités d'édition.
Nous remercions le Conseil des Arts du Canada et la Société de développement des entre-
prises culturelles du Québec (SODEC) du soutien accordé à notre programme de publication.
Gouvernement du Québec – Programme de crédit d'impôt pour l'édition de livres – gestion
SODEC.

Les Éditions Libre Expression
Groupe Librex inc.
Une société de Québecor Média
La Tourelle
1055, boul. René-Lévesque Est
Bureau 800
Montréal (Québec) H2L 4S5
Tél. : 514 849-5259
Téléc. : 514 849-1388
www.edlibreexpression.com

Dépôt légal – Bibliothèque et Archives nationales du Québec et Bibliothèque et Archives
Canada, 2012

ISBN : 978-2-7648-0593-0

Distribution au Canada
Messageries ADP
2315, rue de la Province
Longueuil (Québec) J4G 1G4
Tél. : 450 640-1234
Sans frais : 1 800 771-3022
www.messageries-adp.com

Diffusion hors Canada
Interforum
Immeuble Paryseine
3, allée de la Seine
F-94854 Ivry-sur-Seine Cedex
Tél. : 33 (0)1 49 59 10 10
www.interforum.fr

À toutes les filles qui ont envie de mordre dans la vie…
Que Charlotte Lavigne vous inspire longtemps.

1

« Plus j'me cherche et moins j'me trouve,
Si tu me vois dis-le-moi,
C'est pas facile d'être dans ma tête des fois. »

ARIANE BRUNET,
Plus j'me cherche, moins j'me trouve, 2010.

— *D*ix, neuf, huit, sept, six, cinq, quatre, trois, deux, un… Bonne année!

Je frappe mon verre de champagne contre celui de mes copains, réunis chez Ugo pour l'occasion. Voilà une nouvelle année qui commence. Une année déterminante à tous les points de vue. Celle de mes trente-cinq ans. Celle de tous les défis…

L'atmosphère est à la fête dans l'appartement de mon meilleur ami, où les bouteilles de vin se sont tranquillement accumulées au cours de la soirée. Tranquillement? Humm, je dirais plutôt assez rapidement, si je me fie à l'air éméché de mes compagnons. Et à leurs fous rires déclenchés pour des riens. Ou par leurs blagues qui sont tout sauf drôles.

C'est fou comment les choses ne nous apparaissent pas aussi amusantes quand on est sobre. Parce que c'est ce que je suis depuis une semaine. Sobre.

— On trinque aussi au retour de Charlotte parmi nous! lance Ugo en m'enlaçant avec mollesse.

Ugo soûl? J'ai rarement vu ça. Je dois admettre que mon ami a eu une rude année. L'ouverture de sa deuxième boucherie lui a donné beaucoup de travail. Et il s'est mis une pression énorme sur les épaules pour en faire un succès. Mais ce qui l'a le plus affecté au cours de la dernière année, c'est l'épreuve qu'il a vécue avec son chum. À vingt-sept ans, Justin a appris qu'il était séropositif.

Je jette un coup d'œil à l'amoureux de mon meilleur ami. Qui ne l'a heureusement pas contaminé. Ça, je ne le lui aurais jamais pardonné! Justin se tient un peu en retrait, son verre à la main, affichant cet air légèrement inquiet qui est devenu sa marque de commerce.

Il y a maintenant une semaine que je suis de retour au Québec. J'ai quitté la France, où j'ai vécu huit mois, après avoir marié un Parisien. Maxou, l'homme de ma vie. Le seul véritable grand amour que j'ai connu. Comment a-t-il célébré la nouvelle année, de l'autre côté de l'océan? Est-ce qu'il a bu le champagne qu'il nous avait réservé pour l'occasion? Avec qui?

Je repense à mon départ. Je revois ses grands yeux noisette remplis d'eau quand je suis partie en taxi pour l'aéroport. Je me rappelle lui avoir fait un dernier signe de la main, en me demandant si nous venions de nous dire au revoir ou adieu. Sans trop savoir ce qu'il allait advenir de notre relation. Moi ici, lui là-bas…

Je regarde les autres trinquer à la nouvelle année. Et si j'en prenais une gorgée? Une seule et minuscule? Juste pour le plaisir de sentir les bulles descendre dans ma gorge et me monter légèrement à la tête. Pour oublier ma tristesse un instant. Une larme, ce n'est quand même pas criminel. J'approche la flûte à champagne de mes lèvres quand je sens une main qui m'arrache mon verre.

— Tu boiras si le test, que t'as pas assez de couilles pour faire, est négatif. D'ici là, prends ça.

Mon amie Aïsha me tend un verre d'eau pétillante, que je bois à regret. Depuis une semaine, je vis dans l'angoisse d'être enceinte. Je dis «l'angoisse», mais il y a certains moments où c'est plutôt de l'euphorie. Ça dépend des jours, des heures ou des minutes.

— Je t'ai dit que j'attendais la nouvelle année pour le passer, le test.

— On y est, dans la nouvelle année, Charlotte. Tu peux le faire. Tout de suite, même, si tu veux. Je t'en ai acheté deux à la pharmacie.

— Ben voyons, je veux pas savoir si je suis enceinte ou pas quand y a plein de monde comme ça. Demain. Je vais le faire demain.

En réalité, si je pouvais ne jamais le passer, ce fichu test, c'est ce que je ferais. Vivre dans l'incertitude. Ce serait certes déplaisant, mais beaucoup moins traumatisant que d'apprendre qu'on est enceinte d'un homme qui vit à plus de cinq mille kilomètres. Et qui ne croit plus du tout en notre mariage.

— Ben oui, c'est ça. Remets donc ça, encore. Va ben falloir que tu le saches un jour. Trois semaines de retard, c'est quasiment sûr que t'es enceinte.

— Chut… Je veux pas que tout le monde le sache.

Tout le monde, à part Aïsha, Ugo et moi, c'est en fait Justin et ses nouveaux amis. Une dizaine de gars, tous séropositifs, avec qui il s'est lié d'amitié. Et qu'il impose à Ugo, lui qui n'a jamais beaucoup aimé fréquenter des gais en gang. Et parmi ceux qui sont ici ce soir, certains sont pour le moins… colorés.

Comme ce Jayson vêtu très légèrement. Un tout petit short en jeans effiloché et une camisole noire sans manches, avec l'inscription *Gay proud*. Sa tenue hors saison me porte à croire qu'il a un petit côté exhibitionniste. J'espère qu'il aura la décence d'attendre que je sois partie me coucher pour se dévêtir complètement. Pas trop envie de voir ça. Surtout sobre. Jamais, de toute ma vie, je n'aurais cru voir Justin s'afficher avec des gars aussi fiers d'être gais. Je dois admettre qu'il ne le fait jamais en public. Seulement dans les *partys* privés. Et voilà que le Jayson en question s'approche et me prend par la taille.

— *So, honey, I heard you're expecting?*

Jayson est complètement soûl et me parle à deux centimètres du visage. En anglais en plus. Je déteste ça.

— Non, non, pas du tout. Je suis pas enceinte, dis-je, incapable d'échapper à son étreinte.

Il me regarde comme s'il n'avait pas compris ce que je venais de dire. Pourtant, il parle parfaitement français, je l'ai entendu tout à l'heure. Il enlève finalement sa main de ma taille. Ouf, je respire mieux. Je m'éloigne pour aller rejoindre Ugo. La musique est moins forte. Quelqu'un tape des mains pour attirer l'attention de tous. Je me retourne. Jayson a grimpé sur le repose-pied en cuir brun d'Ugo et se tient en équilibre précaire.

— *Hey, everybody! Great news!*

Il me jette un coup d'œil vitreux et je commence à me sentir très, très mal à l'aise.

— Notre amie ici… C'est quoi, ton nom, déjà, *honey*?

Je ne réponds pas. Justin le fait à ma place. Grrrr…

— *Sooooo*, notre amie Charlotte *is expecting. She's gonna have a baby!*

Les applaudissements et les cris de félicitations retentissent dans le salon d'Ugo. Les amis de Justin me sautent littéralement dessus pour me faire la bise et, moi, je veux rentrer six pieds sous terre.

J'essaie tant bien que mal de leur expliquer que c'est peut-être une fausse alerte, que je n'ai passé aucun test de grossesse encore. Peine perdue. Ils ne m'écoutent pas et *brainstorment* déjà sur le prénom du futur bébé.

— *I love Arthur, don't you?* me demande Jayson en croquant dans une feuille d'endive farcie à la mousse de saumon fumé.

Une des nombreuses bouchées que j'ai préparées aujourd'hui dans la cuisine de l'appartement d'Ugo, où je vis depuis mon retour.

J'ai aussi cuisiné des pommes de terre farcies au crabe, des huîtres aromatisées à la lavande, des croûtons de maquereau fumé, des verrines de ceviche de pétoncles et papayes, des brochettes d'espadon et fenouil, et une salade d'algues et sésame servie sur une ardoise de sel… Un cocktail dînatoire sur le thème de la mer. Rien de moins pour la nouvelle année !

— Ouache ! réplique un de ses amis. Arthur, c'est *so out* ! *You need something classy like… Constantin.*

— *No, no, no…* Trop vieux.

— Les gars, excusez-moi, mais c'est trop tôt pour parler de ça. Je sais même pas si je suis vraiment enceinte.

— *Of course, you are !* C'est pas ton souhait le plus cher, *honey* ?

Mon souhait le plus cher ? Oui, peut-être. Mais j'aurais tellement aimé que ça se passe autrement. D'autant plus que je doute sérieusement de mes compétences à être une bonne maman. Mon équilibre mental est beaucoup trop fragile, comme en témoigne la semaine que je viens de passer en montagnes russes.

Il y a trois jours, je me suis réveillée avec la ferme conviction que j'accoucherais dans un peu plus de huit mois. À un point tel que je me suis retrouvée l'après-midi même dans une friperie pour bébés. À choisir un adorable pyjama bleu poudre en velours avec un koala et un écusson qui représente le yin et le yang, sur lequel il est écrit : *Être zen*. Tout à fait la maman que je veux être : zen à l'enfance, *cool* à l'adolescence.

Je me suis ensuite arrêtée dans une fruiterie, où j'ai acheté une dizaine de petits pots de nourriture bio pour bébés : macédoine californienne, courge *butternut*, compote soleil et mangue. Je me suis aussi procuré trois boîtes de *Mes premières céréales sans gluten*, des minibouteilles de soupe *Délices du Jardin*, qu'on peut donner au biberon – trop génial – et une demi-douzaine de portions de hachis parmentier à la tomate. Au moins, je ne serai pas prise au dépourvu quand Bébé en aura assez du lait !

Bien entendu, j'ai l'intention de cuisiner le plus possible moi-même pour mon peut-être futur bébé. Mais comme j'entends aussi mener une nouvelle carrière d'animatrice de front, je me permets quelques écarts. Comme acheter de la nourriture toute préparée.

Je suis donc rentrée chez Ugo ce soir-là, les bras chargés de marchandises étrangères à lui comme à moi. Mon ami a bien cru que je m'étais finalement décidée à faire une adulte de moi et que j'avais eu une confirmation scientifique de mon état. Mais non. J'en étais seulement convaincue. Et je savais que je voulais garder le bébé quoi qu'il advienne.

Pourtant, le lendemain, je me suis levée en panique à 4 heures du matin. J'ai ouvert mon portable et j'ai tapé : *cliniques d'avortement Montréal.* Cette nuit-là, j'avais rêvé que j'annonçais la « bonne » nouvelle à Maxou et qu'il me répondait que ce n'était pas son problème. Au réveil, j'étais persuadée que je n'arriverais jamais à élever un enfant seule et qu'il me fallait donc penser à une solution extrême. Celle que j'avais refusé d'envisager jusqu'à ce jour.

Mais en cette nuit de la nouvelle année, entourée de mes amis qui m'ont terriblement manqué pendant tous ces mois d'exil, j'ai plutôt envie de le garder. Si Bébé existe, il vivra, mais il aura des oncles au lieu d'un papa.

Je sens une main qui se dépose maladroitement dans le bas de mon dos. Ugo est là, derrière moi, une curieuse expression coupable sur le visage. Il me tend mon téléphone.

— Excuse-moi, je l'ai entendu sonner sur le comptoir, pis j'ai répondu par réflexe, dit-il de sa voix molle.

— C'est qui ?

— Max.

Mon cœur bondit dans ma poitrine! Maxou qui m'appelle en pleine nuit de la nouvelle année! Ça y est, il veut m'annoncer qu'il a réfléchi, qu'il m'aime plus que tout au monde et qu'ensemble on va trouver une solution à nos problèmes. C'est le moment de lui annoncer la peut-être bonne nouvelle! Ce que j'aurais dû faire depuis une semaine, mais un inexplicable sentiment de peur m'a réduite au silence.

J'arrache mon iPhone des mains d'Ugo et je m'éloigne de quelques pas pour être plus tranquille. Je tourne le dos aux amis de Justin, qui pourraient bien venir me féliciter une nouvelle fois.

Une semaine que je n'ai pas parlé à Maxou. Une longue et pénible semaine. Les seuls contacts que nous avons eus depuis mon arrivée, ce sont des textos et des courriels plutôt laconiques. Et me voilà toute nerveuse à l'idée de lui parler.

— Salut.

— Bonne année, Charlotte.

— Merci. Bonne année à toi aussi.

Le silence se fait quelques instants. Je ne trouve pas les mots pour exprimer ce que je ressens. Je suis tellement heureuse d'entendre sa voix chaude… Pourquoi donc ne suis-je pas capable de le lui dire? Tout simplement? Je déteste ce silence pesant. Je dois le rompre absolument, quitte à raconter des banalités.

— Est-ce qu'il fait beau à Paris?

— Charlotte, il est six heures du mat'. J'en ai rien à foutre.

— Ah oui, c'est vrai. T'étais pas couché?

— Si, si. Mais je ne dormais pas.

— Ah.

— J'ai beaucoup réfléchi ces derniers jours.

— Ah.

— Et je crois qu'on doit penser à notre avenir.

— Ah.

— Dis donc, t'as pas autre chose à répondre que «Ah»? C'est énervant à la fin!

— Bon, bon, te fâche pas. Qu'est-ce que t'entends par là, « penser à notre avenir » ?

— Euh, ça veut dire aller de l'avant, tourner la page, tu vois…

— Non, je vois pas.

— Charlotte… je pense qu'on devrait entamer des procédures de divorce.

Mon sang ne fait qu'un tour ! Je me sens comme une lionne qui veut bondir hors de sa cage. Je sors mes griffes.

— JAMAIS, tu m'entends ! Jamais je vais signer des papiers de divorce !

Je me rends compte que j'ai dû parler fort. Très fort, même. En réalité, c'était peut-être un cri ou même un hurlement. Dans le grand salon, personne ne souffle mot. Je me retourne et je vois une douzaine de paires d'yeux qui me dévisagent. Ils expriment tout d'abord la surprise, puis la consternation.

— *What* ! Est-ce que tu parles au papa, *honey* ? lance Jayson.

Je fais de grands signes avec ma main droite. Jayson ne semble pas trop comprendre que je lui ordonne de se taire. Heureusement, Aïsha vient à ma rescousse. Je l'entends lui dire un « *Shut up* » on ne peut plus clair ! Il obéit. Ouf !

— Écoute, Charlotte, poursuit Max au bout du fil, sois raisonnable.

— Je veux pas divorcer. Je REFUSE de divorcer. C'est pas compliqué à comprendre, me semble !

— Bon, je te laisse te calmer et on en reparle, d'accord ?

— Non, on en reparle pas. Tu peux pas faire ça. Pas maintenant.

Je suis plus décidée que jamais à ne pas le laisser choisir à ma place. Nous étions deux à vouloir nous marier. Nous devrons être deux à choisir le divorce. Et ce n'est pas le cas !

— Pourquoi pas maintenant ? Ça change quoi ?

— Parce que !

J'hésite quelques secondes. Je le lui dis ou pas ? Je n'ai pas envie de lui apprendre qu'il sera peut-être papa au beau milieu d'une engueulade. Ce n'est certainement pas la meilleure façon pour le ramener. Même si j'ai terriblement envie de lui balancer l'information par la tête, je me tais.

J'entends Maxou soupirer, pendant que les copains de Justin continuent de m'écouter. Ils ont même baissé la musique une nouvelle fois.

— Va falloir que tu me passes sur le corps avant.

— Oh là là, les grands mots… Allez, je te fais signe bientôt. Bonne nuit, Charlotte.

Et il raccroche sans plus de façon. Sans me dire qu'il m'aime. Que je lui manque. Qu'il a juste envie de me serrer dans ses bras. Et de me faire l'amour toute la nuit.

Non. Il veut officialiser notre séparation. Mettre un terme définitif à notre relation. Ce n'est pas possible ! Ça ne peut pas être fini pour toujours ! Tant que nous sommes encore mariés, je peux garder espoir qu'on vive à nouveau ensemble. Où, quand, comment ? Je l'ignore, mais ça demeure dans les possibilités. Alors qu'une fois divorcés…

Je reste paralysée quelques instants, mon téléphone dans une main, me cachant les yeux de l'autre, pour éviter que tout le monde voie les larmes qui coulent sur mes joues. J'entends des chuchotements dans la pièce. « *Poor honey…* », « Coupe-lui une tranche de gâteau au chocolat… », « *Where is Ugo ? She needs him…* », « Il s'est endormi… *too much tequila.* »

Je suis triste, mais aussi très en colère. Comment Maxou peut-il déjà penser à divorcer ? Alors que nous sommes séparés depuis une semaine seulement.

Je n'ai jamais dit que je ne vivrais plus en France avec lui. Je suis revenue au Québec pour amorcer une nouvelle carrière d'animatrice. J'ai un contrat de trois mois. Je pourrais fort bien y retourner après. Pourquoi pas ? Rien ne m'en empêche ! Pourquoi Maxou n'y croit-il pas ?

Je me souviens de ses paroles le soir où il a compris que j'allais quitter Paris. «Tu ne reviendras pas, parce que après la saison ils vont t'offrir autre chose. Et tu vas l'accepter. Parce que, au fond, Charlotte, tu es aussi ambitieuse que moi.» C'est vrai. J'ai terriblement envie d'animer une émission de télé. Et ce n'est pas à Paris que je vais pouvoir réaliser ce rêve.

Mais maintenant, tout a changé. Enfin, peut-être tout. Je décide à l'instant même que je dois savoir. Suis-je enceinte ou pas ? Il est plus que temps. J'essuie mes larmes, je relève la tête et je me dirige tout droit vers Aïsha. Mais Jayson et ses amis, qui me regardent toujours avec pitié, n'entendent pas me laisser passer aussi facilement.

— *Oh, sweetie ! Tell me it's not true ?* Le papa veut divorcer ?

Ahhhhh ! Il m'énerve, ce gars-là ! Le papa, le papa… Il ne sait même pas de qui il parle. Comme si je devais former une famille parfaite avec ce papa !

— Écoute, Jayson, c'est très gentil de t'inquiéter pour moi, mais je suis assez grande pour…

— Tu vas pas le laisser faire, hein ? me demande-t-il en me coupant la parole.

— Ben non, mais…

— *Hey guys !* lance-t-il en interpellant ses amis. Charlotte a besoin d'une *counseling*. Vous êtes d'accord pour qu'on lui donne la nôtre ?

Ses amis hochent la tête vigoureusement. Jayson est visiblement le leader de ce groupe pour le moins particulier, mais qui semble très uni. Je comprends maintenant un peu mieux pourquoi Justin le fréquente. Ces gars-là aiment les éclopés, et c'est pourquoi ils m'ont si facilement adoptée.

— *Here's what you gonna do*, poursuit Jayson. Tu vas appeler Martine, pis elle va t'aider à lui faire entendre raison.

— C'est qui, elle ?

— Quoi ? Tu connais pas Martine ?

— Ben… non.

— Voyons, *darling*… t'as pas vu les *news* ces derniers temps ?

— Pas au Québec, non.

— *Of course !* T'étais à Paris. Bon, Martine, c'est la *famous* psychothérapeute qui donne des interviews à la télé.

— Ah oui ! Martine Lebœuf, je me rappelle, là. Elle a pas une tribune téléphonique à la radio en plus ?

— Oui, c'est elle. Pis tu sais qu'elle se porte aussi à la défense des femmes violentées.

— Ben là, je vois pas le rapport.

— Non, non, je disais juste ça pour te montrer qu'elle est *big*, Martine. Très *big*.

— Je m'en doute, oui.

— Nous ici, on la consulte tous, *she's gorgeous*.

— Vous la consultez en gang ?

— Ben non, *honey*. On y va à deux ou tout seul.

— Et en quoi elle peut m'aider ?

— Elle va te donner plein de conseils, elle est spécialisée en relations de couple.

Est-ce que je suis rendue au point d'avoir besoin d'une psychothérapeute spécialisée en relations de couple ? Tout ça n'est pas *légèrement* précipité ? Je pense que Jayson prend mon dossier un peu trop à cœur. Et puis, qui sait, Maxou va peut-être changer d'idée ?

— Et quand tu vas à son bureau, t'en profites pour te faire dorloter. Elle a plein de monde qui travaille avec elle : un massothérapeute, un yogi, une acupunctrice. Tu vois, c'est le paradis. Surtout le masso, faut pas que tu manques ça, *my dear*.

— Bon, peut-être plus tard, Jayson…

— *No, no, no… Now is the time, honey.* Je vais l'appeler pour toi si tu veux.

— Surtout pas. C'est correct, je m'en occupe.

— *Good girl!* Je t'envoie son numéro demain. OK, *sweetie*?

— Parfait. Merci, t'es fin.

Bon, je n'ai pas que ça à faire, me plier aux quatre volontés de Jayson. S'il pense que je vais donner un coup de fil à sa psychothérapeute, aussi célèbre soit-elle, j'ai un test de grossesse à passer, moi!

***

— C'est donc ben long!

— Calme-toi, Charlotte. Ça s'en vient.

Aïsha et moi, on est toutes les deux penchées sur le comptoir de la salle de bain immaculée d'Ugo, les yeux rivés sur le petit bâton blanc et rose. Je suis plus impatiente que jamais.

— Pourquoi c'est long de même?

— C'est écrit deux minutes. Laisse-lui le temps. Ça fait une semaine que t'attends, c'est pas quelques secondes de plus qui vont changer grand-chose.

Je m'approche encore plus du comptoir et je vois une ligne apparaître en plein centre.

— Ça y est, Aïsha! Ça y est! Il y a une ligne, là.

— Une ligne, ça veut dire que t'es pas enceinte. Ça en prend deux.

— Oui, mais attends un peu, on dirait qu'il y a une deuxième ligne. Nooooon!

— Hein? Je vois rien.

— Ben oui. Regarde plus proche.

— Mais non, Charlotte, c'est pas une ligne ça, c'est trop flou.

— Oui, je te dis, regarde comme il faut.

Dans un geste d'énervement total, j'approche le visage d'Aïsha à quelques centimètres du bâton en appuyant sur l'arrière de sa tête.

— Eille, arrête! T'es en train de me mettre la face dans ton pipi!

Je retire ma main aussitôt et elle se redresse d'un coup.

— Oups! S'cuse.

En guise de réponse, Aïsha soupire. Je regarde de nouveau le petit objet qui décidera de mon avenir. Je distingue bien une seconde ligne, mais elle n'est pas très claire.

— Aïsha, il ne marche pas, ce test-là. Il dit que je suis à moitié enceinte. Eh merde! Je suis pas plus avancée.

— Bon, bon, pas de panique. J'en ai un autre.

Elle le sort de son sac à main, je me précipite dessus. *Test de grossesse digital avec estimation de l'âge de la grossesse.* J'arrache l'emballage.

— Ah, ça, ça devrait mieux fonctionner.

Aïsha sort de la salle de bain pendant que je m'exécute. Je lui demande toutefois de ne pas s'éloigner et de rester juste de l'autre côté de la porte.

— OK, tu peux rentrer, lui dis-je une fois mon jeans remis en place.

Et voilà que l'attente recommence. Aïsha fixe le petit sablier qui clignote sur l'écran du bâton, pendant que je tourne en rond dans la petite pièce. Les idées les plus folles me viennent en tête.

Je m'imagine avec Bébé – fille, bien entendu – en train de déguster des macarons sur l'avenue du Mont-Royal. Elle adorerait ceux aux pistaches, si colorés. Et moi, j'essaierais de faire son éducation en la forçant à essayer ceux au caramel et fleur de sel, plus raffinés, plus subtils.

Ensuite, je l'initierais très tôt aux cuisines asiatiques, libanaises, suisses. Elle ne serait pas comme ces enfants qui réclament du macaroni au fromage à tous les repas. Non. Elle ne saurait même pas que ça existe. Je lui préparerais des rouleaux de printemps crevettes et avocats, des falafels maison, une fondue au vacherin fribourgeois. Et elle se régalerait.

À dix ans, elle aurait son propre blogue. Elle y partagerait toutes nos recettes maison. On nous verrait à l'œuvre dans une magnifique cuisine, en train de préparer de bons petits plats, dans une harmonie totale. Plus tard, je lui offrirais de devenir mon associée dans l'entreprise que je rêve de créer un jour : Traiteur Charlotte. Quel magnifique plan de match ! Avec une telle complice dans ma vie, je n'aurai plus jamais besoin d'homme.

— Bon, ben, je pense que tu vas être rassurée, dit Aïsha.

— Ah ouin ?

Je m'approche d'elle et je me penche sur le comptoir. Cette fois-ci, le message est clair : pas enceinte. Comment ça, pas enceinte ? Alors c'est quoi, ce foutu retard de trois semaines ?

— Bon, dis-je simplement, ne sachant pas trop quoi ajouter.

C'est que je ne suis pas certaine des sentiments que je ressens. Ils oscillent entre le soulagement, la tristesse et l'incrédulité.

— T'es sûre, Aïsha, que le résultat est bon ? C'est quand même bizarre que je sois aussi en retard dans mes règles.

— À mon avis, c'est très fiable…

— Veux-tu bien me dire comment ça se fait, d'abord, que je suis pas menstruée ?

— Ça arrive, Charlotte, voyons. Ça doit être le stress. Ou les hormones.

— Ouin, t'as peut-être raison.

— C'est quoi, t'es déçue ?

— Bof, oui et non.

— Écoute, Charlotte, c'est mieux comme ça. Tu le sais bien.

— Oui, oui, c'est juste que…

Je baisse les yeux et je ne finis pas ma phrase, trop honteuse d'avouer à Aïsha ce qui m'est passé par la tête. Pendant un instant, j'ai compté sur Bébé fille pour me faire oublier mes ambitions professionnelles. Pour combler le vide dans ma vie. À un point tel que je n'aurais plus eu envie d'être animatrice et que je me serais contentée d'une job qui m'aurait juste servi à gagner ma vie.

J'avais aussi misé sur elle pour se faire tellement adorable que mon mari en serait tombé complètement amoureux. Et pour nous réunir de nouveau. Mais c'est beaucoup demander à un bébé, n'est-ce pas? Surtout quand il n'existe pas…

J'entends encore une fois la voix de Maxou dans ma tête: «… aller de l'avant… entamer des procédures de divorce.» Si c'est ce qu'il souhaite vraiment, j'aurai beau consulter la meilleure psy de la planète, je ne pourrai pas l'en dissuader. Je dois l'admettre.

Je comprends à cet instant que la plus belle histoire d'amour de ma vie est peut-être terminée à jamais. Ici, dans cette minuscule salle de bain peinte en gris métallique avec des serviettes noires hyper moelleuses, je réalise que je finirai peut-être ma vie seule. Retour à la case départ.

Je sens la main d'Aïsha sur mon épaule. Je lève les yeux et je croise son regard. Il est rempli de sollicitude. Elle me prend dans ses bras et je me mets à sangloter comme une adolescente.

— Ça va aller, ma pitoune, ça va aller, dit-elle en me berçant doucement. Un jour à la fois, comme dans les AA.

— Il est donc ben pressé… Divorcer après une semaine de séparation… Il m'aime vraiment plus.

— Mais non, voyons… Ça me semble plutôt une façon d'essayer de t'oublier.

— Oui, mais moi, je veux pas qu'il m'oublie… Pis je veux pas l'oublier non plus.

— Il le faudra bien. Et ça viendra, tu vas voir.

— Comment je vais pouvoir vivre sans lui? Je serai jamais capable.

— Chut, chut, chut.

— Pis j'ai pas envie d'être toute seule. Pas encore une fois.

— T'es pas toute seule. Je suis là, moi.

Les paroles de mon amie me réconfortent. C'est vrai qu'elle est là. Et plus que jamais depuis mon retour. Comme si les mois passés loin l'une de l'autre nous avaient fait comprendre que notre amitié, pourtant si imparfaite, est précieuse. Surtout que je me suis sentie tellement seule ces derniers mois.

— Tu penses que je vais y arriver, Aïsha ?

— Ben voyons, c'est sûr ! Donne-toi du temps, c'est tout.

— Combien de temps ?

— Je sais pas… Le temps que ça prendra, Charlotte. Pis tu vas être tellement occupée avec ton émission, t'auras pas une seconde pour penser à lui. Tu vas voir, fais-moi confiance.

J'essuie mes larmes du revers de la main. Je secoue la tête pour retrouver mes esprits. Je jette un coup d'œil au miroir… Oh là là ! La catastrophe ! Mes cheveux blonds auraient besoin d'un bon coup de brosse, mes yeux verts sont rougis par les larmes, et de longues traces de mascara ont noirci mes joues.

Je coiffe mes cheveux en queue de cheval, je nettoie rapido mon visage et je remets une touche de *gloss*. Je prends une grande respiration avant de faire signe à mon amie d'ouvrir la porte. Je suis de nouveau prête à affronter le monde extérieur. Aïsha s'exécute. J'entends les cris et les rires du groupe qui s'élèvent dans le salon au milieu de la musique électronique.

— Eux autres, ils sont mieux de m'avoir laissé du champagne ! Ça fait une semaine que je me prive de boire pour une grossesse qui n'en est même pas une ! S'ils ont tout bu, ça va aller mal. Parole de Charlotte Lavigne.

2

« — Vous n'avez aucun style
et un goût vestimentaire douteux.
— Je crois que ça dépend.
— Non, non, ce n'était pas une question. »
MIRANDA (MERYL STREEP) à ANDY (ANNE HATHAWAY)
dans *Le Diable s'habille en Prada*, 2006.

J'entre en coup de vent dans le bureau de ma réalisatrice, Dominique. Nous sommes à quelques jours de mon premier tournage de l'émission *Mangues et prosciutto*, que j'animerai pour les trois prochains mois en compagnie de Pierre-Olivier Gagnon, chef vedette, coureur de jupons notoire, ex d'Aïsha et mon amant d'un soir. Une vieille histoire qui date d'avant mon mariage.

Je déteste le nom de l'émission : *Mangues et prosciutto*. Ouache ! Dominique m'a expliqué que la mangue représentait bien l'animatrice qui était là avant moi, en raison de son côté doux et sucré. Et que le prosciutto était là pour faire honneur aux origines italiennes de P-O. Mais moi, je n'ai pas du tout envie d'être associée à une mangue ! Enfin… pour l'instant, je n'ai pas le choix.

Je suis particulièrement fébrile parce que le grand jour arrive enfin. C'est que l'entrée en ondes de notre émission a été retardée de quelques semaines.

Je m'arrête net devant le pupitre de ma réalisatrice. Il est occupé non pas par Dominique, une fille un peu bougonneuse bien que hypercompétente, mais par une femme qui semble tout droit sortie d'Ashbury Heights… il y a quarante ans.

— Pardon, vous avez vu Dominique?

— Bonjour, Charlotte, me lance la femme en question. Assieds-toi, s'il te plaît.

Je dévisage encore une fois l'énergumène que j'ai devant moi. Impossible de dire si elle est corpulente ou pas. Ses vêtements sont tellement amples qu'ils ne laissent rien voir. Elle porte une blouse beige aux longues manches bouffantes qui dépassent de sa veste en laine crochetée, de couleur pêche, et d'une longue jupe grise. Il ne lui manque qu'un bandeau de cuir tressé sur le front pour être la réplique exacte d'une hippie des années 1970. Quant à son âge, j'imagine qu'elle est dans la cinquantaine. Avancée possiblement.

— On se connaît?

— Pas encore, Charlotte, mais toi et moi, on va devenir les meilleures amies du monde.

Hein? Désolée, chère dame. Je n'ai pas le temps de papoter avec vous ce matin. Je cherche ma réalisatrice pour qu'elle approuve ma tenue pour la première émission. Une superbe robe du designer québécois Dinh Bá, bleu nuit et noir, dont la jupe légèrement évasée me tombe au-dessus du genou. Cette tenue, choisie par nulle autre que mon amie Aïsha, styliste pour l'émission, est parfaite pour mettre en valeur ma taille fine.

— Excusez-moi, mais faut vraiment que je trouve Dominique.

— Elle n'est pas au bureau.

— Hein? Elle est où?

Je ressens une légère angoisse. Dominique, c'est mon pilier dans cette histoire. C'est ma femme de confiance. Celle qui m'a proposé ce remplacement à l'animation. Ma première expérience de la sorte.

Depuis le début de janvier, nous travaillons main dans la main à préparer mon entrée en ondes. C'est elle qui me fait répéter chaque matin mes exercices de diction. Des textes stupides que je lis maintenant sans aucune hésitation.

« Petit pot de beurre, quand te dé-petit-pot-de-beurreriseras-tu ? Les chemises de l'archiduchesse sont-elles sèches, archisèches ? Ces six cent six saucissons-ci sont six sous, etc. »

Je ne peux pas bosser sans Dominique à mes côtés. Surtout pas à quelques jours du tournage. Ce n'est pas envisageable. C'est même carrément impossible.

— On va commencer par respirer, se calmer et s'asseoir, Charlotte.

Mais pour qui se prend-elle ? Me calmer, me calmer... Je n'ai pas le temps de me calmer. Elle ne comprend donc pas que je suis dans le jus total, que j'ai dix mille choses à préparer pour l'émission. Et que j'ai besoin de Dominique. *Now!*

Et puis c'est quoi, cette odeur de brûlé ? Elle fume dans le bureau de Dominique, celle-là ! C'est interdit, elle devrait le savoir. Bon, inutile de rester ici. Le plus simple, c'est de retourner à mon bureau pour appeler ma collègue sur son cellulaire. Je fais mine de sortir de la pièce.

— Charlotte, je suis la nouvelle réalisatrice.

— Quoi ! Comment ça ? dis-je, maintenant complètement paniquée.

La nouvelle réalisatrice joint les mains et inspire comme si elle était en pleine séance de yoga. J'attends, catastrophée, en la dévisageant. Je ne comprends plus rien ! Elle expire ensuite profondément avant de me parler de nouveau.

— Assieds-toi, Charlotte et fais comme moi. Il faut chasser cette tension que je sens émaner de toi. Ce n'est pas bon pour tes chakras.

Non, mais ce n'est pas vrai ! Je n'ai pas besoin d'un gourou à la noix ! Je m'apprête à sortir du bureau, puis je change d'idée. Je dois en savoir plus. Je m'assois à contrecœur, mais pas question de respirer comme une femme sur le point d'accoucher.

— Qu'est-ce qui se passe avec Dominique? Elle est malade?

— Disons qu'elle a un léger empêchement. Elle ne sera pas des nôtres cette saison. C'est moi qui vais la remplacer. Je suis Denise.

Elle me tend la main, mais je suis incapable de faire un geste. Et je ne comprends rien à ses explications. Si c'est un léger empêchement, comme le dit si bien Denise, pourquoi Dominique s'absente-t-elle pour la saison au complet? Hein?

— Qu'est-ce qui est arrivé exactement?

Denise retire sa main et s'empare d'un crayon à mine HB, qu'elle mâchouille sans dire un mot.

— Ben là, je suis inquiète, moi! C'est quoi? Elle a eu un accident?

Elle enlève le crayon de sa bouche, puis le dépose sur une tablette de papier sur son bureau. Je vois un filet de bave tacher le papier ligné. Dégueu!

— Prends une grande respiration, Charlotte, et concentre-toi sur l'odeur de bois de santal blanc. Cet encens-là est très enveloppant.

— Regardez, ça marche pas avec moi, ces affaires-là. Ça me calme pas pantoute. Au contraire, ça m'énerve et je trouve que ça sent super mauvais.

— Il faut s'habituer à de nouvelles odeurs dans notre vie, Charlotte. On oublie trop souvent que l'odorat est le plus important de nos cinq sens, que c'est lui qui nous guide…

— Euh, je vous suis plus trop, là… Est-ce qu'on peut revenir à Dominique? J'ai juste besoin de savoir ce qui lui est arrivé.

— Je ne peux pas te le dire. Ça relève de sa vie privée, et la vie privée, je respecte ça.

— Ben pas moi. Quand quelqu'un me laisse tomber, je veux savoir pourquoi! Et puis vous allez vite vous apercevoir que la vie privée, en télévision, ça existe pas. Surtout pas dans une émission comme la nôtre.

Excédée, je sors du bureau avec la ferme intention d'éclaircir tout ça. Je marche les yeux fixés au sol quand, tout à coup, j'entre en collision avec une autre personne. Qui visiblement tenait à la main un *smoothie* d'un beau rouge framboise. Comme en témoigne la tache qui s'agrandit de plus en plus sur le chandail blanc de celui que je viens de percuter.

— F&#% ! Tu peux pas regarder où tu vas ! me lance Justin, une tonne d'impatience dans la voix.

Depuis qu'il est séro, le chum d'Ugo et chroniqueur horticole de l'émission se gave de *smoothies* aux petits fruits, de graines de lin, de saumon, de thé vert et de chocolat noir. Et la seule boisson alcoolisée qu'il s'autorise, c'est le vin rouge.

Comme si toutes ces habitudes santé allaient éliminer le virus. Bon, au moins, ça lui permet d'être en forme.

Il a aussi décidé qu'il travaillerait moins et, sur un coup de tête, il a fermé la boutique de fleurs qu'il avait ouverte à même la deuxième boucherie d'Ugo. Mon ami avait aménagé une partie de son commerce pour permettre à son chum d'avoir sa propre entreprise, et Justin l'a remercié en lui laissant un local vide à payer. Quel ingrat !

— Ah ! Justin, arrête de chialer, j'ai pas fait exprès.

— Pis j'ai même pas de t-shirt de rechange !

— C'est pas grave, Aïsha va t'arranger ça.

Il fait mine de poursuivre son chemin quand je l'attrape par le poignet.

— Tu savais, toi, que Dominique est pas là aujourd'hui ?

— Je viens de l'apprendre, oui.

— Ç'a pas de bon sens, ça.

— Ben voyons, Charlotte, ils laisseront pas le *show* se réaliser tout seul. Ils vont la remplacer.

— Ben justement, c'est ça, le problème. T'as vu par qui ils l'ont remplacée ?

— Pas encore, non.

— Ben va faire un tour dans le bureau de Dominique et reviens me voir pour me dire ce que tu en penses.

— Bah, ça doit pas être si pire que ça. Tu t'en fais pour rien. Comme d'habitude.

Justin tourne les talons, à la recherche de notre styliste pour lui emprunter un t-shirt. Je continue ma route vers mon bureau, tout en sortant mon iPhone de la poche de ma veste pour tenter de joindre ma réalisatrice.

Les yeux rivés sur l'écran, je cherche le numéro de Dominique dans mes contacts quand un deuxième accident survient. Cette fois-ci, c'est P-O que je heurte de plein fouet. Et son espresso bien tassé.

— Calv&#?%, Charlotte, tu peux pas faire attention ? C'est ma nouvelle chemise.

Décidément, je travaille avec une gang de gars au langage vulgaire et grossier. Je vais devoir me surveiller si je ne veux pas adopter leurs vilaines habitudes.

P-O, par contre, je ne peux pas l'envoyer à Aïsha. Elle risque de laver sa belle chemise orange brûlé avec de l'eau de Javel. Ou de lui offrir un t-shirt rose « *nanane* » en attendant que sa chemise soit propre.

Elle lui en veut tellement de l'avoir trompée. Moi, j'ai compris que je ne dois plus jamais me mettre Aïsha à dos. Il en va de mon style, de mon image et de ma réputation. Je lui dois fidélité pour le reste de mes jours.

— Ahhhh… j'ai pas fait exprès. Désolée.

Mon coanimateur pousse un long soupir avant de me demander si j'ai su pour Dominique.

— Ben, non, justement. Qu'est-ce qui se passe ?

— La femme de Samson a tout découvert, pis elle a exigé qu'il renvoie Dominique.

— T'es pas sérieux ?

— Yep !

— Pauvre chouette.

Depuis quelques années, Dominique était la maîtresse de notre patron, M. Samson. L'homme dont personne ne connaît le prénom. Visiblement, il a eu une décision à prendre. Et il a choisi sa femme et ses trois enfants. Au détriment de MON émission. Ahhh, les histoires d'amour au bureau, ce ne sont que des problèmes ! Quand est-ce que tout le monde va comprendre ça ?

— Eh merde ! On est vraiment mal pris, P-O. T'as vu la nouvelle réalisatrice ?

— Ouin, pas fort, hein ?

— Pas fort, tu dis ? Ça marchera jamais, elle a tellement l'air ésotérique. Va falloir se tenir les coudes, P-O, et demander quelqu'un d'autre.

— Attends un peu, Charlotte. Laisse-lui une chance, elle est peut-être pas si incompétente que ça.

— Eille, allume, P-O ! Elle parle comme une hippie des années soixante-dix ! Je suis certaine qu'elle est du genre à faire des thérapies de groupe en pleine nature. Tu sais, quand tout le monde se baigne tout nu dans le lac en se donnant la main ?

P-O éclate d'un grand rire franc. Pendant un instant, je sens mon corps frémir légèrement. J'avais oublié à quel point il peut être séduisant quand il rit. Je sens un besoin irrésistible de croquer dans quelque chose de sucré pour occuper mon esprit à autre chose. Je fouille dans la poche de ma veste et j'en sors un petit sac de friandises multicolores. J'attrape une lèvre chaude (oui, oui, c'est bien le nom du bonbon !) au goût de cannelle et je m'empresse de commencer à manger.

— C'est pas l'imagination qui te manque, toi, hein ? Calme-toi, Charlotte… T'as juste à faire ta job, c'est tout.

— Facile à dire. En tout cas, j'espère que ça changera pas nos plans. Dominique m'a promis que je pourrais cuisiner une recette par émission.

— Hein ? C'est quoi, cette histoire-là ?

— Ben oui. Elle t'avait pas prévenu ?

— Non, première nouvelle. Pis je suis pas certain que ça fait mon affaire.

— Ah, *come on*, P-O! J'ai pas l'intention de te voler la vedette dans ta cuisine, je veux juste faire un p'tit truc sympa. Je me prendrai pas pour une chef, promis.

— Ouin, on verra. On va en reparler. Là, faut que j'aille me changer.

Je le regarde s'éloigner en me croisant les doigts pour qu'il accepte ma demande. Je n'ai vraiment pas envie d'être à couteaux tirés avec P-O. Je dois m'en faire un allié. J'ai bien joué mes cartes en ne lui révélant pas ce que je vais réellement cuisiner au cours de cette chronique improvisée. Je veux initier les téléspectatrices à la cuisine moléculaire. Rien de moins !

Il y a au moins une bonne nouvelle dans ce qui vient de se passer, me dis-je en retournant à mon bureau. Malgré ma peine d'amour incommensurable, mon désir, lui, est toujours vivant. Comme en témoigne la folle image de P-O et moi au lit, qui m'a effleurée l'esprit un quart de seconde. Image que je chasse une nouvelle fois de ma tête. Si j'ai besoin d'un *rebound* pour oublier Maxou, ce ne sera certainement pas P-O. Croyez-moi !

Maxou… Je lui ai écrit un long courriel hier, pour lui dire que tout allait trop vite, qu'il devait me laisser plus de temps pour accepter notre séparation. Je crains bien qu'au fond on en soit là. Je n'ai jamais cru à l'amour à distance. Mon compagnon de vie, je le veux non seulement dans la même ville que moi, mais dans la même maison et dans le même lit. Je veux qu'il soit près de moi tous les jours, toutes les nuits.

Je ne comprends pas ces couples qui affirment s'aimer, mais qui vivent dans des appartements séparés. Chacun chez soi pour combler un soi-disant besoin d'intimité. En plus, ça coûte deux fois plus cher. Quel mauvais calcul !

Maxou m'a répondu qu'on reparlerait de divorce plus tard si c'est ce que je souhaitais, mais qu'il ne se faisait pas d'illusions quant à notre relation. Même s'il admet m'aimer encore profondément, je sens qu'il aimerait tourner la page. Moi, ce n'est pas ce que je veux. Mais ai-je vraiment le choix?

«On a toujours le choix, ma princesse.» J'entends encore les paroles de papa il y a quelques jours, alors que nous prenions l'apéro chez Ugo.

Ce soir-là, il m'a offert une boisson au tamarin, rapportée de son «séjour» en Afrique. Je l'ai mélangée avec du rhum brun cubain. Un délice qui nous a fait oublier la froideur de janvier.

Nous avons eu une longue discussion sur, justement, les choix qu'on fait dans la vie. Et comment, ensuite, on doit les assumer et surtout ne jamais les regretter. Il m'a confié avoir acquis toute cette sagesse pendant ces longues années passées en prison, en Afrique.

— Viens pas me dire que tu regrettes pas de t'être embarqué dans cette histoire de revente d'ordinateurs volés? lui ai-je demandé, faisant référence à ce qui l'avait mené tout droit en prison.

Le réseau en question était en réalité une vaste fraude à l'échelle internationale, ce que papa ignorait totalement.

— Non, je l'ai jamais regretté.

— Hein? Ben voyons donc! Je te crois pas.

— Pourtant, c'est vrai… Tu devines pas pourquoi?

— Non.

— Parce que, sans ça, je n'aurais jamais connu une des plus belles histoires d'amour de ma vie.

Il m'a ensuite raconté que grâce à Salama, la fille de son associé africain – celui-là même qu'il l'a mis dans le pétrin –, il a vécu les plus beaux moments de toute son existence. Un coup de foudre qui l'a complètement transformé.

Avec Salama, papa ne sentait plus le poids de ses soixante-deux ans, ni celui de ses dix kilos en trop. Il se sentait vivant. Même si sa relation avec sa belle Ivoirienne n'a duré que six mois. Et même si elle est terminée depuis longtemps, papa éprouve encore aujourd'hui le sentiment d'avoir des ailes.

Eh bien, moi, je ne suis pas prête du tout à être aussi sereine face à l'issue de mon mariage avec Maxou. Pour l'instant, je n'arrive même pas à prononcer le mot « échec ».

Je m'assois à mon pupitre et je compose le numéro de téléphone de Dominique. Non pas pour éclaircir la situation, mais plutôt pour lui offrir mon soutien et, je l'avoue, lui demander quelques conseils. Je tombe sur son répondeur. Pas de chance. Je raccroche sans laisser de message.

Je regarde autour de moi et je me rends compte que, si j'avais voulu parler à Dominique en toute confidentialité, j'aurais été bien mal prise. Je travaille dans une aire ouverte, tout juste à côté des autres membres de l'équipe. Comme quand j'étais recherchiste. Hummm… Mon petit doigt me dit que quelque chose ne fonctionne pas ici.

P-O a bien un bureau à lui. Fermé et décoré avec des affiches format géant de la couverture de ses deux livres de recettes. Si je veux être considérée comme son égale, je dois obtenir le même traitement. Le problème, c'est que je ne sais pas trop à qui demander ça… Faut croire que je n'aurai pas le choix de retourner voir le clone de Janis Joplin.

Sans grand enthousiasme, je retourne en direction du bureau de celle qu'il me faudra bien apprivoiser quand je croise Aïsha, le regard aussi malicieux que celui d'une enfant qui vient de faire un mauvais coup.

— Qu'est-ce que tu manigances, Aïsha Hammami ?
— Rien, rien…

Elle poursuit son chemin d'un pas déterminé, le t-shirt taché de Justin dans les mains.

— Hé ! Hé ! Pas trop vite… dis-je en partant à ses trousses. Tu souris certainement pas comme ça pour rien.

Aïsha s'arrête, se retourne et s'approche d'un air complice. Elle observe les alentours pour s'assurer que nous sommes seules et se penche à mon oreille. Je suis tout ouïe.

— Moi, à ta place, je ne mangerais pas le gâteau que P-O va préparer pendant le premier *show*, chuchote-t-elle.

— Hein ? Pourquoi ? dis-je sur le même ton.

— Je pense qu'il sera pas très bon...

Après l'enregistrement de la première émission, notre patron nous a conviés à une petite fête dans le studio pour célébrer les débuts du nouveau duo d'animateurs. Au menu : mousseux et gâteau aux noisettes de P-O.

— Comment ça ?

— Ça se pourrait qu'il goûte pas mal salé...

Je réfléchis un instant avant de comprendre et j'éclate de rire.

— T'as pas fait ça ? dis-je en levant la voix.

— Oui, madame.

— T'as remplacé son sucre...

— Chut ! Pas trop fort.

— Franchement, Aïsha, t'as quel âge ?

— Bah, c'est tout ce qu'il mérite.

— Peut-être, mais...

— Et tu sais ce qui va être drôle ?

— Non, quoi ?

Elle jette un regard autour d'elle avant de répondre.

— Attends, suis-moi.

Aïsha marche en direction de son bureau. Elle pousse la porte des toilettes des femmes et j'y entre avec elle. On s'assure que la voie est libre. C'est beau, il n'y a personne. Aïsha s'assoit sur le comptoir, dos au miroir, les deux jambes qui pendent dans le vide. Je l'imite et j'attends la suite.

— Ce qui va être drôle, c'est quand le public va y goûter.

— C'est vrai... J'avais oublié le public.

À mon grand bonheur, l'émission que j'anime est enregistrée devant une vingtaine de personnes.

Des gens de tous âges qui participent en goûtant nos recettes et en posant des questions à nos invités.

Lors de la première, donc, P-O doit préparer deux gâteaux. Un pour la petite fête après le tournage et un pour le public. De beaux desserts, version… salés. Ouache !

— Tu t'imagines quand ils vont manger ça devant la caméra ? poursuit Aïsha. C'est sûr qu'ils vont être trop polis pour rien dire, mais ça va paraître dans leur face. Pis ils vont raconter à tout le monde que Pierre-Olivier Gagnon a raté son gâteau.

— Hooon… C'est pas bon pour sa réputation de chef, ça. C'est pas gentil… Vilaine Aïsha !

Je fais semblant de la gronder en lui tapant la main. Je descends du comptoir et j'entre dans une cabine pour aller changer ma serviette hygiénique.

Eh oui, j'ai mes règles. Deuxième confirmation qu'il n'existe pas de Bébé Lavigne-Lhermitte. Mon cycle est vraiment déréglé puisque dans le même mois, c'est ma deuxième menstruation. La première fois, c'était au lendemain du *party* du jour de l'An. Ce jour-là, j'ai pleuré sur le sofa du salon d'Ugo un long moment, pendant que mon ami me caressait les cheveux. J'étais partagée entre la tristesse et le soulagement.

J'ai ensuite eu une longue conversation au téléphone avec Aïsha, qui m'a répété une fois de plus que c'était beaucoup mieux comme ça. Qu'à trente-quatre ans j'avais encore le temps d'avoir un bébé. Et surtout que je devrais le faire avec un homme qui habite le même continent que moi. J'ai fini par me rallier à ses arguments logiques. Pour l'instant, du moins.

Je m'adresse maintenant à mon amie, qui m'attend de l'autre côté de la porte.

— P-O, son bureau fermé, est-ce qu'il l'a eu dès qu'il est devenu animateur ?

— Euh, oui, oui… me semble bien. Et il a eu un stationnement aussi.

— Un stationnement ! Où ça ? Extérieur ou intérieur ?

— Intérieur, je pense.

Je sors précipitamment de la cabine en finissant de remonter mon collant noir. Stationner près du bureau est un véritable casse-tête. On peut tourner en rond pendant une demi-heure avant de trouver une place dans la rue. Et parfois, on doit déplacer son véhicule en plein milieu de l'avant-midi parce que la Ville procède à une opération de nettoyage. Et si on ne le fait pas, on se retrouve avec une belle contravention de cinquante-deux dollars. Ça m'est arrivé tellement souvent par le passé, je sais de quoi je parle !

Dans ces conditions, il est bien normal que les espaces de stationnement réservés aux employés soient encore plus convoités que des petits pains chauds qui sortent du four. Et je ne compte plus le nombre de pots-de-vin qui ont été donnés au gardien du stationnement, par des gens du bureau, dans l'espoir d'obtenir une place.

Une bouteille de scotch, deux billets pour les Canadiens, deux autres pour les Alouettes, etc. De petits cadeaux pour qu'il accepte de fermer les yeux sur la présence de voitures suspectes dans les espaces réservés aux visiteurs. Moi, je ne me suis jamais permis de soudoyer ainsi un employé de la boîte. J'ai donc assumé mon rang social au boulot, en perdant au moins trente précieuses minutes chaque matin.

Mais ça, c'était avant. Quand j'étais recherchiste. Maintenant que je suis animatrice, j'ai le droit, moi aussi, de bénéficier d'un stationnement. Intérieur de surcroît, tout comme mon coanimateur. Ô joie !

— C'est super, ça. Ça veut dire que je vais en avoir un, moi aussi !

— Ben là… Charlotte, voyons !

— Ben quoi ?

— T'as pas besoin d'un stationnement, t'as pas d'auto ! Tu viens en métro.

— Pis, ça. C'est le principe, tu sauras.

— Quel principe ?

— Celui de l'égalité.

— Avec qui ?

— Ben avec P-O, qu'est-ce que tu penses ? Pis j'ai peut-être pas d'auto maintenant, mais je vais en avoir une un jour.

— Ben, tu le demanderas à ce moment-là, Charlotte, c'est tout. Mets tes priorités à la bonne place !

— Bon, bon, chicane-moi pas. Je veux juste pas qu'il ait des passe-droits.

— Il en aura pas, t'inquiète pas.

— En tout cas, pour le bureau privé, je vais l'exiger tout de suite.

— Comme tu veux. Faut que j'y aille avant que je sois plus capable de détacher ça, dit Aïsha en me montrant le t-shirt de Justin, qu'elle tient toujours dans sa main.

On sort des toilettes. Aïsha tourne à gauche, moi à droite. Elle m'interpelle une dernière fois.

— Charlotte, on se voit toujours ce soir chez moi ? J'ai décongelé mon tagine de lapin au citron confit.

Eh merde, j'avais complètement oublié son invitation ! Et j'ai un autre rendez-vous.

— Ahhhh, je suis désolée, Aïsha, j'ai un souper d'affaires.

— Un souper d'affaires ? Avec qui ?

— Tu te souviens de la psychothérapeute dont les amis de Justin m'ont parlé l'autre fois ? Martine Lebœuf ?

— Oui, oui. Tu soupes avec elle ? Pourquoi ? T'as besoin de consulter ? Tu m'as dit que Max attendrait pour reparler de divorce.

— Non, je la vois pas pour ça. On la rencontre parce qu'on veut lui proposer une chronique à l'émission. Pour qu'elle nous parle de la vie de couple et des relations humaines en général, tu vois ?

— Ah oui ! C'est une bonne idée, ça. Cette femme-là, c'est une bête de télé.

— Exact !

— T'as dit : « On la rencontre. » Tu y vas avec la nouvelle réalisatrice ?

— Elle ? Jamais de la vie ! C'est Dominique qui devait venir, mais il n'est pas question que j'en parle à l'autre. Je l'informerai seulement si ça marche avec Mme Lebœuf.

— Et tu y vas avec qui, alors ?

— Ben, j'y vais avec… euh… avec P-O.

Je vois les yeux d'Aïsha rétrécir en une mince ligne noire et sa mâchoire se crisper. Je savais trop bien qu'elle n'aimerait pas ça ! Combien de fois m'a-t-elle répété que les ennemis de ses amies devenaient automatiquement ses ennemis à elle aussi ? J'avoue ici que je suis plutôt d'accord avec ce principe que j'applique moi-même dans ma vie de tous les jours… sauf dans ce cas-ci.

— Écoute, Aïsha, j'ai pas le choix. C'est mon co-animateur, je peux pas l'exclure. Il faut que j'aie des relations civilisées avec lui.

— T'es pas obligée.

— Ben là, on fait le *show* ensemble. Si on s'entend pas, ça va paraître en ondes.

— C'est pas vrai ! Savais-tu que les deux animateurs de l'émission matinale sont incapables de se sentir ? Hein ?

— Geneviève et Pascal ? Voyons, ça se peut pas ! Ils ont tellement l'air complices.

— C'est du *fake* ! Dans la vraie vie, ils se détestent. Mais ils jouent le jeu.

— Ouin, mais moi je suis pas comme ça. Tu me connais, je suis pas capable d'être hypocrite.

— Je pense qu'il va falloir que t'apprennes. Choisis ton camp, Charlotte Lavigne !

Et voilà ma bonne amie qui tourne les talons et me laisse en plan avec un choix déchirant.

3

Martine Lebœuf:
– quarante ans;
– membre de l'Association des psychothérapeutes du Québec;
– associée à la Clinique de la santé du corps et de l'esprit;
– mère de deux monstres;
– épouse infidèle.

Quelques heures plus tard, dans l'ascenseur qui mène au bureau de Mme Lebœuf, je me souris dans le reflet de la porte en métal. Je suis fière de moi et de la solution que j'ai trouvée à mon problème. Comme je suis incapable de choisir entre ma meilleure amie et mon coanimateur, eh bien, j'ai décidé de ne pas le faire. Tout simplement.

Il va de soi que mon cœur est avec Aïsha. Mais ma tête et mes ambitions professionnelles me poussent à me rapprocher de P-O. Je veux que cette émission soit un succès. Et pour ça, j'ai besoin de la complicité et du soutien de l'ex de ma meilleure amie. Pas la situation idéale, mais c'est comme ça. Je vais donc entretenir de bonnes relations avec P-O et les cacher à Aïsha. Pas simple, mais faisable.

La porte de l'ascenseur s'ouvre directement sur un étage complet occupé par la psychothérapeute la plus réputée de Montréal et ses collaborateurs. Martine

Lebœuf a choisi d'ouvrir son bureau de consultation à la Clinique de la santé du corps et de l'esprit, un genre de centre de bien-être physique et émotionnel. On vient ici pour consulter un psy, recevoir un massage, suivre un cours de yoga ou se faire piquer des aiguilles partout sur le corps pour guérir un mal mystérieux. On m'avait prévenue que cette fille originaire de Roberval, colorée et à l'accent jeannois encore bien présent, ne faisait pas les choses comme tout le monde.

D'emblée, les lieux ne ressemblent pas du tout à ce que j'avais imaginé. Je pensais me retrouver dans un endroit zen, où tout appelle à la confidence et à la détente. Un univers de couleurs sobres, d'éclairage tamisé et de musique douce. J'ai plutôt l'impression d'entrer dans une luxueuse garderie. Première constatation, les murs sont peints d'un jaune banane éclatant et il y a des toutous partout : sur le bureau de la réceptionniste, sur une étagère derrière elle, sur le plancher de chêne rouge… Ils sont gros, petits, blancs, bruns, roses, verts… C'en est étourdissant.

À droite se trouve un immense espace de jeu aménagé pour les petits. Minichâteau gonflable rose et mauve, piste de course pour voitures miniatures, console Wii, maison miniature de Dora, figurines de *Histoire de jouets*, dont Buzz l'Éclair, que se disputent deux garçons à l'air haïssable, en poussant de grands cris. Je reconnais les enfants de Mme Lebœuf, avec qui elle posait fièrement dans un récent magazine à potins.

— Félix et Nathan, arrêtez ça tout de suite, lance la réceptionniste en se dirigeant vers eux à grands pas.

Le plus vieux, qui doit avoir quatre ou cinq ans, tape maintenant sur la tête de l'autre avec Monsieur Patate.

Je la regarde séparer les deux petits monstres et s'emparer de la précieuse figurine, puis retourner à son bureau en ignorant leurs pleurs. J'ai soudain pitié d'eux. C'est qu'ils semblent sincèrement avoir une peine immense. Je n'ose imaginer dans quel état je serais, moi, si on me confisquait mon jouet préféré, en l'occurrence mon nouveau robot de cuisine Artisan bleu électrique. Cadeau de Noël de mon ami Ugo. Quelle sans-cœur, cette réceptionniste!

Elle me demande si j'ai rendez-vous, je lui réponds brièvement que oui, mais mon regard se tourne vers les deux petits en larmes. Ils pleurent de plus en plus fort.

— Ne vous laissez pas impressionner, ils font ça tout le temps. Ce sont d'excellents manipulateurs. Avec qui avez-vous rendez-vous?

— Avec leur mère, Mme Lebœuf.

La réceptionniste se tourne brusquement vers les enfants qui se chamaillent de plus belle.

— Là, j'en ai assez entendu! Chacun dans votre coin! Tout de suite!

Son ton menaçant me fait sursauter, et je crois bien qu'il effraie les enfants puisqu'il n'y a plus un son dans la pièce. Il faut dire que le furieux coup de poing qu'elle vient d'assener sur son bureau n'est pas très rassurant.

Les deux petits obéissent et marchent dans des directions opposées. Ils recommencent à pleurer, un peu moins fort. J'ai le cœur en mille miettes et, si je m'écoutais, j'irais les rejoindre pour leur faire de gros câlins et leur redonner Buzz l'Éclair. Je leur offrirais aussi quelques-uns des caramels à la fleur de sel qui traînent dans mes poches de manteau.

Mais je ne suis pas ici pour jouer les gardiennes d'enfants. Je suis simplement venue chercher Martine Lebœuf pour l'emmener au restaurant où P-O doit déjà nous attendre.

La réceptionniste passe un coup de fil pour annoncer mon arrivée et m'indique la troisième porte à droite, que je m'empresse de franchir pour fuir les pleurs des petits. Véritable torture à mes oreilles.

J'entre dans le bureau de la psychothérapeute, et la scène que je vois est pour le moins bizarre. Deux femmes et un homme vêtus de façon plutôt sportive sont debout en rond derrière la table de travail de Mme Lebœuf. Ils ont tous les trois les yeux rivés au sol et semblent bien concentrés à regarder quelque chose. Peut-être un autre enfant en punition?

— Pardon, je cherche Mme Lebœuf.

Les trois têtes se tournent vers moi. Puis j'entends la psy, reconnaissable grâce à son fort accent jeannois, qui m'invite à m'approcher. Mais approcher d'où, au juste? Je ne la vois nulle part!

Un peu perdue, je continue à la chercher des yeux quand l'homme aux bras musclés – sûrement le massothérapeute – me fait signe de venir les rejoindre. Je m'y rends et jette un coup d'œil au sol, pour voir ce qui les fascine. Eh bien, c'est la psychothérapeute elle-même! Étendue de tout son long sur le dos, les jambes légèrement écartées, les pieds nus et un dossier à ses côtés. Qu'est-ce qu'elle fait là?

Mme Lebœuf est ce qu'on pourrait appeler une jolie ronde. Juste assez enveloppée. Un visage aux joues pleines, avec de magnifiques yeux turquoise et un sourire charmeur. Elle me plaît bien.

— Vous arrivez juste à temps. Je viens de terminer ma réunion avec mes associés.

Je souris en ne sachant pas trop quoi répondre. C'est que je suis un peu estomaquée; je ne m'attendais pas à rencontrer la psychothérapeute la plus célèbre en ville dans une telle position.

Je dois avouer que cette femme n'a rien de l'image qu'on se fait généralement d'une psy, c'est-à-dire une femme plutôt douce, tranquille et effacée. Martine Lebœuf est tout le contraire et c'est pour ça, justement, qu'elle serait une excellente chroniqueuse.

— Vous êtes bien Charlotte? me demande-t-elle, soupçonneuse devant mon mutisme.

— Oui, oui. Bonsoir, madame Lebœuf.

Je me penche vers elle pour lui donner une poignée de main, mais elle empoigne plutôt fermement mon poignet et commence à tirer sur mon bras.

— Excusez ma position, je faisais un petit exercice pour mon dos. Aidez-moi à me relever, chère.

— Euh, très bien, dis-je, un peu surprise par cette demande.

Je tire sur son bras, mais elle ne bouge pas d'un iota.

— Pas comme ça. Avec vos deux mains, là, là, m'ordonne-t-elle.

Je prends donc ses deux mains dans les miennes et je tire de nouveau. Ouf! C'est loin d'être facile, elle est beaucoup plus lourde que je le pensais. En plus, avec mes bottes à talons hauts en cuir marron, achetées en solde au *Boxing Day*, je garde difficilement mon équilibre.

J'ai comme le goût de la laisser se débrouiller toute seule. Mais n'oublions pas que je suis ici pour lui vendre l'idée de faire partie de mon équipe de chroniqueurs, ce qui rehausserait grandement la qualité de l'émission. Un comportement de *téteuse* s'impose donc.

— Agrippez-vous, madame Lebœuf, je tire!

Je constate qu'aucun des trois associés ne semble vouloir faire le moindre effort pour me venir en aide. Et si je ne me trompe pas, ils ont même l'air de se bidonner. Solide, à part ça! Et puis c'est quoi l'idée de faire des exercices au sol pendant une réunion, hein?

— Attention à mon dos, Charlotte! Je suis très fragile. Ne vous organisez pas pour me blesser.

Là, j'avoue que je ne sais plus trop comment m'y prendre. Surtout qu'une des collègues de Mme Lebœuf m'explique qu'elle doit faire la planche tous les jours pendant une demi-heure pour soigner son dos. Ça s'appelle le *planking*. Il ne lui est pas venu à l'idée de faire ça chez elle? «Pas le temps», me répond la psy quand je lui pose gentiment la question. Ses deux enfants ne lui laissent pas une minute de répit.

Comment éviter de la blesser, alors? Allons-y avec plus de douceur. Je me penche vers elle pour tenter de la soulever par les deux bras. Mais est-ce mon imagination ou elle semble prendre un malin plaisir à ne pas s'aider du tout ? Pire, même, on dirait qu'elle me ramène constamment près d'elle et de sa voluptueuse poitrine.

Tu parles d'une journée de fous ! Deux rencontres bizarres en quelques heures. Tout d'abord cette réalisatrice hippie dont l'appartement doit être décoré avec de vieilles affiches psychédéliques. Et maintenant cette psychothérapeute qui semble conspirer avec ses collègues pour que je fasse une folle de moi ! Vivement que je la ramène à ma hauteur !

— Charlotte, mettez-y plus de force, voyons. Vous manquez de poigne, ma fille.

Ma fille, ma fille… Non, mais elle se prend pour ma mère ou quoi ? Martine Lebœuf doit avoir à peine quarante ans. Bon, d'accord, elle en impose beaucoup plus que moi, mais ça ne lui donne pas le droit de me considérer de haut.

C'est étrange comme j'ai l'impression qu'on me fait passer un test ! Un test de quoi au juste ? De persévérance ? De courage ? Ils veulent me mettre à l'épreuve, eh bien, ils vont voir que Charlotte Lavigne n'est pas une *moumoune*. Vous allez vous lever, Mme Lebœuf, coûte que coûte !

Un, deux, trois, go ! Je tire de toutes mes forces sur ses deux bras. Allez, un petit effort, charmante future collaboratrice ! Donnez-moi un coup de main au lieu de me sourire d'un air moqueur. Finissons-en ! C'est que j'ai drôlement chaud, moi, sous mon manteau d'hiver en laine rouge que je n'ai même pas déboutonné. Je sens la sueur qui dégouline dans mon dos, une sensation que je déteste par-dessus tout. C'est d'ailleurs une des raisons pour lesquelles le sport exerce peu d'attrait sur moi. Il existe une seule activité physique qui me plaise dans la vie et elle se déroule dans un lit ou sur un comptoir de cuisine. Et là, j'y autorise un peu de sueur.

La psychothérapeute semble littéralement clouée au sol et je commence à en avoir marre, de cette mascarade. Mais je prends sur moi en me rappelant pourquoi je suis ici : parce que Mme Lebœuf a été élue personnalité de l'année par le magazine féminin le plus populaire du Québec. Et j'ai besoin d'elle si je veux faire lever mon *show* !

Pas question que *Mangues et prosciutto* soit d'un ennui total comme ça l'était avant les fêtes. Je me suis pratiquement endormie en visionnant quelques épisodes sur le Net avant-hier. Mon émission fera des étincelles et sera un succès… bœuf ! Avec Mme Lebœuf, debout sur ses deux pieds ! Je tire une dernière fois très, très fort, mais c'est peine perdue. J'abandonne, trop épuisée. C'est à ce moment que je me sens vaciller, perdre l'équilibre et partir vers l'avant, pour aller m'écraser contre la psychothérapeute.

Pendant que la honte m'envahit, j'entends des rires dans la pièce. Les associés et la psy elle-même se moquent de moi sans scrupules. Elle ne semble pas du tout incommodée par mon corps étendu de tout son long sur elle. Mais moi, mon visage dans sa généreuse poitrine, je suis loin d'être à l'aise. Je me relève tranquillement, sans dire un mot, et j'essaie d'accrocher un sourire à mes lèvres. Pas facile de ne pas se sentir vexée.

J'enlève les faux plis de mon manteau pourtant sans aucun pli quand je vois Mme Lebœuf s'appuyer sur ses deux coudes et se relever ensuite promptement. Presque sans effort et toujours en ricanant. Quelle actrice !

— Ah, je le savais ! Vous m'avez bien eue.

Et je me joins finalement aux rires des autres. Je ne veux surtout pas passer pour une *stuck-up* !

— Charlotte, bienvenue dans notre merveilleux univers. Ici, on a gardé notre cœur d'enfant, chère. C'est pour ça que c'est *plaaaésant* de travailler ici.

— Je vois ça. On m'avait avertie que vous étiez une joueuse de tours, mais je ne pensais pas en être victime dès notre première rencontre.

— Victime? C'est un mot lourd de conséquences, vous savez, lance Mme Lebœuf, un soupçon d'indignation dans la voix.

Est-ce qu'elle joue encore ou elle dit vrai, cette fois-ci? Je sens qu'il va être très difficile de savoir à quoi m'en tenir avec pareil personnage. Elle se dirige vers la sortie de son bureau, et ses trois collègues la suivent comme un petit chien. Je fais de même.

— Ben, euh… c'est une façon de parler.

— Je pense, Charlotte, que vous ne savez pas ce que c'est, une victime. Ce n'est pas un mot que j'utilise à la légère. Vous savez que je m'intéresse beaucoup à la cause des femmes violentées. Elles, ce sont des victimes. Pas vous!

Eh que cette relation d'affaires débute mal! Si je suis obligée de surveiller mes mots chaque fois que j'ouvre la bouche, je n'y arriverai jamais! Mieux vaut changer de sujet.

— Alors, vous êtes prête? On y va?

— Dans dix minutes, Charlotte, dans dix minutes.

Et je la vois s'éloigner vers l'aire de jeux pour aller embrasser ses enfants.

**

Une heure et quart plus tard, nous entrons au Bœuf musqué, établissement renommé du centre-ville de Montréal et restaurant préféré de la psychothérapeute. Je suis inquiète de l'état dans lequel je vais trouver P-O qui nous attend depuis trop longtemps. Il va être furieux, d'autant plus qu'il était déjà contrarié que la rencontre n'ait pas lieu dans un des deux restaurants dont il est le propriétaire.

Au cours de la dernière heure, j'ai dû lui envoyer au moins quatre textos pour l'avertir que nous arrivions. Chaque fois, je pensais que c'était le cas, mais Mme Lebœuf trouvait toujours une tâche de dernière minute à exécuter. Enfin, quand nous sommes entrées dans l'ascenseur, j'ai poussé un soupir de soulagement. Cinq minutes de marche et nous y serions.

Mais je n'étais pas au bout de mes peines. En sortant de l'ascenseur, j'ai entendu un petit bip résonner du côté de la psychothérapeute. Elle a penché la tête pour jeter un coup d'œil à un objet accroché à la ceinture de sa jupe, beaucoup plus petit qu'un téléphone et qui ressemblait à cet outil de communication jadis à la fine pointe de la technologie : un téléavertisseur. Impossible qu'elle utilise cet instrument complètement dépassé !

— Charlotte, plus besoin de marcher jusqu'au restaurant, je vais appeler un taxi, m'a-t-elle lancé tout naturellement, comme si je devais comprendre le lien entre le bip et ledit taxi.

Devant mon air interloqué, elle m'a expliqué d'un ton un peu excédé qu'elle se tient en forme grâce à la marche. Pour cela, elle utilise un podomètre qui l'avise quand elle a atteint les dix mille pas qu'elle s'impose tous les jours. Ahhhhhh… C'est vrai que c'est évident, hein ?

Je l'ai donc félicitée comme je pensais devoir le faire, en lui rappelant toutefois que nous n'étions qu'à trois coins de rue.

— Et alors ? Je vais économiser mes pas pour demain, chère.

C'est ainsi que nous avons poireauté dix bonnes minutes dans le hall de l'immeuble avant qu'une voiture s'arrête. Ensuite, il nous a fallu deux fois plus de temps pour se rendre au resto que si nous y étions allées à pied. Circulation intense et travaux routiers obligent. Et pendant tout le trajet, je n'ai cessé de penser à mon coanimateur et à son caractère bouillant d'Italien.

Maintenant que je le cherche des yeux dans la grande salle à manger, je souhaite seulement qu'il gardera pour lui son mécontentement. Ou, dans le pire des cas, qu'il me le fera subir une fois que nous serons seuls.

L'hôtesse, qui a immédiatement reconnu la célèbre psy, nous demande de la suivre jusqu'au fond de l'immense pièce, où nous attendent nos compagnons.

Nos compagnons? P-O ne devait-il pas être seul? De qui peut-il bien être accompagné? Je déteste ce genre de surprise. Il aurait au moins pu m'aviser! Je crois bien que je vais devoir lui servir un petit *speech* sur la complicité entre animateurs.

Je suis Mme Lebœuf entre les tables, mais le restaurant est sombre et je ne vois pas bien devant moi. Puis, tout à coup, je sens une odeur. Pas encore vraiment familière, mais reconnaissable entre toutes. Celle de l'encens de bois de je ne sais plus trop quoi! Celle de la nouvelle réalisatrice. Ah non! Pourquoi est-elle ici?

Je suis loin d'être convaincue que ça va cliquer entre elle et Martine Lebœuf. Elles sont complètement à l'opposé l'une de l'autre. La psy a beau aimer jouer des tours et avoir un petit côté enfant, elle a les deux pieds bien sur terre quand vient le temps de se porter à la défense des femmes violentées.

Elle est bien différente de la Denise qui semble toujours dans les nuages, en plus d'être d'une lenteur à vous faire perdre patience. Lente à réfléchir, à parler, à marcher... et même à boire son café! J'ai passé une partie de l'après-midi à l'observer et j'en suis venue à une seule conclusion: elle m'énerve! Sous toutes ses coutures. D'autant plus qu'elle m'a dit qu'elle allait « mettre en délibéré » ma demande d'avoir un bureau fermé. Pff... Je n'attendrai certainement pas qu'elle se décide à me donner ce qui me revient de droit. Si demain elle ne m'a encore rien dit à ce sujet, j'entends formuler ma demande à M. Samson. Rien de moins.

Je regarde les deux femmes se serrer la main et je constate rapidement qu'un univers les sépare. Ne serait-ce que par leur allure. Martine Lebœuf est très classe avec son tailleur jupe *charcoal* et sa chemise rose pâle, alors que Denise, en beige et gris fade, ne fait pas le poids. Et surtout, elle ne cadre pas dans ce resto chic et branché.

En plus, la première est la championne toutes catégories de l'utilisation des médias sociaux tandis que la deuxième doit penser que Twitter est une espèce d'oiseau qui vit au Costa Rica avec des perroquets multicolores qui répètent : « Bonjour, Coco. »

Je salue néanmoins notre réalisatrice, en bredouillant une quelconque excuse pour avoir *oublié* de l'inviter. Elle me regarde sans broncher. Impossible de savoir si elle m'en veut à mort ou si ça l'indiffère.

Je jette ensuite un coup d'œil à P-O, avec son look parfaitement étudié du gars légèrement suffisant avec sa barbe de trois jours. Il réalise que je suis loin d'être enchantée et je vois tout de suite qu'il ressent la même chose. Il me regarde et je comprends que ce n'est pas de sa faute et qu'elle s'est imposée. Bon, au moins, on est sur la même longueur d'onde.

Pendant que Martine Lebœuf échange avec Denise et P-O, je parcours le menu du regard. Ce midi, j'ai dîné d'une poignée de fèves de soja rôties et j'ai une faim terrible. J'ai bien l'intention de m'offrir un bon steak saignant, comme j'en mange très rarement. Voyons voir…

Entrecôte Kansas, 22 onces, 62 $
Filet mignon argentin, 18 onces, 54 $
Bifteck d'aloyau de l'Alberta, 32 onces, 96 $

Hein ! C'est quoi ces portions de malades ? Est-ce qu'il y a quelqu'un sur la Terre capable de manger trente-deux onces de viande ? Et que dire de ces prix de fous ? La moindre petite entrée de mesclun coûte au moins 18 dollars ! Inadmissible ! Je déteste ce genre d'établissement qui se croit tout permis parce qu'il reçoit des critiques élogieuses. Et où les propriétaires savent très bien qu'ils pourront toujours compter sur une riche clientèle touristique.

— Alors, Charlotte, vous avez choisi ? me demande la psychothérapeute.

— Euh, pas vraiment. Et vous ?

— Moi, je prends toujours la même chose ici. Le bifteck d'aloyau de trente-deux onces.

J'essaie de ne rien laisser paraître de la surprise que provoque cette réponse. Comment fait-elle pour engloutir l'équivalent de cinq steaks de taille normale ?

— Mais j'imagine, intervient P-O, que vous le prenez à deux ? Comme c'est indiqué dans le menu ?

Ah... La voilà, l'explication.

— Non, non, c'est pour moi... Mais j'apporte souvent un *doggie-bag* à mes amours.

— Vos enfants aiment la viande ? dis-je.

— Non, c'est pas pour mes enfants. C'est pour Nika et Yaki. Ils adorent ça. Regardez, j'ai une photo ici. En pleine action.

Elle fait défiler des photos sur son iPhone et s'arrête sur l'une d'elles. Tout sourire, elle nous montre l'image en question. On y voit deux bergers allemands s'arracher une pièce de viande avec leurs crocs.

Quoi ! Des restes de luxe pour des... chiens ! Quel gaspillage ! Je sens l'indignation monter en moi, mais je m'efforce de n'en rien montrer. Je croise le regard de P-O et je m'aperçois que lui non plus n'a pas très envie de sourire devant la photo. En tant que chef, il ne supporte certainement pas qu'on puisse nourrir des chiens avec de la viande qu'on aura mis des semaines à faire vieillir à sec et qu'on aura ensuite apprêtée avec tout l'amour qu'elle mérite.

Je referme mon menu, après avoir choisi la plus petite portion de steak sur la carte, soit dix onces de filet mignon. C'est beaucoup plus que la quantité de viande rouge que je mange pendant toute une semaine, mais une fois n'est pas coutume, n'est-ce pas ?

Bon, maintenant que le problème du repas est réglé, qu'est-ce qu'on boit? C'est à ce moment-là que le serveur apparaît miraculeusement, une bouteille de vin rouge à la main.

— Monsieur, dit-il à P-O avec un fort accent anglais et en lui montrant la bouteille de Brunello di Montalcino.

Wow! Un de mes rouges préférés que je n'ai malheureusement pas souvent l'occasion de boire. Beaucoup trop cher pour mes moyens, mais visiblement convenable pour le compte de dépenses de mon coanimateur.

— J'espère que vous aimez les vins toscans, demande P-O à Mme Lebœuf.

— Mais bien entendu, Pierre-Olivier. J'adore tout ce qui est italien, précise-t-elle en le gratifiant de son sourire charmeur. Et particulièrement LES Italiens.

Oh… c'est qu'elle est d'attaque, la psy! Et visiblement, elle a mené son enquête sur P-O et elle a appris que sa mère était italienne. Tant mieux, ça ne sera peut-être pas difficile de la convaincre de se joindre à notre formidable équipe!

Le serveur s'informe de nos choix. Il le fait en anglais, mais je lui lance un regard tellement indigné qu'il revient au français.

Notre invitée d'honneur, P-O et moi, on opte pour la spécialité de la maison, de la viande rouge. À trois, on vient de commander près de deux kilos de steak. Deux kilos! De quoi nourrir une famille de dix enfants et deux parents un samedi soir. Je ressens soudain un malaise devant tant d'opulence. Oui, j'aime le luxe, mais pas de façon aussi démesurée.

Denise, elle, a commandé une salade César et un accompagnement de purée de pommes de terre. Eh oui, elle est végétarienne. Pure et dure depuis des années. Pour la santé, mais aussi par conviction. Je sens qu'elle pourrait discuter longuement des méthodes d'élevage des animaux de boucherie, mais elle semble avoir compris que ce n'était surtout pas le bon moment.

Pendant qu'on déguste l'excellent vin, Mme Lebœuf s'amuse à nous raconter ses nombreux voyages en Italie, en insistant sur celui qui s'est terminé par un mariage en Sicile. Wow! Que c'est romantique!

— Comme dans *Le Parrain*!

— Oui, sauf que moi, chère, je n'ai pas marié un mafieux, me répond-elle tout de go.

— Non, non, j'ai pas voulu dire ça.

Décidément, j'ai le don de me mettre dans le trouble avec elle. Confuse, je baisse les yeux et je joue avec les luxueux couverts. À lui seul, le couteau à steak en acier massif Bugatti doit valoir aussi cher que les quatre que je viens d'acheter en solde pour remplacer ceux d'Ugo.

Je me souviens de l'air interrogateur de mon ami quand il a ouvert le tiroir de sa cuisine et qu'il a découvert les quatre nouveaux ustensiles avec des manches colorés. Rouge, vert, jaune et même rose. Tout à fait moi!

— Charlotte, pourquoi t'as acheté des nouveaux couteaux? Tu les aimais pas, les miens?

Je lui ai répondu que je trouvais que nous avions besoin d'un peu de couleur dans cet appartement où tout est gris, noir et brun.

— Où est-ce qu'ils sont rendus, mes couteaux?

— Dans une boîte, sur la tablette de la garde-robe d'entrée.

Sans un mot, Ugo est allé récupérer ses ustensiles. Il les a replacés dans le tiroir et m'a redonné les miens en me disant: «Ça fait un peu trop fille à mon goût.» C'est là que j'ai compris qu'Ugo avait beau m'aimer de tout son cœur, je ne pourrais pas rester indéfiniment chez lui.

J'essaie, pourtant, de ne pas prendre trop de place et, surtout, de ne pas être un fardeau. Je cuisine pour Ugo et son chum, mais mon ami rentre souvent tard de la boucherie, après avoir mangé en vitesse sur place.

Et Justin préfère les recettes anticancer, même si je ne cesse de lui répéter qu'il n'a pas le cancer, mais qu'il est séropositif.

Je participe aussi avec entrain aux corvées ménagères. Mais Ugo se croit obligé de repasser derrière moi, sous prétexte que je tourne les coins ronds. Même pas capable d'être utile!

Je me donne donc un mois pour me trouver un nouvel appart. Ou une fille qui cherche une *roomie*. Et ça ne peut pas être Aïsha puisqu'elle habite un trois et demie. À sa grande déception, elle n'a pas réussi à racheter la part du magnifique condo que P-O et elle avaient acquis dans la Petite-Italie. C'est lui qui y vit maintenant. En célibataire, selon ma dernière mise à jour.

Je lève finalement les yeux de la table pour suivre la conversation que viennent d'entamer Denise et notre invitée d'honneur. J'entends cette dernière confier qu'elle est… *cacaomane.*

— Hein? Ça veut dire quoi au juste? dis-je, fascinée par la façon dont elle s'ouvre si facilement à de parfaits inconnus.

— Que je suis complètement accro au chocolat!

— Ah… Fiou! lance P-O, une note de soulagement dans la voix. Je pensais que ça faisait référence à autre chose.

Mme Lebœuf éclate de rire, Denise affiche un air interrogateur – visiblement, elle n'a rien saisi –, et moi je joue la fille indignée.

— Ah, franchement, P-O, t'es ben niaiseux!

— Eille, Charlotte Lavigne, tu peux bien parler, toi… Je suis certain que tu as pensé la même chose.

La sonnerie d'un cellulaire vient sauver la situation. C'est celui de P-O. Je lui fais signe de l'éteindre immédiatement. Nous sommes ici tous les deux en pleine séance de séduction, et délaisser notre invitée pour répondre à un appel n'est pas ce qu'on pourrait appeler une bonne stratégie.

Mais le voilà qui ignore mon avertissement. L'air préoccupé, il s'éloigne pour parler à son aise.

Je souris à Mme Lebœuf pour excuser mon partenaire, mais ça semble être le dernier de ses soucis. Elle a trouvé une bonne oreille en la personne de Denise, qui l'écoute religieusement raconter ses débuts comme psychothérapeute.

— J'ai bâti ma clientèle un client à la fois, j'ai trimé dur pendant des années pour faire ma niche, pour me distinguer des autres.

Denise et moi continuons d'écouter le monologue de Martine Lebœuf de longues minutes. Elle nous explique que, pendant des années, elle a reçu ses clients dans un minuscule bureau qu'elle louait à Verdun, avant d'avoir les moyens d'emménager au centre-ville de Montréal. C'est là que l'idée de s'associer à d'autres professionnels lui est venue.

Elle nous raconte aussi qu'elle a commencé à la radio en faisant des remplacements l'été, jusqu'à ce qu'on lui offre une émission quotidienne. Depuis, elle anime une tribune téléphonique sur les relations humaines sur les ondes de la radio privée la plus populaire de Montréal.

— Ç'a été la consécration, ajoute-t-elle sans aucune modestie. Et aujourd'hui, je choisis mes projets et je pose mes conditions.

Eh bien, nous voilà avisées. J'espère seulement que les conditions qu'elle nous demandera seront dans les modestes moyens de l'émission. Et pas complètement farfelues comme les exigences de Roxanne à l'époque. Il n'y aura pas de diva à *Mangues et prosciutto*, croyez-moi !

Je tourne la tête vers le bar où s'est dirigé P-O pour répondre à son appel il y a plusieurs minutes déjà. Aucune trace de mon coanimateur de chef ! Où est-il passé ?

Je me lève en prétextant me rendre aux toilettes et je pars à la recherche de P-O. Je le trouve finalement dans l'entrée du resto, caché derrière le lourd rideau de velours bourgogne. Il me tourne le dos et ne me voit pas. Je tends l'oreille pour écouter sa conversation à travers la musique d'ambiance fourre-tout qu'on appelle *chill out* si on veut être *in*.

— … jamais été sérieux entre nous… pas voulu ça…

À qui peut-il bien parler ? Une fille, sûrement. Et pourquoi sa voix trahit-elle une telle angoisse ?

— … me mets devant le fait accompli… pas correct… piégé…

Oh my God ! Je crois que je viens de comprendre… La fille à qui il parle est en train de lui annoncer qu'elle est enceinte. De lui ! Je mets la main sur ma bouche pour masquer ma surprise et c'est ce moment-là que choisit P-O pour se retourner. Il me lance un regard noir.

— Bon, regarde, faut que je te laisse. On m'attend… Oui, je te rappelle.

Et il raccroche sans plus de façon. Je l'ai rarement vu aussi contrarié. Pendant un instant, je repense à toute la peine qu'a eue Aïsha quand elle a découvert son aventure avec l'ex-animatrice de *Mangues et prosciutto*. Il n'a que ce qu'il mérite. Et je ne peux pas m'empêcher de lui remettre le tout en pleine face.

— C'est ça qu'y arrive quand on couche à gauche et à droite !

— Mêle-toi donc de tes affaires, Charlotte !

— C'est qui ? C'est Priscillia, l'ancienne animatrice ? Elle va le garder ?

— Eille, je t'interdis de partir des rumeurs. C'est pas ça pantoute.

— Ah non ? C'est qui dans ce cas-là ?

— Je te l'ai dit, ça te regarde pas. Et c'est pas ce que tu penses.

— Pff, essaie pas. Je t'ai entendu.

De but en blanc, P-O change d'air. Sa contrariété laisse place à une inquiétude que je crois sincère. Il pousse un long soupir.

— *Come on*, Charlotte. C'est déjà assez compliqué comme ça. *Give me a break!*

Je me radoucis. Je n'ai jamais pu résister à un homme qui s'avoue vaincu.

— Bon, OK. Viens-t'en. Elles nous attendent. On a un *pitch* de vente à faire, nous autres.

— Bah, ça marchera pas de toute façon !

— Pourquoi tu dis ça ?

— Je le sens pas. Je pense pas que ça lui tente vraiment.

— Ah non ? Moi, au contraire, je suis convaincue qu'elle va accepter.

— Ça m'étonnerait, Charlotte.

— Combien tu gages ?

— Ce que tu veux !

— Ce que je veux ? Ouin, t'es confiant.

— Je suis sûr de mon affaire.

— OK, si elle s'engage ce soir, tu me cèdes ton bureau pis ta place de stationnement !

— Ma place de stationnement ? T'es drôle, toi, t'as même pas d'auto.

— Pas encore.

— Bah, si tu veux… De toute façon, c'est moi qui vais gagner.

— C'est ce qu'on verra !

On se fait un gros *high five* pour sceller notre pari et, en silence, on s'en va rejoindre nos hurluberlues.

***

Deux heures et deux bouteilles de vin plus tard, je suis passée du vous au tu avec Mme Lebœuf, que j'appelle maintenant Martine. Et je viens tout juste de la convaincre de faire une chronique hebdomadaire à notre émission.

J'avale ma dernière gorgée de Brunello en jetant un regard de vainqueur à P-O. J'ai gagné ! Bon joueur, il me fait un clin d'œil.

— Ouin… j'en connais qui sont plus que des coanimateurs, lance Martine d'un ton ironique en nous regardant intensément.

— Mais pas du tout ! Qu'est-ce que tu vas chercher là ? dis-je, choquée.

Martine semble être le genre de fille qui n'a aucun filtre. Elle dit tout ce qui lui passe par la tête. Ce qui est complètement déstabilisant. Surtout quand on sait qu'elle est psychothérapeute et qu'elle devrait faire preuve de retenue. Mais plus les minutes passent et plus je me rends compte que la vraie nature de Martine, ce n'est pas d'être psychothérapeute, c'est d'être une vedette.

— Charlotte et moi, on est des amis. Pas plus, ajoute P-O, pas très à l'aise lui non plus.

— À cause, vous voulez pas l'avouer ? ajoute-t-elle en utilisant cette expression jeannoise qui m'a toujours fait rire.

On peut sortir une fille du Lac, mais on peut pas sortir le Lac de la fille.

— Je t'assure, Martine. Et puis je suis mariée, moi.

— Pis, ça ! Ça veut rien dire. Moi aussi, je suis mariée, pis ça m'empêche pas… Tu sais.

Je le répète : aucun filtre. Elle ne craint vraiment rien pour se vanter d'être infidèle auprès de gens qu'elle connaît à peine. Un vrai livre ouvert. Encore bien plus que moi !

— À chacun sa façon. Mais pour moi, être mariée, ça veut dire quelque chose.

— Ah… Et il est où ton mari, ce soir ?

— Euh, c'est que mon mari… ben, mon mari vit en France.

— En France ?

— Oui, oui, à Paris.

— Ah bon, tu es séparée.

— Non, je suis pas séparée. C'est juste que, tu vois, c'est un peu compliqué.

— Charlotte fait seulement un remplacement à l'émission pour trois mois, intervient Denise, pour une des rares fois de la soirée. Elle va repartir en France après.

Je regarde ma réalisatrice d'un air interrogateur. Je n'aime pas beaucoup les mots qu'elle vient d'employer : « seulement un remplacement ». Je n'ai pas du tout la même vision des choses.

En plus, je ne lui ai jamais dit que je voulais retourner à Paris au printemps ! En réalité, c'est de moins en moins dans mes plans. Plus le temps passe et plus je me rends compte que je suis faite pour vivre ici, au Québec. Reste Maxou, que j'aime encore profondément. Il me manque tellement : son sourire de dix millions de dollars, ses yeux noisette qui brillent quand il me regarde, ses bras musclés qui me plaquent solidement contre lui.

Cette façon qu'il a de me faire sentir la plus belle femme du monde, de me caresser doucement dans le bas du dos, puis de remonter tranquillement jusqu'à ma nuque... Juste à y penser, je sens un frisson parcourir mon corps au grand complet. Mais la voix de P-O m'empêche de continuer à fantasmer.

— Moi, Denise, je pense plutôt que Charlotte va rester ici. Parce que le *show* va tellement marcher qu'on va continuer à l'automne. Tu vas voir, ça sera un gros succès !

Ah, voilà une attitude qui me plaît ! Je partage l'enthousiasme de mon collègue.

— Surtout maintenant qu'on a Martine avec nous !

Je lève mon verre d'eau, puisque ma coupe de vin est vide, pour trinquer avec mon équipe. Et j'en profite pour regarder Denise d'un air de défi. Je ne sais pas ce qu'elle a voulu insinuer tout à l'heure en affirmant que j'étais là seulement en remplacement. Mais si elle pense qu'elle aura du pouvoir sur ma carrière en ondes, elle se trompe. Je ne la laisserai pas manœuvrer contre moi. Et puis je ne manque pas d'alliés :

P-O, Martine, Aïsha et, le plus important, le grand patron, M. Samson. Bref, je me sens beaucoup plus en confiance que ce matin quand je suis entrée dans son bureau.

C'est vrai que j'aurais aimé pouvoir compter sur une réalisatrice allumée, mais, visiblement, ce ne sera pas le cas. Et ça ne sert à rien de crier à l'injustice et de m'apitoyer sur mon sort pendant des jours. Je vais me relever les manches et bûcher encore plus fort. Ce qui m'arrange particulièrement ces temps-ci. Me noyer dans le travail me permet de ne pas trop penser à Maxou.

Le serveur arrive à notre table avec un contenant en styromousse qu'il remet à Martine. Soixante-dix dollars de viande pour deux chiens ! Martine rapporte la moitié de son steak à la maison, mais aussi le reste du mien. J'aime bien être carnivore de temps en temps, mais pas à ce point-là.

P-O détaille la facture qu'on vient de lui apporter. Ouch ! Heureusement que c'est la production qui paie. Denise lui fait signe de lui donner le document. Bon, au moins, elle assume son rôle. Parce que, ce soir, la nouvelle réalisatrice ne m'a guère impressionnée. Elle n'a pratiquement pas parlé, se contentant de nous écouter. Ce n'est pas elle qui aurait su quoi dire à Martine pour qu'elle se joigne à nous ! Une chance que j'étais là. Parce que P-O non plus n'a pas été d'un grand secours.

Après son coup de fil, il n'était plus le même. Il s'est forcé à sourire à Martine, il lui a même fait quelques compliments dans le but évident de la séduire, mais je le sentais ailleurs. Préoccupé. On peut le comprendre.

— Charlotte, je te donne un *lift* ? me lance P-O en se levant.

— Euh, OK.

Bonne idée, je vais peut-être pouvoir en apprendre plus sur ce que je crois être sa paternité inattendue. J'embrasse chaleureusement Martine, avec qui j'ai finalement réussi à communiquer sans me remettre dans l'embarras. Plus la soirée avançait, plus je me sentais à l'aise avec elle. Elle est drôle, vive et généreuse. Je crois que je vais beaucoup l'aimer, cette fille. Je suis juste un peu inquiète de son *ego*... qui me semble un tantinet démesuré.

Je salue rapidement Denise et je sors du resto en suivant P-O. Aussitôt à l'extérieur, il éclate.

— J'haïs ça, ces restos-là. Ils sont tellement voleurs, ç'a aucun sens. Tu connais la marge de profit qu'ils font sur le vin?

— Non. Combien?

— Deux cents pour cent!

— C'est écœurant! Moi non plus, c'est pas du tout mon genre de resto. Un steak, c'est un steak. Je suis capable d'en faire des aussi bons.

— C'est sûr.

— Pis le serveur, toujours à nous parler en anglais. J'avais beau le reprendre, il revenait tout le temps au naturel.

— Bienvenue dans l'ouest de la ville.

On marche ensuite en silence jusqu'à la voiture de P-O. Avant de monter à bord, j'ai soudainement une petite gêne.

— Ah, oublie ça, P-O. On s'en va pas dans le même coin de toute façon. Je vais prendre un taxi.

Bip, bip. Il vient de déverrouiller les portes de son Audi.

— Arrête de niaiser, pis embarque.

Je cède aussitôt, n'ayant pas envie de continuer à me geler les pieds dans mes bottes certes magnifiques, mais définitivement pas faites pour les grands froids de janvier.

Une fois à l'intérieur, le chauffage bien en fonction et mes pieds commençant à se dégeler, je mets cartes sur table avec mon coanimateur.

— Je voulais te dire, P-O, étonne-toi pas trop si je suis froide avec toi quand Aïsha est là, OK? C'est mon amie, pis je pense qu'elle aimerait pas tellement voir qu'on s'entend bien.

Il hausse les épaules, comme si ça le laissait indifférent. Non, plutôt comme s'il n'y pouvait rien. Il tourne à droite dans la rue Sainte-Catherine, passablement déserte en cette froide soirée de début de semaine.

— Je comprends pas pourquoi elle m'en veut encore autant.

— P-O, mets-toi à sa place ! Comment t'aurais réagi, toi, si t'étais rentré dans sa loge, pis que tu l'avais vue en train d'embrasser un autre gars à moitié nu ?

— C'est ce qu'elle t'a dit ?

— Ben oui. C'est pas ce qui s'est passé ?

— En gros, oui. Mais elle ne t'a pas parlé du contexte ?

— Quel contexte ?

— Il t'en manque des bouts, Charlotte.

— Explique-moi, alors !

— Une autre fois. On ira pendre un café.

— Hum, me semble oui. De toute façon, y a pas un contexte qui justifie d'être infidèle.

— Parce que ça t'est jamais arrivé, à toi ?

— Non, jamais.

— T'es sûre ? Même pas une histoire de *necking* ?

Je repense à ce court moment d'égarement que j'ai eu en France avec Arnaud. À ce baiser et à ces caresses que nous avions échangés par un bel après-midi ensoleillé, en plein cœur du parc Montsouris.

— Euh… ben, c'est que…

— Tu vois bien. T'es pas parfaite toi non plus.

— Moi, c'était pas pareil. Ça m'est arrivé juste une fois, j'ai pas couché avec lui, pis j'avais une bonne raison.

— Ah, parce que, quand c'est toi, y a une justification. Alors que moi…

— Non, sérieux. J'étais certaine que Max me trompait.

— Exactement comme moi !

— Quoi ?

— T'as très bien compris, dit P-O en s'arrêtant au feu rouge.

Il se tourne vers moi avant de poursuivre.

— Pis c'était vrai, en plus.

— Ben voyons donc ! Aïsha qui te trompait ? Ça se peut pas ! Je te crois pas. Pas une seconde !

— Demande-le-lui, tu vas voir.

— Pas besoin, elle m'en aurait parlé.

— Ah oui ? T'es certaine ? Vous ne vous parliez plus, t'étais en France.

— Peut-être. Mais là, on est redevenues proches. De toute façon, c'est impossible qu'elle t'ait fait ça, P-O. Tu sais bien qu'Aïsha était folle de toi.

— Ah, elle l'a regretté, c'est sûr. Mais moi, ça m'a complètement refroidi.

— Tu dis ça pour te justifier. Y a pas un gars assez *hot* avec qui Aïsha aurait pu te tromper.

— Ah non ? Même pas le prof de danse qui a été son amant pendant des années ?

J'assimile cette dernière information en silence. Albert, un des premiers amoureux d'Aïsha. L'homme pour qui elle aurait affronté vents et marées. Celui qu'elle a attendu des années, mais qui n'a jamais voulu quitter sa femme pour elle. Celui qui, une fois séparé, a choisi son fils plutôt qu'Aïsha. Celui à qui elle n'a jamais su résister.

— Elle l'a revu par hasard. Il est venu manger au Terminus, poursuit P-O.

Du temps où Aïsha fréquentait P-O, elle travaillait aussi avec lui à ses deux restaurants.

— Et alors ?

— J'ai tout de suite vu que c'était pas fini, cette histoire-là.

Là, je suis surprise. Je ne savais pas P-O aussi sensible et perspicace.

— Tu sais comment c'est, quelqu'un que t'as aimé profondément : soit tu veux pus rien savoir, soit il reste une forme d'affection, d'attachement. C'est probablement juste ça.

— Charlotte, tu veux vraiment pas me croire, hein?

— Je suis certaine que tu te fais des idées.

— Pas du tout. Deux jours plus tard, elle est rentrée du resto trois heures après la fermeture. Moi, j'y étais pas, ce soir-là. Je donnais un cours de cuisine à l'école d'un de mes amis.

Le nez collé à la fenêtre, j'essaie de ne plus écouter P-O. Je suis de moins en moins certaine que j'ai envie de connaître la suite. Dans ma tête, c'est lui, le méchant. Pas elle.

— Juste à son air, je savais qu'il venait de se passer quelque chose.

— Ouin, mais t'as aucune preuve.

— Ben oui, elle a tout avoué.

— Hein? Pour de vrai?

— Faut dire qu'elle a pas trop eu le choix. Ma barmaid l'avait vue partir avec ce gars-là, pis elle m'avait envoyé un texto. Fait que, quand je l'ai confrontée, elle a bien vu que ça servait à rien de nier.

P-O stationne dans la petite rue tranquille où habite Ugo. Je ne bouge pas, encore sous le choc de ses révélations. Ce qui fait le plus mal, en réalité, c'est de constater qu'Aïsha ne m'en a jamais soufflé mot. Encore des zones d'ombre dans notre amitié.

En silence, j'ouvre la portière et je sors de la voiture. Je passe devant celle-ci pour traverser la rue. J'entends P-O m'interpeller. Je me retourne.

— Tu sais, Charlotte, je suis pas parfait, mais je suis peut-être pas le salaud que tu penses.

Et là, je me souviens des paroles que j'ai entendues un peu plus tôt: «... me mets devant le fait accompli... piégé... » Je retourne à la voiture et je m'appuie contre le rebord de la fenêtre ouverte. Mon visage est à quelques centimètres de celui de P-O. Je le regarde droit dans les yeux.

— Ben, si t'es pas un salaud, comme tu prétends, tu vas prendre tes responsabilités avec la fille qui attend un bébé de toi. Tu vas assumer.

P-O détourne le regard et fixe maintenant le volant. Il me parle d'un ton plus bas, sans me regarder. Je m'approche encore.

— Y a personne qui est enceinte, Charlotte. Mais il y a une petite fille de trois ans, qui porte le même nom que toi, pis y paraît que je suis son père.

4

«Vous êtes donc le géniteur de 533 enfants,
dont 142 d'entre eux veulent connaître votre identité.»
MAÎTRE CHAMBERLAND (PATRICK LABBÉ)
à DAVID (PATRICK HUARD)
dans *Starbuck*, 2011.

— Une Mini-Charlotte, Ugo. Tu te rends compte? Une Mini-Charlotte! Wow!

Ugo est assis sur le grand canapé de son salon pendant que je tourbillonne dans la pièce, trop excitée pour rester en place.

Hier soir, après que P-O m'a dévoilé cette nouvelle pour le moins surprenante, je suis remontée dans son auto pour le bombarder de questions. Il m'a raconté qu'une de ses anciennes blondes, avec qui il était sorti quelques mois seulement, venait de lui apprendre qu'il était papa… depuis trois ans.

Et comme je connaissais de réputation l'ancienne blonde en question – c'est la chef d'un petit bistro très populaire dans le Vieux-Longueuil –, je me suis empressée d'aller voir sur son statut Facebook s'il y avait des photos de sa fille. Euh… de leur fille, devrais-je spécifier. Et quelle chance, son statut n'était pas sécurisé.

J'y ai découvert la plus mignonne des enfants que j'ai jamais vue. De grands yeux noisette, avec des cils immensément longs. Le sourire coquin, des pommettes roses bien saillantes. Des cheveux frisés, d'un blond lumineux comme le soleil. Une vraie petite Boucle d'or, du nom de Charlotte Laliberté.

— Il en a, de la chance, P-O, dis-je avant de croquer dans une branche de céleri farcie au Rassembleu que j'ai préparée pour l'apéro.

— Hum, je suis pas certain qu'il pense la même chose que toi.

— Bah, il est sous le choc. Mais il va vite s'apercevoir qu'un enfant, ça ne peut être que du bonheur. En plus, elle lui ressemble. Elle a les mêmes yeux, la même forme de visage.

— Et tu sais pourquoi la mère a décidé tout à coup qu'il fallait que sa fille connaisse son père? Trois ans plus tard, c'est bizarre, non?

— Paraît que c'est la petite elle-même qui a commencé à poser des questions. Elle se demandait pourquoi elle n'avait pas de papa qui venait la chercher à la garderie comme les autres enfants. Ça a fait réfléchir sa mère, semble-t-il.

— Ah bon.

— Je suis tellement contente pour P-O. Il va pouvoir l'emmener au restaurant, lui faire goûter pleins de trucs nouveaux, lui apprendre à parler italien. Ah, que je l'envie!

— Parler italien? Ben voyons, il ne la connaît même pas encore.

— Ça va venir assez vite, crois-moi. Il ne pourra pas résister longtemps à sa belle petite frimousse. Et moi, j'ai teeeeellement hâte de la rencontrer!

— Wô les moteurs! On respire par le nez, s'il te plaît. Qui te dit que P-O va s'impliquer? Et qu'il va vouloir qu'elle soit en contact avec toi?

— Ah! Rabat-joie! Pour une fois qu'il m'arrive quelque chose de positif!

— Ça t'arrive pas vraiment à toi, Charlotte. Depuis quand tu vis par procuration?

Je ne me souviens plus de la dernière fois où Ugo et moi avons été seuls tous les deux pour souper, comme ce soir. Je pense que ça date de son séjour à Paris. Je me faisais une joie d'avoir mon meilleur ami à moi toute seule pour quelques heures, mais, maintenant qu'il me contrarie, je me demande si je n'aurais pas préféré que Justin se joigne à nous. J'avale une gorgée de cidre de glace et j'adopte volontairement un ton froid avant de lui répondre.

— Je vis par procuration, comme tu dis, depuis que je ne suis plus certaine de pouvoir en avoir un moi-même, un bébé.

J'entends Ugo soupirer et me demander de venir m'asseoir à ses côtés. J'obéis. Il prend ma main dans la sienne et en caresse tout doucement la paume.

— Mais non, voyons, chérie. T'as encore plein d'années devant toi.

Je me tais et, pour penser à autre chose, je me concentre sur les odeurs réconfortantes de cumin et de gingembre qui s'échappent de la mijoteuse dans laquelle cuit mon cari Madras depuis ce matin.

Ugo continue de cajoler mes doigts, s'attardant à mon annulaire gauche. Celui auquel sont glissées ma bague de fiançailles et mon alliance. Deux bijoux qui me rappellent constamment l'échec de mon mariage, mais que je ne parviens pas encore à ranger dans un tiroir.

— T'as eu des nouvelles de Max dernièrement?

— Non. Rien. Pis là, je t'avoue que j'en ai un peu marre. Monsieur veut divorcer, monsieur veut plus divorcer. Mais monsieur veut prendre ses distances.

— C'est ce qu'il t'a dit?

— Oui, il ne veut plus qu'on s'appelle. Eh bien, si ça continue, c'est moi qui vais passer à un autre appel!

Ugo me regarde, stupéfait. Je le comprends. Moi non plus, je ne m'attendais pas à une telle déclaration de ma part. C'est que cette situation me fait encore une peine immense, mais elle commence aussi à m'enrager. Maxou ne lève pas le petit doigt pour trouver une solution à notre éloignement. Comme s'il avait jeté l'éponge. Je partage mes réflexions avec Ugo, qui me répond aussitôt.

— C'est peut-être parce qu'il n'y en a pas, de solution.

Je termine mon verre de cidre de glace d'un trait, je dépose furieusement ma coupe sur la table du salon et je bondis du canapé. Ugo, qui vient de sentir la tension monter d'un cran, se lève aussi.

D'un seul geste brusque, j'enlève mes bagues.

— Et puis tiens, voilà ce que j'en fais, de ses promesses de m'aimer pour toujours!

Je lance les deux bijoux de toutes mes forces au sol. Je les vois rouler sur le plancher, jusque sous la grande bibliothèque. Une fois les bagues hors de ma vue, je ferme les yeux et j'essaie de retrouver mon calme. Je sens la main d'Ugo sur mon épaule. Il ne m'en faut pas plus pour que je me réfugie dans ses bras. Je suis au bord des larmes.

— T'as raison, Ugo. Il n'y a pas de solution. Faut juste que... euh... ben... que je tourne la page.

Et devant la justesse des paroles que je viens de prononcer, j'éclate en sanglots pour de vrai.

***

Une heure plus tard, assise à table avec Ugo, j'ai retrouvé le sourire. Il faut dire qu'il est vraiment un ami formidable. Il m'a fait voir tous les mauvais côtés de Maxou afin de m'aider à l'oublier. Et il m'a suggéré de me trouver un amant d'un soir pour évacuer ce qu'il appelle mon «trop-plein d'énergie sexuelle». J'avoue que ça mérite réflexion. Mais on trouve ça où, un amant d'un soir? Sur une piste de danse? Au boulot? Chez Ikea? *Oh my God!* Juste de penser que je devrai tout recommencer, je suis découragée.

Les longues soirées assise sur un tabouret au bar du coin, seule ou avec des amis, à attendre qu'IL se manifeste. Lui, l'inconnu qui bouleversera mon cœur et qui chavirera ma vie. Les cinq à sept branchés sur les terrasses du centre-ville, à tenter de déchiffrer les regards cachés derrière des Ray-Ban à fine monture métallique... Les courses qu'on fait lentement à l'épicerie, en attendant de croiser un mec en solo, dont le panier regorge d'aliments dignes du célibataire. Tellement pas envie de retomber là-dedans.

Non, le plus simple pour l'instant serait de revoir un homme que je connais déjà. Un de mes anciens chums. Hummm, mauvaise idée, trop dangereux de revivre des émotions. Plutôt un ancien amant. Un gars pour qui je n'ai pas d'attachement particulier, mais qui sait me faire tout oublier pendant quelques heures. Et il existe, cet homme-là? Oui, il me vient à l'esprit quelques noms, mais de là à les appeler... Tout ça me semble bien compliqué.

Et, que je sache, je suis toujours une femme mariée, non? Mariée ou séparée? Ce n'est pas encore clair pour moi. Ce qui l'est, par contre, c'est que je ne suis pas prête à tromper mon mari-peut-être-bientôt-ex-mari.

En attendant que les choses se placent dans ma tête et dans mon cœur, je vais plutôt continuer de me contenter de mon appareil à piles préféré. Et je vais prendre tout mon temps pour savourer le pain nan sur lequel Ugo étend une bonne couche de beurre. Une expérience sensorielle peut-être pas aussi satisfaisante que le sexe, mais qui apporte quand même une bonne dose de plaisir.

Ugo me tend l'assiette de pain et j'en romps un bon morceau que je porte aussitôt à ma bouche. Je ferme les yeux un instant pour apprécier toute l'onctuosité du beurre et je soupire de satisfaction. Quand j'ouvre les yeux, Ugo m'observe avec douceur.

— Tu m'as manqué, Charlotte.

Touchée par ses paroles, je me lève pour lui faire un câlin. Je me place derrière sa chaise et je l'enlace tendrement, ma joue contre la sienne.

— Toi aussi, chéri.

Même si on habite ensemble depuis mon retour de Paris, il y a maintenant un mois, je constate qu'Ugo et moi n'avons eu aucun moment à nous. Il faut dire que Justin est presque toujours présent. Sauf ce soir, puisqu'il a un souper avec ses amis séros. Et j'en suis trèèèèèès contente! À un point tel que je passerais bien la nuit dans les bras de mon ami.

— Est-ce que Justin revient coucher ici? dis-je en me rassoyant.

— Oui… pourquoi?

Merde! Je vais encore dormir seule.

— Bof, pour rien. Mais pourquoi il garde son appart? Il n'y va pratiquement jamais.

— Je pense que ça fait partie de l'indépendance qu'il veut conserver.

— L'indépendance? C'est étrange parce que, moi, je trouve qu'il est plus dépendant que jamais.

— Hein? Pourquoi dis-tu ça?

— Ben, tu le sais. Justin se fie beaucoup à toi.

— C'est normal, non? Avec ce qu'il vit, rétorque Ugo, maintenant sur la défensive.

Je garde le silence quelques instants. Ça fait un moment que j'épie le comportement de Justin avec mon ami et je ne suis pas très heureuse de ce que je constate. Il le manipule, sous prétexte qu'il est séropositif et qu'«une épée de Damoclès est maintenant suspendue au-dessus de sa tête», comme il l'a exprimé l'autre soir. Mais comment le dire à Ugo sans le blesser ni jeter un froid entre nous?

Mais mon devoir d'amie me dicte de lui faire part de mes craintes. Je soupçonne même Justin de profiter largement, trop largement, des ressources financières d'Ugo… Je serais bien curieuse de savoir qui a payé son nouveau iPad. Et sa veste en cuir Diesel. Et sa journée au spa vendredi dernier.

— C'est sûr que ça doit pas être drôle pour lui… Mais, pour l'instant, il va bien, non ?

— Oui, oui. C'est mieux qu'au début. Il n'a plus les effets secondaires des médicaments.

— Bon… Et il n'a aucun symptôme du VIH à ce que je sache ?

— Pour l'instant. Mais il faut qu'il fasse attention à lui.

— Oui, mais si je me trompe pas, ça peut durer des années comme ça, hein ?

— En théorie, oui.

— Donc il n'y a pas de raison de s'inquiéter.

Ugo repousse son assiette pourtant encore à moitié pleine. Je le regarde, surprise de constater qu'il ne mange pas plus que ça.

— Pourquoi tu me dis pas où tu veux en venir, Charlotte, au lieu de tourner autour du pot ?

Le ton cassant d'Ugo m'incite à la prudence. Je pose une nouvelle fois les yeux sur son cari et je constate qu'il n'y a pratiquement pas touché et qu'il s'est contenté du riz basmati.

— T'aimes pas ça ?

— Bof, je *feelais* pas indien ce soir.

— T'aurais dû me le dire.

Ou j'aurais dû le savoir. Ugo est beaucoup plus porté sur la bouffe japonaise ou chinoise qu'indienne. Je me lève d'un bond et me dirige vers le réfrigérateur. J'ouvre la porte en espérant y trouver un truc appétissant et rapide à cuisiner.

— Tu veux que je te prépare quelque chose d'autre ? Y a du maquereau fumé… ou bien de la mozzarella de bufflonne… En plus, il nous reste des tomates. À moins que tu préfères des acras de morue ? Je peux t'en réchauffer.

Ugo ne réagit pas du tout à mes propositions. Je me retourne pour l'observer. Le regard fixé sur la flamme d'une des bougies qui éclairent la table, il semble en pleine réflexion.

— Chéri ? Tu m'écoutes ?

Il lève la tête et ses yeux sont remplis d'une tristesse aussi inattendue qu'inhabituelle. Je sens mon cœur se serrer et je m'empresse de revenir à ses côtés. Je tire une chaise pour m'asseoir.

— Tu penses que j'en fais trop pour lui ? me demande mon ami d'une voix moins assurée.

Je reprends une gorgée de cabernet sauvignon qui accompagne le plat indien à merveille, pour me permettre de réfléchir à la meilleure façon d'aborder le sujet. Je décide que la douceur s'impose.

— C'est surtout que je trouve qu'il te le rend pas assez.

Et voilà ! Je l'ai dit. En réalité, je pourrais ajouter qu'à mon avis Justin est un égocentrique fini, qui ne pense qu'à lui, qui joue la carte de la maladie pour avoir toute l'attention d'Ugo. Mais, pour le moment, c'est assez.

Ugo encaisse le coup sans broncher. Pas d'objection, pas d'indignation, pas de déni… Seulement ce regard perdu dans le vide, encore une fois. Puis des mots… des mots que je n'osais même pas espérer.

— Dans le fond, je le sais bien… T'as raison, Charlotte.

Je soupire longuement, soulagée de constater qu'il ne joue plus à l'autruche.

— Et qu'est-ce que tu vas faire ?

Mon ami hausse les épaules. Visiblement, il n'a pas encore réfléchi à la suite. Ou bien il y a pensé et il n'arrive pas à se décider. Et si je l'aidais un peu à prendre la seule décision qui s'impose, soit celle de rompre avec Justin ? J'ai essayé, depuis mon retour, de lui laisser une chance, de m'ouvrir à ce qu'il vivait, mais j'ai rapidement constaté qu'il abusait de la générosité de mon ami. Et ça, je ne peux pas le lui pardonner.

— Ça fait quoi, là, un an et demi, que vous sortez ensemble ?

— Un peu plus… *on and off*. Pourquoi tu demandes ça?

— Et… tu l'aimes toujours?

— Ben oui, c'est sûr.

— Autant qu'au début?

Songeur, Ugo ne répond pas. Je poursuis dans la même voie.

— T'es pas certain, hein? Remarque que je te comprends… Être sérodiscordants, ça doit pas être évident.

— C'est sûr que c'est pas comme avant.

— Moi, en tout cas, je serais pas capable. J'aurais bien trop peur d'attraper le sida. Même avec des condoms.

— T'as pas à t'inquiéter, on est plutôt tranquilles ces temps-ci.

— Ah ouin? Bon, c'est mieux comme ça, mais c'est plate… non?

— Bof, c'est pas si pire. De toute façon, je suis tellement dans le jus, conclut Ugo en se levant pour débarrasser la table.

Il me tourne le dos pour ranger la poivrière sur la cuisinière. Un superbe moulin à poivre Peugeot, noir et argent, qui s'harmonise bien avec le comptoir en quartz *charcoal* et les électroménagers en inox.

— Là, Ugo, tu vas te retourner, pis tu vas me redire ça en me regardant droit dans les yeux.

Ugo ouvre la porte du garde-manger, toujours en évitant de me regarder. Je l'entends déplacer impatiemment la nourriture.

— On n'avait pas des biscuits *amaretti*? Coudonc, ils sont où?

— Je les ai tous mangés.

Il me fait finalement face, visiblement mécontent.

— C'est fin, ça!

— Ah, excuse-moi, j'ai eu une rage de sucre l'autre soir et j'ai fini la boîte. Je vais en racheter demain, promis. Mais là, viens t'asseoir.

— Si on allait regarder les nouvelles, plutôt? Ça commence dans deux minutes.

— Franchement, Ugo, tu les regarderas plus tard sur Internet, tes nouvelles. Je veux continuer la conversation.

— Ben pas moi. Je n'ai plus rien à ajouter.

S'il croit me décourager en tentant de fuir… Pff, j'en ai vu d'autres. J'y vais plus directement. Question de le faire réagir.

— Pourquoi tu le quittes pas?

— Parce que tu laisses pas tomber quelqu'un quand il a besoin de toi.

C'est bien ce que je croyais. Ugo se sent responsable de Justin. À cause du VIH, mais aussi à cause de leur différence d'âge. Parce qu'il a près de dix ans de plus que son chum, Ugo croit qu'il doit jouer au père.

Ça ne m'étonne pas, ça fait partie de la nature d'Ugo de prendre soin des autres. Et de s'oublier lui-même. Depuis qu'il est tout petit, il veille sur les siens. Il a d'abord été l'ange gardien de sa cousine Fannie, qui souffrait d'asthme sévère. Ensuite il a consolé sa mère quand son père est mort. Puis il m'a rencontrée et je suis devenue la petite sœur qu'il n'a jamais eue. Et maintenant, c'est Justin qu'il protège.

— Ugo, c'est ton chum qui s'est mis dans cette situation-là. T'as aucune obligation envers lui. J'en connais un paquet qui l'aurait *flushé* depuis longtemps!

— Chacun mène sa vie comme il veut, Charlotte. Je te dis pas comment gérer la tienne.

— Non, mais des fois tu devrais… Je ferais peut-être moins de conneries.

— OK, parfait, je vais le faire. Et tout de suite si tu veux. Même si je suis certain que tu m'écouteras pas.

— Vas-y, *shoote*! Je suis capable d'en prendre. Tant que tu me dis pas de retourner à Paris.

— Non, ça, honnêtement, de revenir vivre ici, c'était la meilleure décision.

— Bon, ça me rassure. Alors c'est quoi?

— La petite Charlotte, là…

— Oui? dis-je en sentant mon cœur s'emballer juste à penser à son petit sourire adorable.

— Ce serait préférable que tu…

— T'inquiète pas, Ugo. Je l'amènerai pas ici, promis. Elle jouera pas sur ton sofa en cuir, ni avec le iPad de Justin, ni avec ta nouvelle raquette de tennis.

— C'est pas ça! Arrête de me couper la parole!

— OK, je me tais.

— Ce que je voulais te dire, Charlotte, c'est que si jamais P-O décide d'assumer ses responsabilités et de la voir, toi, tu devrais rester en dehors de ça.

— Hein? Pourquoi?

— Parce que P-O, tu devrais le tenir à distance. De un, c'est l'ex d'Aïsha et elle ne serait vraiment pas contente d'apprendre que tu joues à la maman avec sa fille. De deux, je suis pas certain qu'il te soit complètement indifférent… Fait que Mini-Charlotte, comme tu l'appelles, c'est pas touche!

***

Pas touche, pas touche… Il est drôle, lui! Comme si j'allais retomber dans les bras de P-O seulement parce que je m'intéresse à sa fille. J'ai eu une aventure une seule fois avec mon coanimateur et je me rappelle que ça s'est terminé de façon plutôt décevante. Un gars qui quitte ton lit tout de suite après l'amour, pendant que tu es endormie, sans laisser aucun mot, ça ne donne pas envie de recommencer.

Je sors de la baignoire et je m'enveloppe dans une grande serviette rose que j'ai achetée pour la différencier de celles d'Ugo, qui sont noires, et de celles de Justin, *charcoal*. La mienne est sans contredit la plus belle, même si Ugo s'obstine à la remettre dans ma chambre chaque fois que je la suspends dans la salle de bain. Il fait la même chose avec ma robe de chambre turquoise, sous prétexte que mes objets ne cadrent pas dans son décor.

Il m'a avisée que si je voulais laisser traîner ma robe de chambre dans la salle de bain, je devrais en acheter une autre. Et la choisir blanche, noire ou grise. Non, mais ça va pas, la tête? Qu'est-ce que ça peut bien faire, une touche de turquoise dans une salle de bain hyper *straight*? «Ça défait l'harmonie», m'a-t-il répondu.

Ugo est vraiment allergique à la pollution visuelle. Il range tout, tout, tout ce qui le dérange. Comme mon sac à main. Aussitôt que je le pose sur le sofa ou que je l'accroche à une chaise de cuisine, pouf! Il se volatilise. Je le retrouve inévitablement dans le placard de l'entrée, suspendu au deuxième crochet à droite.

Il lui est même arrivé de faire disparaître mon cellulaire, dont l'étui mauve avec des fleurs jaunes l'horripile. Si j'ai le malheur de le laisser sur le comptoir de la cuisine, dix secondes plus tard, il aboutit invariablement dans le tiroir fourre-tout, à côté de la grande armoire à vins. Exaspérant à la fin!

Je savais Ugo maniaque du rangement, mais, avant d'habiter avec lui, je n'avais jamais réalisé à quel point il l'était. J'ai bien essayé de lui en parler, de lui faire comprendre que c'était peut-être un comportement excessif, mais il ne veut rien entendre. Pour lui, c'est normal de vivre dans «un environnement ordonné, aux couleurs assorties».

Enfin, c'est son appartement, après tout. Vivement que je m'en trouve un, bien à moi. J'adore Ugo, mais je n'aime pas vivre dans ses affaires.

J'étends ma nouvelle crème de nuit sur mon visage. Ce midi, à la pharmacie, la cosméticienne a été surprise quand je lui ai dit qu'à trente-quatre ans je n'avais jamais encore utilisé de crème antirides. Et surtout quand j'ai ajouté que je commençais une nouvelle carrière d'animatrice à la télévision dès demain. Elle m'a alors informée qu'il n'y avait plus une minute à perdre si je voulais «briller en ondes le plus longtemps possible».

Ce soir, alors que je plonge mes doigts dans un petit pot à 85 dollars, je songe que la cosméticienne a vraiment trouvé les mots pour m'inciter à me procurer cette crème, ainsi qu'un lait nettoyant, une lotion tonique et un gel contour pour les yeux. « Briller en ondes le plus longtemps possible », c'est bien ce que je souhaite, non ? Alors il faut y mettre le prix. Au pays des futures stars, on vit comme les stars.

Give me all your luvin' give me your love…

J'entends la voix de Madonna résonner dans mon cellulaire qui sonne dans la pièce à côté. Qui peut bien m'appeler aussi tard ? Immédiatement, je m'inquiète. Il ne peut s'agir que d'une mauvaise nouvelle. Je me précipite dans ma chambre pour répondre et je vois *Numéro masqué* sur l'afficheur. Étrange et encore plus alarmant. Je réponds, une note d'angoisse dans la voix.

— Oui, allô ?

— Bonsoir, Charlotte, c'est Martine.

Bon, ça y est ! Ma chroniqueuse va m'annoncer qu'elle ne pourra pas être à l'émission demain ! Elle s'est cassé une jambe ! Ou, pire, elle doit être opérée d'urgence pour la vésicule biliaire, elle sera en convalescence pendant des semaines et je devrai me trouver une autre collaboratrice.

— Martine ? Qu'est-ce qui t'arrive ?

— Mais rien du tout, Charlotte. J'appelle seulement pour ma chronique de demain.

Quoi ! À cette heure-là ? Et puis, si je me souviens bien, tout est déjà prévu pour son segment de demain. Nous nous sommes parlé pas plus tard que cet après-midi. Et trois fois plutôt qu'une ! Pas question de la laisser m'envahir de la sorte, je dois gentiment la prévenir de respecter les horaires de travail. À moins d'une urgence, bien entendu.

— Écoute, Martine…

— Ah, je sais, chère, il est un peu tard, excuse-moi. Mais je viens juste d'avoir un flash.

— Bon, c'est quoi ?

— Je vais présenter un PowerPoint avec des tableaux pour chacun de mes éléments. Avec des statistiques et des énoncés, tu vois.

— Euh, OK, pas de problème.

— Donc, il me faut un grand écran tactile et une baguette pour passer d'un tableau à l'autre.

— Ben là, c'est pas moi qui m'occupe de la technique… Et puis je sais pas si on a ça en studio.

— Oui, oui, ils en ont un à la station. Je l'ai vu pendant les bulletins de nouvelles. On a juste à l'emprunter.

— Martine, je suis pas certaine que ce soit aussi facile. On est en ondes demain matin.

— Mais voyons, Charlotte, t'es d'adon, d'habitude! Tu vas m'organiser ça!

Je prends une grande inspiration pour ne pas me fâcher. Comme si j'avais besoin de ça maintenant, à quelques heures d'animer ma toute première émission de télévision. J'ai déjà assez de stress à gérer sans que Martine me prenne pour sa «*go for*» préférée.

— Ah oui, encore une petite chose, poursuit Martine. Je n'ai pas eu le temps de mettre mes tableaux au propre. Ça fait que j'ai scanné mes croquis et je viens de te les envoyer pour que tu puisses les mettre à l'ordi.

Là, j'enrage carrément. Je suis à deux doigts d'énumérer à Martine la liste des tâches d'une animatrice, parmi lesquelles ne figure certainement pas la composition de tableaux. Surtout pas la veille de la première! Mais elle ne m'en laisse pas le temps.

— OK, ben tout est beau, maintenant. Bonne nuit, Charlotte, et à demain!

Et voilà Martine qui raccroche sans plus de façon. Je suis sans voix! Ce n'est pas vrai. Je ne subirai pas à nouveau les caprices d'une diva qui se croit tout permis. C'est MON émission et c'est moi qui vais y faire la loi. Je n'ai pas renoncé à l'amour de ma vie pour être traitée comme une exécutante. Martine Lebœuf, tiens-le-toi pour dit, si ta performance n'est pas à la hauteur de mes attentes demain, ta première chronique à *Mangues et prosciutto* pourrait aussi bien être la dernière.

5

« Si vous n'êtes pas capable d'un peu de sorcellerie,
ce n'est pas la peine de vous mêler de cuisine. »

COLETTE

— *B*onjour et bienvenue à *Mangues et prosciutto*!
Je suis Charlotte Lavigne, votre nouvelle
animatrice.

Ça y est! C'est parti! J'ai brisé la glace! Plus rien
ne peut m'arrêter désormais. Je présente les sujets
d'aujourd'hui en m'adressant à la caméra, à mon
coanimateur, P-O, mais aussi de temps à autre au
public venu assister à l'émission en direct. Et chaque
fois que je croise le regard de deux personnes assises
côte à côte sur la banquette orangée, mon cœur de
petite fille s'emballe.

Papa et maman m'ont fait toute une surprise ce
matin en se présentant en studio pour venir m'encourager. Ça m'a fait tout drôle de les voir réunis comme
ça pour la première fois depuis des années. Réunis?
Bon, le mot est un peu fort. Ils sont arrivés chacun de
leur côté, sans savoir que l'autre y serait. Enfin, c'est ce
qu'ils m'ont dit. Mais j'ai senti qu'ils étaient heureux

de se revoir. Le clin d'œil que papa a lancé à maman ne m'a pas échappé. Ni l'air faussement outré de maman quand elle l'a vu.

Pendant que c'est au tour de P-O de parler, je regarde une fois de plus papa et maman, et je pense qu'ils formeraient un très beau couple encore aujourd'hui. Si seulement ils entendaient raison…

— Et toi, Charlotte, tu vas nous faire rien de moins que de la cuisine moléculaire ce matin ! lance P-O en se tournant vers moi avec un sourire qui manque de sincérité.

C'est qu'il n'est vraiment pas content que la réalisatrice me permette finalement de faire ma chronique culinaire, malgré ses protestations. « C'est moi, le chef. Pas elle ! » l'ai-je entendu clamer avant de le voir sortir du bureau de Denise en claquant la porte, hier après-midi.

Il s'est ensuite dirigé tout droit vers moi avant de me lancer cette phrase assassine : « Tu vas te péter la gueule solide avec ta cuisine moléculaire, Charlotte. T'as pas assez d'expérience. »

Je l'ai laissé se défouler en espérant que ça lui fasse grand bien. D'autant plus que, le matin même, je l'avais obligé à honorer son pari en changeant de bureau avec moi. Et je me suis trouvée plutôt bonne joueuse puisque j'ai accepté qu'il conserve son stationnement jusqu'à ce que je m'achète une voiture.

De toute façon, je suis parfaitement d'accord avec lui. Je ne me suis jamais aventurée dans la cuisine moléculaire de ma vie et je n'ai pas l'intention de me lancer dans cette aventure sans filet. Et surtout pas devant des centaines de milliers de téléspectatrices. C'est pourquoi j'ai invité un spécialiste que je vais simplement seconder dans sa démonstration.

— Absolument, Pierre-Olivier, de la cuisine moléculaire. Mais juste avant, si tu le veux bien, accueillons notre nouvelle chroniqueuse, la célèbre psychothérapeute Martine Lebœuf.

P-O et moi applaudissons pendant que Martine vient nous rejoindre sur le plateau. Hier soir, après son appel tardif, j'ai décidé de jouer mon rôle d'animatrice comme il se doit et j'ai délégué les problèmes à un autre membre de l'équipe. J'ai appelé ma réalisatrice, que j'ai visiblement tirée d'un profond sommeil, pour lui demander de satisfaire les exigences de notre psychothérapeute-chroniqueuse.

Denise m'a vaguement répondu qu'elle allait s'en charger et de ne pas m'inquiéter. Ses paroles ne m'ont pas du tout rassurée et j'ai raccroché en étant convaincue qu'elle ne ferait rien. Mais ce matin, en arrivant au boulot, j'ai eu l'agréable surprise de découvrir un bel écran sur pied en plein milieu du studio. Et d'apprendre que les tableaux de Martine avaient été redessinés à l'ordinateur. Wow! J'avoue que Denise a monté dans mon estime. Peut-être qu'elle est à son affaire, après tout.

Je regarde Martine s'asseoir à côté de P-O et je suis, une fois de plus, surprise par sa tenue. Je m'attendais à ce qu'elle se présente vêtue d'un élégant tailleur comme d'habitude. Mais non. Elle porte une robe rouge au décolleté hyper sexy. Honnêtement, je trouve cette couleur trop flamboyante et la coupe trop séduisante. Non que la robe ne lui aille pas. Je dois reconnaître qu'elle lui va à merveille.

C'est juste que… Comment bien vous l'expliquer ? En vérité, ça ne convient pas à une femme qui joue un deuxième rôle. C'est une tenue que porte généralement la vedette du spectacle. Et sur scène, c'est important que les rôles soient clairement établis. Tout comme lors d'un mariage, les demoiselles d'honneur doivent rester discrètes pour laisser toute la place à la reine du jour. Évident, non ?

Je vais devoir lui parler après l'émission et lui expliquer qu'à l'avenir elle devra choisir des vêtements qui correspondent mieux à la fonction qu'elle occupe, soit celle de second rôle.

Martine nous parle aujourd'hui de la rupture amoureuse. Elle commence son exposé sur les dix règles à suivre pour réussir son divorce. Je songe que, Maxou et moi, nous en viendrons là… inévitablement. Mais je ne serai pas une de ces chipies qui en veut à son mari au point de le mettre en faillite. Non, je ne veux rien. Tout ce à quoi je tenais, je l'ai déjà rapporté dans mes valises. Il y a bien ma vaisselle et mes accessoires de cuisine que je récupérerai peut-être plus tard, mais qu'il garde le reste.

— Pour appuyer mes propos, je vais vous montrer quelques graphiques, annonce Martine aux téléspectatrices en se levant pour se rendre près de l'écran tactile, sa baguette à la main.

P-O et moi, on l'écoute religieusement. Le public aussi semble captivé par son énoncé qui traite d'un sujet pourtant pas très sexy. C'est qu'elle a le don de mettre du piquant dans le plus banal des thèmes en citant des couples célèbres dont il ne faut pas suivre l'exemple, en ajoutant de l'humour à chacun de ses points et en souriant à la caméra comme si elle avait fait ça toute sa vie. Elle est vraiment bonne, et je me félicite intérieurement de l'avoir choisie. Vêtue comme il se doit, elle va être parfaite. D'un coup de baguette, Martine touche l'écran sur lequel apparaît miraculeusement un tableau intitulé : *Statique de divorce hommes-filles Québec, Canada. 1969 à 2001.*

Hein? Est-ce que j'ai bien lu? Pour être certaine, je cligne des yeux deux fois et je relis le tout : *Statique de divorce hommes-filles Québec, Canada. 1969 à 2001.*

WTF! C'est quoi, ces énormes fautes? Et ces chiffres qui datent de l'âge de pierre? On ne pouvait pas trouver plus récent? Vite, Martine, fais disparaître le tableau…

Je ne peux pas croire que Denise ait laissé de telles erreurs de français. Elle n'est pas analphabète, tout de même. Soit elle était complètement soûle, soit elle a confié le travail à un ado attardé qui n'a pas su déchiffrer l'écriture de Martine. Inacceptable! Et dire que personne n'a pris la peine de vérifier les tableaux avant de les mettre en ondes! Quelle négligence! On a l'air de quoi, là?

Je regarde une fois de plus le tableau que Martine essaie par tous les moyens de retirer de l'écran, sans y arriver. En bonne professionnelle qu'elle est, elle garde le sourire. Tout comme moi, même si je bous intérieurement. Et ce fichu titre qui reste là, à nous narguer. Réagis, Charlotte, réagis!

Je me lève précipitamment et je me place directement devant l'écran pour tenter de camoufler ce que je considère comme une grosse bêtise.

Pour faire en sorte d'avoir l'air un peu plus naturel, je pose une question à Martine. La première qui me passe par la tête.

— Est-ce qu'on peut empêcher quelqu'un de divorcer si on veut rester marié avec lui? Ou elle?

Martine me regarde d'un drôle d'air. Je crois qu'elle ne comprend pas le sens de ma question. Moi non plus, d'ailleurs.

— Qu'est-ce que tu veux dire par « empêcher »?

— Je me demandais... Est-ce que les deux époux doivent être d'accord pour que le divorce soit prononcé?

— Sur le plan légal?

— Oui, c'est ça, dis-je, toute contente qu'elle ait trouvé une façon de rendre ma question intelligente.

— Bon, je ne suis pas spécialiste du droit, Charlotte, je suis psychothérapeute, mais, de ce que j'en sais, si vous vivez séparé de votre conjoint depuis un an, vous pouvez demander le divorce et l'obtenir. Même s'il n'est pas d'accord.

— Ah, très bien.

Ce qui signifie que, dans onze mois, je n'aurai plus aucun moyen d'empêcher Maxou de divorcer. Onze mois... Il peut s'en passer, des choses, d'ici là. Où en serai-je alors? J'imagine que la blessure sera guérie et que je serai peut-être prête à me séparer officiellement.

Tout ça me rend triste un instant, mais je me rappelle les paroles de papa et elles me réconfortent. « Tu sais, ma princesse, la vie est faite de mille et une surprises. On ne sait jamais ce qui nous attend demain. » Il a bien raison, faisons confiance à la vie…

J'entends maintenant P-O nous inviter à le rejoindre pour terminer la chronique de Martine. Quelle bonne idée ! C'est ce que j'aurais dû faire au lieu d'utiliser une stratégie qui manquait pour le moins de subtilité.

Une fois que nous sommes toutes les deux assises, je respire mieux. Martine termine son exposé et on peut, tous les trois, agir comme si rien ne s'était passé. Quel soulagement !

— Merci beaucoup, Martine, dis-je en conclusion. Nous sommes très heureux de t'avoir avec nous. Et reviens nous voir la semaine prochaine.

Je regarde Martine quitter le plateau sous les applaudissements du public. Bon, ç'a été chaotique, mais on s'en est tirés. Espérons que la suite se déroulera mieux. Je livre à la caméra ce qu'on appelle dans le jargon télévisuel l'aller-pause qui, vous l'aurez deviné, nous conduit à la pause commerciale. Aussitôt que nous avons quitté les ondes, j'entends la voix de Martine s'élever dans le studio.

— C'est qui, l'imbécile qui sait pas écrire ?

Je me lève d'un bond et je cherche des yeux ma collaboratrice. Je l'aperçois qui s'en vient vers moi d'un pas décidé.

— *Caltor*, Charlotte, on peut pas te faire confiance !

Je suis furieuse. Comment ose-t-elle faire une scène de la sorte, à la première émission ? Devant le public ? Et pire encore, devant tous mes collègues ? Et mes parents ? Il faut que je règle ça maintenant et lui fasse comprendre que c'est la dernière fois qu'elle agit ainsi devant moi. De toute sa vie.

Je regarde le chronomètre digital au mur. Celui qui indique le moment de notre retour en ondes. Il me reste exactement deux minutes quarante secondes pour casser Martine.

— Eille, ça va faire, Martine Lebœuf! Premièrement, si t'as quelque chose à dire, tu le fais après le *show*. Surtout pas pendant les pauses.

Martine, qui ne semble pas impressionnée du tout, continue d'avancer vers moi. Je vais à sa rencontre, mais je m'arrête juste devant les deux petites marches qui mènent au sol, puisque notre plateau est légèrement surélevé. Martine fait mine de monter pour m'y rejoindre, mais, de la main, je lui indique d'arrêter.

— Tu restes là!

Martine sursaute légèrement au ton sans appel de ma voix. Un ton qui, heureusement, ne reflète pas la nervosité que je ressens pourtant bel et bien. Sûrement peu habituée à se faire rabrouer de la sorte, ma collègue se renfrogne. Continue, Charlotte, ne te laisse pas intimider.

En étant plus haute qu'elle, je me sens maintenant en position de force. Ça m'aide à ne pas flancher devant cette femme qui est une leader pour le moins impressionnante. Il faut juste qu'elle saisisse bien le rôle qu'elle joue ici.

— Écoute, Martine, je comprends ta frustration. Moi non plus, je n'étais pas contente, mais ce n'est pas une raison pour t'emporter et traiter quelqu'un d'imbécile.

— J'ai pas dit de nom, là, là.

— Peut-être, mais ça se fait pas pareil. On ne règle jamais ces affaires-là pendant les émissions. On le fait après et avec la bonne personne. Dans ce cas-ci, c'est Denise qui va trouver qui a fait l'erreur. Pas moi.

Je fixe Martine droit dans les yeux pendant de longues secondes. J'essaie d'afficher le plus d'assurance possible, même si je sens que mes jambes vacillent légèrement. Et ce n'est pas seulement en raison de la hauteur vertigineuse de mes escarpins noirs à pois blancs.

— Regarde ça, toi ! Je te pensais plus *moumoune* que ça, Charlotte Lavigne ! T'as du chien. J'aime ça !

Ça, j'avoue que je ne m'y attendais pas du tout. Je suis flattée, c'est le moins qu'on puisse dire, mais j'essaie de le cacher du mieux que je peux.

— Bon, je vois qu'on s'entend, dis-je pour terminer la conversation.

Je tourne le dos à Martine pour regagner ma place et j'aperçois le regard admirateur de P-O. Wow ! Je n'en demandais pas tant.

— En tout cas, chère, lance Martine dans mon dos, que je te *voye* jamais piquer une crise sur le plateau, là, là.

Je m'assois sur mon fauteuil avant de lui répondre. Je le fais rapidement, puisque j'entends le régisseur annoncer le retour en ondes :

— Dix secondes, neuf, huit…

— *Deal!* dis-je à Martine avant de me concentrer sur la caméra.

Place maintenant au segment que j'attends depuis longtemps.

***

— Charlotte, annonce P-O, c'est l'heure de ta chronique culinaire.

— Absolument, Pierre-Olivier. Et si tu permets, je vais de ce pas rejoindre mon invité, avec qui on va beaucoup s'amuser, j'en suis certaine.

En marchant vers l'îlot de cuisine du plateau, je constate qu'il ne sera peut-être pas facile de tenir la promesse que je viens de faire aux téléspectatrices, soit celle de bien s'amuser. Mon invité n'est peut-être pas, finalement, l'homme le plus sexy et le plus drôle en ville. Avec son sarrau plus vraiment blanc, son col roulé beige, son pantalon brun en velours côtelé et son teint blafard, Hervé Beaudin a tout d'un scientifique hyper drabe. Comment ai-je pu choisir un personnage si peu attrayant pour ma première chronique culinaire?

Ah oui… Je ne voulais pas froisser encore plus mon coanimateur en lui imposant un autre chef qui, lui, aurait su faire de la cuisine moléculaire. Et je n'ai trouvé que ce scientifique. Certes compétent puisqu'il est spécialiste de la manipulation de l'azote liquide, mais aussi excitant qu'une machine à laver. Faut dire qu'il enseigne la manipulation des semences bovines; ça ne l'aide pas à être très sexy! Eh bien, c'est la dernière fois que je ménage les susceptibilités de P-O.

— Bienvenue dans nos studios, Hervé.

Je le vois tressaillir légèrement, probablement surpris par l'utilisation de son prénom.

— Merci bien, répond-il d'une voix sans chaleur.

Je fais un peu de *small talk* avec mon invité, question de l'amener à se décoincer. Ouf! Ce n'est pas facile, il se contente de répondre par monosyllabes et semble juste avoir hâte d'en finir. Je sens la tension monter dans le studio.

Je croise le regard de P-O qui a rejoint le public sur la banquette couleur mangue et, contrairement à ce que je m'attendais, il m'adresse un petit signe d'encouragement.

Bon, il a compris qu'on navigue dans le même bateau. Je coule, il coule. C'est pour cette raison aussi qu'hier j'ai court-circuité le plan machiavélique d'Aïsha. En catimini, j'ai ouvert la grande armoire de P-O et j'ai replacé le sel et le sucre dans les bons contenants, lui évitant ainsi une cruelle humiliation. C'est maintenant ma relation avec Aïsha qui sera en péril si jamais elle découvre qu'il s'agit de mon initiative et non celle du technicien à qui je vais faire porter le chapeau.

Au début, quand Aïsha m'a parlé de son plan, j'ai trouvé ça rigolo, mais, en y réfléchissant bien, j'ai vite conclu que je pouvais m'attirer bien des problèmes en la laissant faire. J'ai donc réagi comme une bonne coanimatrice et j'ai protégé mon partenaire.

Hervé est toujours aussi endormant dans ses mini-réponses et je coupe court aux civilités. Plongeons dans le vif du sujet, il sera peut-être plus à l'aise.

— Alors, qu'est-ce qu'on va cuisiner aujourd'hui ?

— Nous allons réaliser une crème glacée à l'azote liquide.

Wow ! Tout ça semble très excitant. Je ne sais pas ce qu'est réellement de l'azote liquide, mais ça sonne juste assez compliqué pour impressionner nos téléspectatrices.

— Génial ! Hervé, on s'y prend comment ? Vous me dites quoi faire et je suis vos instructions à la lettre.

— Très bien.

Hervé entame les préparatifs de son dessert. Il verse d'abord la crème dans un grand cul-de-poule, puis y ajoute de la vanille. D'une voix monocorde, il explique de long en large chacun de ces gestes, pourtant assez simples. Je lui pose des questions avec le plus d'enthousiasme possible, mais il ne s'allume pas du tout. Il poursuit sa description sans trop me prêter attention.

— Nous allons maintenant procéder à l'étape délicate de l'opération, soit verser de l'azote liquide sur la crème fraîche.

— Super ! Je vais le faire ! J'ai toujours rêvé de travailler avec de l'azote liquide.

— Euh, vous êtes certaine ?

Depuis quand un invité contredit-il une animatrice ? Si j'ai envie de tenter une expérience avec de l'azote liquide, je vais tenter une expérience avec de l'azote liquide… C'est tout. Impossible toutefois de dire ça en ondes. Je tourne ça à la blague, même si j'ai envie de rire jaune.

— Ne vous inquiétez pas, mon cher Hervé, j'ai réussi tous mes cours de chimie au secondaire. Haut la main, en plus !

Ce qui est vrai. Sauf que c'est grâce à Julien Boulanger, le *nerd* de la classe, qui était totalement amoureux de moi. Je n'avais qu'à lui sourire coquinement pour qu'il accepte de faire mes devoirs à ma place et de me laisser copier sur lui pendant les examens. Il a été bien déçu à la fin de l'année quand j'ai refusé son invitation pour l'accompagner au bal des finissants, lui préférant le gars le plus *cool* de toute la polyvalente, Thomas-Xavier Laverdière.

J'empoigne donc la bouteille d'aérosol que me désigne Hervé. D'un ton autoritaire, il me somme d'y aller doucement. Mais oui, mais oui, fatigant !

— Pendant qu'on procède, Hervé, pouvez-vous nous dire quels sont les principaux ingrédients qu'on utilise en cuisine moléculaire ?

Je vaporise lentement l'azote liquide sur la crème fraîche pendant qu'Hervé brasse vigoureusement la préparation en répondant à ma question. Wow ! C'est sensass ! Une légère fumée blanche s'élève au-dessus du plat. Bon… Enfin un peu d'étincelles en ondes. Malheureusement, l'effet magique est de courte durée puisque la fumée s'évapore rapidement. Il en faudrait plus pour que je puisse continuer d'impressionner le public, autant celui en studio que celui assis bien confortablement à la maison.

Et si j'essayais d'augmenter légèrement, très légèrement la dose d'azote liquide ? Peut-être que l'effet serait décuplé ? Le studio se retrouverait alors complètement envahi par cette douce fumée blanche et tout le monde rigolerait ! Quel beau moment de télé, ce serait ! Testons-le, juste pour voir.

J'arrête complètement mon geste afin de le reprendre plus vigoureusement. Et si je secouais le contenant d'azote liquide, un peu comme une bonbonne de crème fouettée ? Un peu de pression dans la bouteille, ça ne peut pas faire de tort ?

J'agite le contenant métallique en y mettant toute mon énergie, pendant qu'Hervé poursuit ses explications sur la cuisine moléculaire, les yeux fixés sur le liquide qui commence à se transformer en crème glacée. Je jette un coup d'œil au public assis à côté et je lui indique discrètement que tout est sous contrôle. Bon, la bouteille doit être assez secouée, il est temps de laisser fuir un peu d'azote liquide de nouveau.

J'agite le contenant une dernière fois et je vois Hervé lever les yeux sur moi, l'air interrogateur. En même temps, j'approche le récipient au-dessus du plat et je pose mon doigt sur le vaporisateur… Ça va être tellement *hot* !

J'entends Hervé hurler de toutes ses forces : « Noooooon ! » Son cri de mort me fait sursauter et je sens mon doigt enfoncer d'un seul coup le vaporisateur. Je vois les yeux d'Hervé s'agrandir comme des trente sous, puis j'entends un gros boum résonner dans la pièce.

Je vois un immense nuage de fumée blanche s'élever dans le studio, j'entends les cris de panique du public et je sens un courant électrique me parcourir la main droite tout entière. C'est insoutenable ! La douleur est tellement fulgurante que je me sens vaciller. J'essaie de voir ma main à travers la fumée blanche, mais je n'arrive qu'à distinguer une masse informe de couleur rougeâtre… Ahhhhhhh non !

Je sens que je perds tout doucement l'équilibre. Mes jambes se dérobent sous mon poids et je m'écrase de tout mon long sur le plancher du studio. J'entends un homme crier mon nom au loin. Puis c'est le noir total.

***

Des voix que je ne connais pas parviennent à mes oreilles : « … pression stabilisée… chanceuse… aurait pu être bien pire… »

Pendant un instant, c'est le flou dans ma tête. Où suis-je ? Qu'est-ce qui s'est passé ? Ah oui… Le studio, Hervé, la cuisine moléculaire, l'explosion. Et ensuite ? Je ne me souviens plus de rien, j'ai dû perdre connaissance. Je tente d'ouvrir les yeux, mais je n'y parviens pas tellement mes paupières sont lourdes.

Je revois maintenant dans ma tête la dernière image que j'ai aperçue avant de m'évanouir. Ma main couleur de feu. Ma main douloureuse à en mourir. Ma main… que je ne sens plus.

Oh my God! Oh my God! Si je ne sens plus rien, c'est que j'ai été amputée, j'en suis certaine! Non, non, non! Dites-moi que ce n'est pas vrai! Je ne peux pas devenir unimainiste! Pas à trente-quatre ans! Pas plus qu'à soixante-quinze, en fait. J'ai besoin de mes deux mains dans la vie!

Je sens la panique me gagner. Il faut absolument que j'en aie le cœur net et que je voie ma main. Allez, fais un effort et ouvre les yeux, Charlotte! J'entrouvre les paupières quand je sens des doigts caresser ma main gauche.

— Ça va, ma princesse, je suis là. Repose-toi encore.

Papa? Ici avec moi? Mais ici, c'est où exactement? J'ouvre maintenant les yeux au complet et je ne reconnais pas les lieux. Plafond grisâtre, éclairage au néon, puis un rideau beige usé à la corde, qui descend à ma gauche. Et papa, assis à côté de mon lit. Mon lit d'hôpital.

— Papa… Ma main?

— Chut, chut, chut. Rendors-toi. T'as subi tout un choc, ma princesse.

Oui, je sais, mais ma main, elle? Est-ce que je l'ai encore? J'étire le cou pour vérifier, mais mon corps est tellement lourd. Un bandage, c'est tout ce que je vois.

— Papa, ils m'ont amputé la main?

— Mais non, voyons, pas du tout. Repose-toi, ils t'ont donné beaucoup de médicaments.

Ouf! Je respire mieux. Ils m'ont sauvé la main. Mais dans quel état est-elle maintenant?

— Elle est très brûlée?

— Non, pas beaucoup. Ce sont des brûlures au deuxième degré.

— Deuxième degré! C'est quand même grave, non?

— Mais non, c'est un deuxième degré léger. Le docteur a dit que, d'ici un mois, un mois et demi, tu ne porteras plus de pansement, et presque plus rien ne paraîtra. Tu l'as échappé belle, ça aurait pu être bien plus grave, ma princesse.

— Ah oui ? Tant que ça ?

— Ben oui, de l'azote liquide, on niaise pas avec ça. Paraît que faut jamais brasser ça comme tu l'as fait.

Je baisse les yeux, penaude.

— Et les autres ? Hervé ? Ils sont corrects ?

— Oui, oui, personne d'autre n'a été blessé.

Me voilà maintenant totalement soulagée. Enfin… presque totalement. Maintenant, ce qui me préoccupe, c'est de savoir à quel point je suis responsable de l'explosion qui s'est produite. J'ai l'intuition que je viens de faire toute une connerie et que je vais en payer le prix.

6

« Couleur café,
Que j'aime ta couleur café. »
SERGE GAINSBOURG, *Couleur café*, 1964.

— Si vous soignez votre main comme l'infirmière vient de vous l'expliquer, vous ne garderez aucune cicatrice de l'accident. Vous êtes maintenant prête à rentrer à la maison, madame Lavigne.

Rentrer à la maison ? Mais c'est que je n'en ai plus aucune envie. Pas depuis que j'ai rencontré mon médecin, le Dr Lamoureux. Antoine de son prénom.

— Je vous suggère de prendre quelques jours de repos. Et un petit conseil : plus de cuisine à l'azote liquide, ajoute-t-il en me gratifiant d'un sourire à faire fondre toutes ses patientes, moi la première.

Cet homme-là est tellement beau. C'en est étourdissant. Une beauté spectaculaire, de celles qu'on n'oublie jamais. Une peau foncée, de grands yeux presque noirs avec des cils extrêmement fournis, une mâchoire carrée, des lèvres pulpeuses et des cheveux bruns très courts et légèrement frisés. Grand, mince, je lui devine un corps ferme et musclé sous son sarrau blanc.

J'ai devant moi l'incarnation d'un rêve ! Deux fantasmes en un. Rien de moins. Le docteur et le noir : j'en rêve depuis l'adolescence. En fait, je dis « noir », mais il est plutôt « café au lait ». Meeeeooooow !

Et j'adore sa voix, chaude et grave, qui vous envoûte tout entière. Je suis totalement sous le charme. C'est peut-être lui, l'homme qui me fera oublier Maxou.

Le problème, c'est qu'à l'heure actuelle je ne dois pas être présentable. Depuis maintenant près de sept heures, je suis couchée dans ce lit d'hôpital, en petite jaquette bleue, l'air un peu zombie et la bouche pâteuse à cause des médicaments qu'ils m'ont donnés pour soulager la douleur. Avec mon maquillage de télé tout défraîchi, je dois plus ressembler à un clown qu'à une animatrice éplorée. Et c'est cette dernière image que je souhaite projeter, afin de prolonger mon trop court séjour à l'unité où travaille le Dr Lamoureux. J'essaie de replacer discrètement mes cheveux, pendant qu'il remplit des documents.

— Vous me donnez mon congé tout de suite ? Ah bon.

— Vous n'êtes pas contente ? C'est plutôt rare, les patients qui ne veulent pas quitter l'hôpital.

— Non, non, c'est pas ça…

Je m'interromps, le temps de trouver une explication plausible. N'importe quoi pour qu'il ne soupçonne pas que mon but est tout simplement de faire plus ample connaissance avec lui. Il me regarde, perplexe.

— Madame Lavigne, est-ce qu'il y a un problème à la maison ? Voulez-vous parler avec notre psychologue ?

Je me redresse d'un bond dans mon lit, en m'appuyant sur ma seule main valide. Qu'est-ce qu'il est en train de s'imaginer ? Que je suis victime de violence conjugale ? Que c'est mon mari et non pas une expérience culinaire qui est à l'origine de ma brûlure ?

— Non, non, tout va bien ! C'est juste que… que… que je ne suis pas certaine de pouvoir changer mon bandage correctement. Vous pensez que je pourrais revenir ici pour qu'on me le refasse ?

— Tous les jours pendant plus d'un mois ?

— Euh, ben, oui.

— Vous ne travaillez pas ?

Bon, qu'est-ce qu'il va croire encore ?

— Mais bien sûr que je travaille. Je suis animatrice à la télévision.

— Désolé, je n'écoute jamais la télévision. Pour moi, c'est une pure perte de temps.

Pendant un court instant, je ressens une pointe de déception. Et puis non. Après tout, c'est mieux comme ça. Qu'il n'ait jamais vu le type d'émissions que j'anime va me permettre d'entretenir un certain mystère autour de mon positionnement professionnel. Il va peut-être croire que je suis responsable d'une émission hyper sérieuse qui parle des dernières recherches scientifiques sur le traitement du cancer.

— Pour votre pansement, poursuit-il, vous comprendrez que nous n'avons pas le temps ici de vous le remplacer tous les jours.

— Bon, très bien, je vais essayer moi-même, dis-je en songeant déjà aux autres maladies que je pourrais bien inventer pour qu'il me soigne à nouveau.

— Sage décision. Je vous laisse, maintenant. N'oubliez surtout pas de désinfecter votre plaie et d'utiliser la crème que je vous ai prescrite.

Et voilà, le beau docteur me tourne le dos et se dirige vers la sortie. Déjà ? Cette rencontre ne peut pas se terminer comme ça, tout simplement sur des recommandations médicales. Il faut qu'elle dépasse le stade de la relation médecin-patient.

— Docteur Lamoureux ?

Il se retourne, me regarde et attend. Merde ! Je ne sais même pas quoi lui demander. Vite, Charlotte, trouve quelque chose !

— Vous êtes certain, hein, que je ne garderai aucune séquelle ? Que je vais retrouver toute ma mobilité ?

Vous savez, les mains c'est très important pour moi, j'adore cuisiner. Et pour ça, ça me prend deux bonnes mains, surtout la droite.

Le Dr Lamoureux sourit devant mon angoisse à moitié feinte. Il revient vers moi et prend ma main encore valide dans la sienne.

— Je vais vous montrer quelques exercices à faire quand vous aurez enlevé votre pansement. L'important, ce sera d'y aller lentement, comme ça.

Il emprisonne le dos de ma main dans sa paume et appuie tranquillement sur mes doigts pour les faire fléchir. Il recommence à quelques reprises et je reste là sans rien dire, à savourer le moment, les yeux fixés sur nos deux mains pour éviter qu'il s'aperçoive du trouble que ce simple petit contact provoque chez moi.

Sa peau est d'une douceur incroyable et, de près, sa couleur est encore plus chaude, plus profonde. La lenteur de ses mouvements transforme un geste médical en quelque chose d'extrêmement sensuel. La proximité de son corps, son léger parfum aux notes de cèdre et de vanille, et la petite fossette que je viens tout juste de lui découvrir sur sa joue droite quand il sourit en me rendant ma main… Tout ça rappelle à mon corps à quel point il a besoin d'être caressé, embrassé, aimé.

Je donnerais cher pour faire l'amour, là, tout de suite, maintenant. Il y a trop longtemps… Plus d'un long mois sans aucune autre caresse que celles, amicales, d'Ugo, et celles de papa sur ma main tantôt. J'arrive difficilement à m'expliquer pourquoi l'intimité avec un homme me manque autant. J'ai déjà vécu de bien plus longues périodes d'abstinence sans m'en porter aussi mal. Mais cette fois-ci, c'est tout mon corps qui réclame les quatre doses de sexe hebdomadaires auxquelles il s'était habitué avec Maxou, dans nos meilleurs moments. Comme s'il était privé de quelque chose de vital.

Je soupire profondément et je croise les bras pour tenter de cacher le désir que je sens poindre sur mes seins. Sous la mince jaquette bleue que je porte sans soutien-gorge, on peut trop facilement deviner l'effet que me fait le beau docteur.

— Ça va aller? me demande-t-il.

Je crois déceler une note d'amusement dans sa voix. Je lève les yeux et je constate que ma déduction était bonne. Même s'il tente d'avoir l'air du professionnel neutre et imperturbable, je ne le sens pas indifférent à la situation. Je lui réponds en hochant la tête de haut en bas.

— Bon, très bien. Et sachez que je suis à la clinique Fabre les mardis et jeudis, en soirée… Si jamais vous avez d'autres questions…

Je le regarde s'éloigner en me souriant une dernière fois.

— D'accord, merci, dis-je d'un ton détaché qui ne reflète pas du tout l'excitation qui m'habite.

Est-ce qu'il vient de me lancer une invitation déguisée en séance de consultation? Possible, très possible, même. Du moins, c'est ma façon de voir les choses. Et j'espère que c'est aussi la sienne.

Une ombre passe soudainement sur mon bonheur instantané. Maxou… Je n'arrive pas à croire que je m'apprête peut-être à le tromper. Mais est-ce vraiment tromper son mari quand celui-ci ne croit plus en notre mariage? Quand il veut prendre ses distances? Et lui, qui me dit qu'il est sage de l'autre côté de l'océan? J'en connais quelques-unes qui ont dû être très contentes d'apprendre que «la petite Canadienne» était repartie dans ses terres avec les colons. Bon d'accord, elles n'ont certainement pas utilisé le mot «colons», mais elles ont quand même dû se réjouir.

Le problème, c'est que notre situation n'est pas claire. Tant que je n'aurai pas eu une conversation franche avec mon mari, je ne pourrai pas me permettre d'aller de l'avant. Il faut que je mette cartes sur table avec lui. Après, je prendrai rendez-vous avec le Dr Lamoureux.

Il vient tout juste de quitter la chambre en fermant la porte derrière lui. Il est maintenant temps de rentrer chez moi en taxi. Papa a dû partir un peu plus tôt pour se rendre à un mystérieux rendez-vous d'affaires.

Il m'inquiète, celui-là. Depuis son retour au Québec, au lieu de se chercher une job comme tout le monde, il multiplie les rencontres avec des individus un peu louches. Sous prétexte de trouver la bonne occasion d'affaires qui le rendra riche, papa fréquente des gens peu recommandables. Avec sa naïveté légendaire, il se précipite tout droit vers d'autres problèmes.

Je commence à m'habiller, en gardant ma petite jaquette bleue devant moi pour me cacher. Mais comme j'ai une seule main valide, c'est plutôt difficile. Je laisse tomber la jaquette et j'en suis à l'opération compliquée de remettre mon soutien-gorge en utilisant ma main gauche et mes dents quand j'entends la porte s'ouvrir. Eh merde !

— Non, n'entrez pas ! dis-je en criant presque.

Le mouvement d'ouverture de la porte s'arrête tout net.

— Charlotte, c'est juste moi, j'ai appris ce qui s'était passé… Pauvre pitoune !

C'est qui, ça, moi ? Cette voix d'homme m'est familière, mais je n'arrive pas à la reconnaître.

— Un instant, je finis de m'habiller.

J'abandonne le soutien-gorge et j'enfile le pull et le jeans qu'Ugo m'a apportés un peu plus tôt pendant mon sommeil. Ce faisant, je scanne dans ma tête toutes les voix d'homme légèrement nasillardes que je connais. Inutile, je ne trouve pas à qui elle appartient.

— OK, vous pouvez entrer.

Dès que j'aperçois le visage de l'homme qui pousse la porte, je panique. Encore plus quand je vois qu'il est accompagné de son plus fidèle collaborateur. J'ai devant moi le plus grand journaliste à potins du Québec et son photographe !

— Paul-André, qu'est-ce que tu fais ici?

Je connais Paul-André depuis plusieurs années. C'est à moi qu'il s'adressait quand il voulait écrire un article sur Roxanne. Il a aussi suivi de près la téléréalité de mon mariage. Nous avons toujours eu une bonne collaboration.

Il est le journaliste à potins que toutes les vedettes aiment et craignent à la fois. Ses articles dans un grand quotidien de Montréal et dans le *Cinq jours* peuvent propulser votre carrière… ou y mettre fin.

— Ben, je suis là pour toi, ma Charlotte. Quand j'ai su que t'avais failli mourir en ondes…

— Wô là! J'ai pas failli mourir pantoute!

— Bah… Presque, quand même. T'avais pas l'air ben forte après l'explosion, en tout cas.

— Eille, comment t'as vu ça, toi?

— Charlotte, ton émission est en direct. Allume, ma pitoune!

— Ah, c'est vrai. J'avais pas réalisé que mon accident était passé en ondes.

— Mais moi, c'est sur YouTube que je l'aie vue.

— Quoi! C'est pas rendu sur YouTube en plus?

— Ben qu'est-ce que tu penses, ma pitoune? C'est du bonbon pour YouTube.

— Merde! C'est pas vrai. Je vais avoir l'air de quoi, moi? Une vraie folle!

— Mais non, voyons… On en a vu d'autres, hein?

— Non, mais tu comprends pas! C'était ma première émission, ma première! C'est sûr qu'après une gaffe comme ça plus personne va vouloir m'engager. Ils vont annuler le *show*, pis je me trouverai plus jamais de job!

Je suis complètement angoissée à l'idée que je viens de saccager une carrière à peine entamée.

— Ben non, ça va être correct. Le monde aime ça, les gaffeuses.

— Tu penses?

— C'est sûr, je te le dis. Bon, là, j'ai un article à écrire. Fait que calme-toi un peu, ma pitoune. On va prendre des photos, pis tu vas tout me raconter.

— Ah, je suis pas certaine que ce soit une bonne idée, Paul-André. Ça peut me mettre encore plus dans le trouble.

— Là, je vais te dire juste une chose, Charlotte. T'es pas rendue assez vedette pour faire des caprices, hein ? On s'entend. Écoute mononcle, pis fais la bonne fille. Regarde, j'ai pas juste ça à faire, moi, te consoler.

Je réfléchis quelques instants, puis j'accepte.

— OK, mais à deux conditions : premièrement tu me laisses me remaquiller comme du monde et, deuxièmement, tu dis que l'explosion, c'est un accident. Seulement un accident et que j'ai rien à voir là-dedans.

— On va arranger ça. *Envoye*, va te débarbouiller, pis dépêche !

Je me rue vers la salle de bain, j'ouvre le robinet et je nettoie le mascara qui a coulé sous mes yeux en me demandant si je peux vraiment faire confiance à Paul-André.

7

« I hate Paris in the springtime, I hate Paris in the fall
I hate Paris in the summer when it sizzles
I hate Paris in the winter when it drizzles
I hate Paris, oh why oh why do I hate Paris?
Because my love is there…»
KATE (MEG RYAN) chantant sur l'air de *I love Paris*
de Cole Porter dans *French Kiss*, 1995.

— *P*utain, Charlotte, tu te rends compte que tu aurais pu te blesser sérieusement? Tu veux bien m'expliquer ce qui t'est passé par la tête?

Sur l'écran de l'ordinateur, je distingue nettement l'inquiétude sur le visage de Maxou. Au lendemain de mon accident, je suis en congé, tel que me l'a recommandé le beau Dr Lamoureux. En fait, il m'a suggéré de rester à la maison le reste de la semaine, question de donner toutes les chances à ma main de bien amorcer sa guérison.

Depuis ce matin, je jongle avec l'idée d'informer mon mari de ce qui m'est arrivé et d'en profiter par la même occasion pour savoir où nous en sommes comme couple. Mais pour une raison que j'ignore, je n'ai pas osé le faire. Finalement, c'est lui qui m'a envoyé une demande sur Skype, en fin de journée, aussitôt après avoir vu l'explosion sur YouTube.

— Ben, je savais pas, moi, qu'il fallait pas mettre de pression dans une bouteille d'azote liquide.

— Mais c'est clair! Tout le monde sait ça!

— Bon, bon, si tu m'as appelée pour me chicaner…

— Pardon, c'est seulement que je me suis fait du souci, tu vois.

— Ah oui? Tu t'es inquiété pour moi? Vraiment?

— Mais bien entendu. Ce n'est pas parce que nous sommes séparés que je me fous de ce qui t'arrive, Charlotte.

Ça, c'est agréable à entendre. Je l'avoue.

— Et comment tu l'as appris?

— C'est Camille qui me l'a dit tout à l'heure.

Camille? Camille Valentin? Son adjointe d'à peine vingt-cinq ans, hyper sexy? Non, mais quelle heure est-il à Paris? Je calcule rapidement dans ma tête. Onze heures et quart… du soir. Monsieur s'en permet!

— T'es sorti avec elle?

— Oui, on est allés prendre un pot après le boulot et puis on a mangé un petit truc, pourquoi?

— Me semblait que les patrons ne sortaient jamais avec leurs employés, chez vous?

— Ouais, mais avec Camille, c'est un peu différent.

— Pourquoi?

— Parce que je la connais depuis longtemps. C'est la fille de la meilleure amie de maman. Je ne te l'avais pas dit?

— Non. Et en quoi ça change le portrait?

— Eh bien, c'est aussi une amie, tu vois.

— Ah bon, dis-je, pas trop certaine de savoir à quoi m'en tenir.

J'essaie ensuite de me convaincre que ce qu'il fabrique avec Camille, ce n'est pas mes affaires. Après tout, comme il me l'a rappelé, nous sommes séparés… Et puis merde! Je suis quand même encore sa femme. J'ai le droit de savoir!

— Tu couches avec elle?

— …

— Maxou?

— Ce que je fais ne te regarde pas, Charlotte.

— Ben oui, ça me regarde.

— Non. Et je n'en dirai pas plus.

Je comprends à l'instant qu'il s'est déjà consolé dans les bras d'une autre femme, que ce soit Camille ou une autre. Une immense tristesse m'envahit, mais j'éprouve en même temps un grand soulagement. Dans la vie, j'ai besoin d'aller de l'avant. Et, pour ça, les situations doivent être claires.

— Comme ça, on est vraiment séparés. C'est vraiment fini.

— Est-ce qu'on a le choix, Charlotte? Toi et moi, on sait très bien qu'on ne vivra plus sur le même continent. Et tu en connais, des couples, pour qui ça fonctionne, les relations à distance?

— Euh, pas vraiment.

— Eh bien, la voilà, la réponse.

— Oui, mais on s'aime.

— Il faut croire que ce n'est pas suffisant, répond Maxou d'un ton plus doux. Tu sais, moi non plus, ce n'est pas ce que j'aurais souhaité.

— Tellement pas.

Tous les deux, on reste silencieux quelques instants. Peu à peu, je commence tout doucement à faire le deuil de mon mariage.

— Maxouuuuuuu?

— Oui, Charlotte.

— Pourquoi tu voulais divorcer aussi rapidement?

J'entends mon mari soupirer à l'écran.

— J'ai un peu paniqué, tu vois… Je pense que je voulais te rayer de ma vie.

— Me rayer de ta vie? Après tout ce qu'on a vécu! T'es donc ben pas fin!

— Charlotte, pas d'accusation, s'il te plaît.

— OK, dis-je en retrouvant un peu de calme.

— Si tu permets, maintenant, je vais aller dormir.

— Attends, je voulais juste te demander… Bon, d'accord, on est séparés, on est libres de faire ce qu'on veut, mais est-ce qu'on peut attendre encore pour le divorce ?

— Pourquoi ? À quoi ça sert ?

— Je sais pas pourquoi. Je veux pas, c'est tout. Pas tout de suite, OK ? S'il te plaît, fais-le pour moi.

— Bon, si c'est ce que tu souhaites. On peut attendre quelques mois.

— Et si on se donnait jusqu'à la fin de l'année ? Jusqu'à Noël prochain. Juste au cas où.

— Au cas où quoi ?

— Ahhhh… On est-tu obligés de toujours savoir pourquoi ? On se donne du temps, c'est pas compliqué, il me semble !

— D'accord, comme tu veux. Mais ça ne change rien.

— Non, non, ça change rien.

Quelques secondes de silence s'installent entre nous. J'ai le sentiment que tout a été dit. Pour l'instant du moins.

— Allez, il est tard, je vais me pieuter. Tu fais gaffe à ta main, Charlotte.

— Oui, t'inquiète. Et toi, tu prends soin de toi, OK ?

— Oui, oui… Je suis un grand garçon, tu sais.

C'est avec un sourire un peu las que Maxou met fin à notre conversation. Je referme mon ordinateur et je n'ai maintenant plus qu'une seule idée en tête : m'étourdir dans les bras d'un autre homme. Et le premier en lice, c'est bien entendu le Dr Lamoureux. Le *seul* en lice, devrais-je préciser.

***

— Wow ! Ça l'air bon, ça.

Aïsha vient de déposer devant moi un bol de chaudrée de palourdes bien fumant. En regardant *Mangues et prosciutto* ce matin, que P-O anime seul pour quelques jours, je l'ai vu cuisiner ma soupe préférée. J'ai alors immédiatement envoyé un texto à Aïsha pour qu'elle vienne m'en porter une portion pour souper, ce que ma formidable amie a accepté sans broncher.

— J'avoue qu'elle est vraiment délicieuse. Tu sais qu'il la fait seulement avec des palourdes fraîches? demande Aïsha.

— À la télé, oui. Mais au resto, c'est clair qu'il doit mettre des palourdes en conserve, ça coûte moins cher.

— Non, tu serais surprise. Que des fraîches.

— Ah oui? Étonnant.

Le défi, maintenant, c'est de manger ma soupe sans en mettre partout. Vraiment pas évident de devenir gauchère quand on a été droitière toute sa vie. Le truc, c'est d'y aller lentement et, surtout, d'éviter de prendre un repas devant des gens qu'on ne connaît pas. Donc pas question d'inviter le beau docteur à souper en tête à tête.

La première bouchée de *clam chowder* me ramène tout droit en enfance. Quand nous allions, papa, maman et moi, camper à Cape Cod pendant les vacances de la construction.

Tous les soirs, après une journée bien remplie à la plage, nous allions souper dans un resto en plein air, tout près du camping. Et invariablement, je commandais un bol de chaudrée de palourdes. Papa, qui savourait son homard quotidien, me donnait toujours la salade verte qui l'accompagnait. Maman était la seule à varier ses choix, tandis que papa et moi, on tenait à nos traditions. Ces semaines passées à s'amuser sous le soleil sont parmi mes plus beaux souvenirs d'enfance. Il ne manquait qu'une petite sœur pour que mon bonheur soit complet. Heureusement, aujourd'hui, j'ai Aïsha. Je la regarde remplir nos verres de vin blanc et je pense que je suis chanceuse d'avoir une amie comme elle. D'autant plus que c'est ma seule véritable amie de fille.

— Tu veux pas de soupe, Aïsha?

— Non… Je me suis promis de plus jamais manger ce que P-O cuisine.

— Pour vrai ? Ah ! Excuse-moi. Avoir su, je t'aurais jamais demandé ça. En plus, il a fallu que tu parles à P-O, ç'a pas dû être évident.

— Je lui ai pas parlé. Je suis passée par le petit technicien, tu sais, celui avec la couette, qui est super fin. Pis super *cute* !

Ah non, pas Sébastien ! Pas celui qui, selon mes mensonges, est responsable de l'échec du plan d'Aïsha. Pourvu qu'elle ne lui en ait pas parlé.

— Tu m'as bien dit, Charlotte, que c'était lui qui avait remis le sucre et le sel de P-O dans les bons contenants ? me demande mon amie, légèrement soupçonneuse.

Oups ! Je m'empresse de mettre dans ma bouche une cuillère bien remplie de soupe. Et je prends tout mon temps pour l'avaler, afin de me permettre de réfléchir à ma réponse. J'avale ensuite une longue gorgée de chablis.

— Charlotte ? T'as pas entendu ma question ?

— Oui, oui, c'est juste que je me souviens plus si c'est lui ou si c'est l'autre. Tu sais, le grand maigre ?

— Ben là, hier, tu m'as dit que c'était le petit. Pas le grand.

— Ah ben, j'étais peut-être encore dans les vapes à cause des médicaments.

— Ouin, d'après moi, tu t'es trompée, parce que le petit… C'est quoi, son nom, déjà ?

— Sébastien.

— C'est ça, Sébastien. Ben, il a fait une drôle de face quand je lui ai dit qu'une chance qu'il était là, que P-O lui en devait une.

Voulez-vous bien me dire pourquoi Aïsha a senti le besoin de parler de cet incident à Sébastien ? Réfléchis, Charlotte, la réponse saute aux yeux. Il est beau, il est super gentil, il est célibataire… Elle veut le flatter, c'est clair.

— Non, plus j'y pense, plus c'est l'autre technicien.

Il y a beaucoup moins de risques qu'Aïsha s'intéresse à celui-là. Un gars froid, blasé et qui marche les pieds par en dedans. Aucun *sex appeal*.

— Tu dois avoir raison, c'est plus son genre de tout vérifier et revérifier.

Ouf! Je l'ai échappé belle. Habituellement, Aïsha est plus tenace quand elle a un doute. Mais passons à un autre sujet.

— J'ai parlé à Max aujourd'hui.

— Ah bon, dit Aïsha, l'air complètement indifférent.

— Ouin, ça t'intéresse, hein?

— Ah, excuse-moi, Charlotte. Je pensais à autre chose. Comment il va, le beau Max?

— Il va bien.

— Tant mieux.

Visiblement, Aïsha ne veut pas en savoir plus. Eh bien, tant pis! Je ne lui dirai pas que j'ai maintenant la permission officielle de faire ce qui me plaît avec un autre homme. Je ne lui décrirai pas non plus en détail le beau spécimen à qui je m'apprête à faire des avances. Et je ne lui préciserai pas qu'il est docteur. Dr Antoine Lamoureux, c'est tellement classe! Elle ne sait pas ce qu'elle manque!

Je regarde mon amie prendre une gorgée de chablis, le regard perdu dans le vague.

— Qu'est-ce qui te tracasse?

— P-O.

Du coup, je regrette ma question. Pas trop envie d'avoir une discussion sur mon coanimateur. Je ne veux pas être celle qui lui apprendra que P-O est papa. C'est d'ailleurs pour éviter de parler de P-O que je n'ai pas questionné Aïsha sur sa prétendue aventure avec son prof de danse, même si je suis hyper curieuse de connaître le fond de l'histoire.

Je continue de manger en silence, en espérant que mon manque d'intérêt la dissuadera de continuer sa réflexion tout haut.

— Je sais pas ce qu'il a depuis quelques jours, mais il est vraiment bizarre.

Bon, je ne m'en sauverai pas. Affrontons la situation avec le plus de détachement possible.

— Ah oui ? Tu trouves ? J'ai rien remarqué de spécial.

— Y a quelque chose qui se passe, j'en suis certaine.

— Mais non, tu te fais des idées.

Je me lève pour aller déposer mon bol vide dans le lave-vaisselle. Et comme Ugo n'est pas là, j'en profite pour oublier de le rincer avant. S'il fallait qu'il me voie…

— Sais-tu s'il a quelqu'un dans sa vie ? me demande-t-elle.

— Aucune idée, dis-je en retournant m'asseoir. Tu sais, on se parle pas beaucoup, lui et moi. Surtout pas de nos trucs personnels, c'est strictement professionnel. Boulot, boulot, boulot. C'est tout, rien d'autre. Je ne sais rien de lui. Rien, rien.

Je m'arrête un instant, consciente que j'en ai peut-être mis un peu trop. Et que mon ton n'était pas des plus naturels. Aïsha me fixe en silence, des points d'interrogation dans les yeux.

— Je fais ce que tu m'as demandé, Aïsha. Je garde mes distances. Tu me crois, hein ?

— Pas une miette ! T'as toujours été une mauvaise menteuse, Charlotte. Qu'est-ce que tu me caches ?

— Pourquoi tu dis ça ? Je ne te cache rien du tout.

Je me lève de nouveau pour aller chercher un petit quelque chose dans le réfrigérateur, ce qui me permet de tourner le dos à mon amie. J'aperçois un beau morceau de Miranda, mon produit préféré de la fromagerie Fritz Kaiser, à Noyan. Parfait pour compléter mon repas. Je le dépose sur le comptoir pour le chambrer et j'ouvre le garde-manger pour y prendre des craquelins.

— Tu vas manger un peu de fromage, Aïsha ?

— C'est pas vrai ! Dis-moi que c'est pas vrai ? Fu#$, Charlotte ! Je peux pas le croire !

Son ton à la fois furieux et dégoûté me met en alerte. Qu'est-ce qu'elle a bien pu conclure ? Je me retourne pour lui faire face.

— De quoi tu parles ?

— T'as recouché avec lui !

— Ben voyons donc ! Qu'est-ce que tu vas imaginer là ? Jamais de la vie !

— Me semble, oui. Ça paraît dans ta face.

— Je te le jure, Aïsha.

— Pourquoi t'es bizarre, d'abord ?

— Je suis pas bizarre.

— Charlotte, *come on* ! Qu'est-ce qui se passe avec P-O ?

Ah, que c'est compliqué, la vie, parfois ! Pourquoi faut-il que je sois obligée de faire de la peine à ceux que j'aime ? On n'aurait pas pu simplement parler de la vente d'entrepôt qui aura lieu en fin de semaine chez Dans un jardin ? Ou de la nouvelle chocolaterie qui vient d'ouvrir au coin de la rue ? Pourquoi on en revient toujours à parler des mecs ? Hein, pourquoi ?

Je soupire longuement, je regarde Aïsha et je lis le doute dans ses yeux. Moi, si j'étais à sa place, est-ce que je voudrais savoir ce que trame mon ex ? Mais bien entendu.

— Viens, Aïsha, on va aller finir notre vin au salon et je vais te dire ce qui préoccupe P-O.

***

Une heure plus tard, Aïsha est repartie chez elle, traînant une peine immense. Elle qui avait rêvé pendant des mois qu'elle allait un jour avoir un bébé avec P-O, elle apprend maintenant qu'il a déjà un enfant avec une autre femme. Cruel destin.

J'en ai profité pour la questionner discrètement sur la fin de sa relation avec P-O. Elle a fini par m'avouer y avoir contribué en succombant à Albert. Une gaffe qu'elle a amèrement regrettée et qui a poussé P-O dans les bras de Priscillia.

— Ben voyons, Aïsha, ai-je rétorqué. Tu sais bien que P-O a pas besoin de ça pour tromper une fille. C'est son mode de vie.

— C'était, Charlotte, c'était. Je te jure, avec moi, il était devenu fidèle. Jusqu'à ce que, moi-même, je le trompe. Veux-tu ben me dire pourquoi j'ai fait ça ?

— Parce que t'as jamais cessé d'aimer Albert. C'est simple à comprendre.

— Oui mais, P-O, je l'aimais, lui aussi. Pis pas à peu près.

— Ben oui, t'aimais les deux.

— Ça se peut, ça, tu penses ? Aimer deux hommes en même temps ?

— Pourquoi pas ? Tout est possible, Aïsha. Surtout quand un des deux hommes n'est pas accessible. T'en aimes un en silence, comme tu le fais avec Albert depuis toujours, et tu vis une histoire d'amour concrète, comme celle avec P-O.

Nous nous sommes quittées sur ces paroles et, depuis, je suis étendue sur le sofa du salon à réfléchir à notre conversation. Maxou... Est-ce que je vais l'aimer toute ma vie en silence ? Tout en étant capable de laisser entrer un autre homme dans mon cœur ? Peut-être... Mais pour l'instant, ce n'est pas mon cœur que j'ai envie d'offrir à un homme. Je ne peux pas me résigner à le donner à quelqu'un d'autre que Maxou. Sur ces réflexions, je m'endors en laissant le bordel dans la cuisine d'Ugo.

8

« Moi, je veux passer à la télé,
Moi, je veux que tous les gens me voient. »
Les Cowboys fringants, *Télé*, 2011.

— Allô !

La voix d'Ugo me tire du sommeil. Je me lève d'un bond pour me précipiter dans la cuisine, où j'ai laissé traîner le fromage que nous n'avons finalement pas entamé, Aïsha et moi, ainsi que nos verres de vin vides, la bouteille – également vide –, les craquelins, ma trousse de premiers soins pour changer mon pansement et mon pashmina fuchsia. Un beau désordre qu'il serait préférable qu'Ugo ne voie pas. Après douze heures au boulot, mon ami aime bien retrouver le confort immaculé de son foyer.

Je commence à tout ranger pendant qu'Ugo enlève son manteau et ses bottes dans le hall.

— Charlotte, t'es où ? J'ai quelque chose pour toi.

— Ici, dans la cuisine, dis-je en remettant mon pashmina sur mes épaules.

Ouf ! J'ai réussi à tout ramasser à temps.

Ugo entre dans la pièce et cache quelque chose dans son dos. Il me fait la bise en m'enlaçant d'un seul bras, me demande si j'ai passé une bonne journée et m'invite ensuite à m'asseoir à la table. Intriguée et un peu inquiète par son ton solennel, je lui obéis, même si j'ai juste envie de lui sauter dessus pour lui arracher ce qu'il dissimule.

— Tadam !

Ugo dépose une revue et un journal sur la table. La première, le *Cinq jours*, titre : « La nouvelle animatrice de *Mangues et prosciutto* survit à la cuisine moléculaire. » Une immense photo de moi, prise en gros plan, toute souriante, est en une.

— *Oh my God ! Oh my God ! Oh my God !* Je suis sur le *front* du *Cinq jours* ! Qu'est-ce qu'ils disent ?

— Lis, tu vas voir. Pis y a presque le même article dans le journal. C'est le chroniqueur dont tu m'as parlé qui a écrit les deux, ajoute Ugo en poussant le quotidien vers moi.

— C'est-tu bon pour moi ou bien j'ai l'air d'une épaisse ?

Depuis que j'ai accordé une entrevue à Paul-André, je vis dans l'angoisse des répercussions de son article. J'ai terriblement peur de la façon dont il traitera la nouvelle. Et maintenant que je peux le savoir, que je n'ai qu'à tourner les pages du journal pour en avoir le cœur net, je suis paralysée. Complètement.

— Mais non, t'as pas l'air d'une épaisse, voyons. Au contraire, je pense que ça va être très bon pour ta carrière.

— Hein ? T'es sûr ? Tu dis pas ça pour me faire plaisir ?

— Ben non, voyons. J'oserais jamais te niaiser là-dessus. Tu prends ça tellement à cœur, toutes ces histoires de vedettariat.

— Quoi ? C'est un reproche, ça ?

— Mais non ! Ouvre donc le journal, qu'on en finisse, lance Ugo d'un ton légèrement exaspéré, en ajoutant que le texte se trouve à la page 5.

Faisant confiance à mon ami, je feuillette les pages du quotidien jusqu'à ce que j'aperçoive une photo d'Hervé et moi en studio, en train de préparer notre crème glacée à l'azote liquide. Ensuite, on y voit une photo de moi, allongée au sol. Je suis entourée de P-O, de papa et du petit technicien, dans un grand nuage blanc. Et la troisième photo me montre assise sur mon lit d'hôpital, la main enveloppée dans un pansement bien en évidence.

Toute une première pour Charlotte Lavigne !

La nouvelle animatrice de la populaire émission du matin Mangues et prosciutto *a fait vivre une grande frousse à ses camarades et aux téléspectateurs hier quand…*

Je continue de parcourir rapidement le texte. Paul-André raconte ma mésaventure en affirmant qu'il s'agit d'un pur et simple accident, d'une « raison inconnue ».

Rien sur ma légère participation à l'explosion ! *Yessssss !*

Il me qualifie ensuite de « jeune animatrice vive, attachante et drôle, et dont l'avenir est très prometteur ».

— Wouaaaaaaaaah ! T'as vu, Ugo ? T'as vu ? Un avenir prometteur ! Tu parles d'une bonne idée, finalement, d'avoir brassé la bouteille. C'est le meilleur coup de pub que je pouvais espérer !

Dans mon enthousiasme, j'envoie valser le journal dans les airs, qui retombe ensuite tout éparpillé sur le sol, la table et les chaises. Je me précipite pour ramasser les feuilles maladroitement avec ma main valide, tout en continuant de me féliciter intérieurement.

Soudainement, le silence d'Ugo m'alarme. Je me relève, les bras chargés de papier journal que je tiens contre ma poitrine pour ne rien laisser échapper. Je croise le regard de mon ami. Inhabituellement froid et légèrement indigné.

— T'avais pas planifié ça, j'espère?

— Ben voyons donc! Tu me prends pour qui, Ugo Saint-Amand?

Je dépose furieusement le tas de papier journal. Je suis vexée et peinée qu'il puisse penser que j'ai mis la vie de toute une équipe en danger simplement pour voir mon nom dans le journal.

— OK, OK, j'ai rien dit. Excuse-moi, dit Ugo d'un ton plus doux.

Je ne réponds pas; je boude. Ugo est peut-être mon meilleur ami, mais ça ne lui donne pas le droit de me prêter de telles intentions.

— Charlotte, je t'ai dit que j'étais désolé. C'est juste que, parfois, ça m'inquiète, ton envie de vouloir devenir une vedette à tout prix.

— C'est pas vrai, ça! Je veux juste faire un travail que j'aime. Tu vas quand même pas me comparer aux filles qui s'inscrivent à des émissions de téléréalité, pis qui veulent juste voir leur face à la télé.

— Mais non, bien sûr.

— Ben c'est ça, dis-je sur un ton qui signifie que le sujet est clos.

Je commence à replacer les feuilles du journal dans l'ordre.

— Moi, à ta place, reprend Ugo, je lirais la fin de l'article. Y a un petit quelque chose que tu vas peut-être aimer un peu moins. Rien de grave, mais c'est un truc un peu plus personnel.

— Mais j'ai jamais parlé de mes trucs personnels! C'est quoi, cette affaire-là?

Je fouille fébrilement dans les feuilles encore dispersées du quotidien, à la recherche de la page 5.

Je revois dans ma tête l'entrevue que j'ai accordée à Paul-André et je n'ai aucun souvenir de lui avoir parlé de ma vie privée. Après l'entrevue, une fois son magnétophone éteint, oui, nous avons abordé des sujets plus intimes. C'était facile, Paul-André a toujours eu une bonne écoute.

À ce moment-là, il était clair que je ne parlais plus au journaliste puisque l'entrevue était terminée. C'était une discussion amicale, *off the record*, comme on dit. Comment se fait-il qu'il n'ait pas respecté notre entente ? Bon, d'accord, c'était une entente tacite, mais c'était une entente quand même ! En tout cas, pour moi.

— Mais elle est où, cette fichue page 5 ?

— Elle est là, Charlotte, m'informe Ugo en m'indiquant du doigt la chaise à côté de moi, sur laquelle – oups ! – traîne mon nouveau sac à main Guess.

Je m'empare brusquement de la page et, dans ma hâte, elle s'accroche à la ganse de mon sac et se déchire en trois.

— Ahhhhh, ça va donc ben mal !

— Attends, laisse-moi faire, propose Ugo en replaçant les morceaux comme un casse-tête. Et voilà… tu vas être bonne pour lire la fin, maintenant.

Je me penche vers la table et je lis à voix haute. Le dernier paragraphe contient une de mes citations : «Tout ce qui manque à mon bonheur, c'est un nouvel amoureux. Un homme pour partager ma vie et qui accepterait de me faire des bébés. »

— Quoi ! J'ai jamais dit ça !

En réalité, je n'ai jamais utilisé ces mots-là : «me faire des bébés ». Beaucoup trop *quétaine*, comme expression. D'accord, j'ai peut-être avoué vouloir fonder une famille. Mais ce n'était pas pour publication !

— Euh… Charlotte, c'est pas tout à fait fini. Lis la suite.

Eh merde ! Comme si ce n'était pas assez ! Doublement inquiète, je reprends ma lecture où je l'avais laissée : «J'ai envie d'être en relation – ouache, ça non plus, ça ne vient pas de moi – avec un homme pour qui la carrière est importante. »

Voulez-vous bien me dire où je m'en vais avec de tels propos ? C'est quoi, le rapport ? Je lis la suite de ce que j'aurais, semble-t-il, raconté à Paul-André :

— « "Comme ça, il ne pourra pas me reprocher les longues heures au bureau. Je pense que je me verrais bien avec un professionnel. Pourquoi pas avec un médecin ?" conclut Charlotte Lavigne d'un ton espiègle. » Y a pas écrit ça ! Y a pas écrit ça !

Furieuse, je donne un coup de poing sur la table. Par pur réflexe, je le fais avec ma main droite, oubliant ma brûlure. Je ressens une violente douleur jusque dans mon bras.

— AYOYE !

Ugo se précipite à mes côtés, me demande si ça va, s'il peut faire quelque chose. Je hoche la tête de haut en bas, puis de gauche à droite. Il m'entraîne au salon en m'entourant de ses bras.

— Je vais le tuer, je vais le tuer.

— Chut, chut, chut. Tout doux.

Je m'assois sur le grand sofa, Ugo toujours à mes côtés. Il caresse mes cheveux pour me calmer.

— C'est pas grave, Charlotte. C'est juste *cute*. Pis comme tu connais pas de docteur, personne va se sentir visé.

Je n'ose pas avouer à Ugo que le beau docteur en question existe vraiment. Et que mon intention était justement d'apprendre à le connaître. Mais là, vais-je oser me présenter à son bureau en sachant qu'il a peut-être lu le journal ? Et s'il me prenait pour une groupie de docteurs ? Hein ?

— Je sais pas où il a pris ça. J'ai jamais mentionné que je voulais sortir avec un médecin.

Bon, d'accord, j'ai un peu parlé à Paul-André de mon attirance envers le Dr Lamoureux. Mais si peu. Juste trois ou quatre phrases innocentes à la fin de notre conversation, quand il m'a offert des chocolats Balsamico de Geneviève Grandbois. Quel ratoureux !

Je me laisse bercer quelques moments dans les bras d'Ugo, qui me rassure à nouveau en me disant qu'il n'y a rien de dramatique là-dedans. Je prends une grande respiration et m'oblige à me focaliser sur le positif.

Ces articles-là vont me faire connaître, ce qui devrait donner un élan à ma carrière d'animatrice. Me voilà un peu calmée, mais complètement épuisée. Je reste de longues minutes dans les bras de mon ami sans bouger, sans parler. Il s'allonge sur le sofa et m'entraîne avec lui. Je ferme les yeux et je plonge dans un profond sommeil.

C'est la chaleur de nos deux corps qui me réveille un peu plus tard. Ouf! Une vraie couverture électrique, Ugo! Quelle heure peut-il bien être maintenant? J'allonge le bras pour prendre mon téléphone qui traîne sur la table à café, afin de vérifier. Tiens, j'ai reçu un texto un peu plus tôt. Un message... de P-O. Étrange! Ah, il doit vouloir me souhaiter un prompt rétablissement. *So sweet!*

Je lis le texto: «La réal vient de m'annoncer que Martine animera le show demain avec moi. J'ai pensé que tu voudrais le savoir.»

Je me lève d'un bond, tirant Ugo des bras de Morphée.

— Ah ben, ça se passera pas de même!

— Qu'est-ce qu'il y a? me demande Ugo d'une voix tout ensommeillée.

— Y a personne qui va prendre ma place!

— De quoi tu parles?

— Rien, rien. Rendors-toi, chéri, dis-je en lui donnant un petit bisou dans les cheveux. Moi, je vais me coucher dans ma chambre. Demain, je retourne au boulot. Main brûlée ou pas.

9

« You had me at Hello. »
Dorothy (Renée Zellweger) à Jerry (Tom Cruise)
dans *Jerry Maguire*, 1996.

— Wow ! C'est vrai que ça paraît presque plus !

— C'est ce que j'avais dit, maximum six semaines de guérison. Vous avez bien protégé votre plaie et vous l'avez bien soignée. Bravo, madame Lavigne !

Je suis assise dans le petit bureau du Dr Lamoureux à la clinique Fabre et je ne peux pas croire que ça fait déjà six semaines que j'attends ce moment. Je m'étais pourtant promis de le relancer bien avant, mais les événements se sont précipités.

Tout d'abord, j'ai dû redoubler d'ardeur au boulot pour prouver à Denise que j'étais la seule et unique animatrice de *Mangues et prosciutto*, et que Martine devait s'en tenir à un rôle de chroniqueuse. J'ai aussi dû essayer de briser l'inquiétante complicité que je sentais se former entre ces deux femmes.

Ensuite, j'ai été sollicitée par d'autres journalistes pour donner des entrevues sur mon accident, mais aussi sur moi-même.

Je me suis ainsi retrouvée à partager mes souvenirs d'enfance avec les lecteurs du *Mardi*, à cuisiner ma recette de fondant au chocolat pour le spécial Saint-Valentin du magazine *Cuisine et compagnie* et à raconter mon séjour en France à l'hebdomadaire de l'Association des Français établis au Québec. Là, j'avoue avoir un peu enjolivé mon récit, décrivant Paris comme une ville accueillante où il est facile de se faire des amis. Pourquoi dire la vérité et risquer ainsi de se mettre à dos les Parisiens qui vivent ici?

Et puis j'ai passé beaucoup de temps sur YouTube à vérifier le nombre de clics sur la vidéo montrant l'explosion et mon évanouissement. Au début, j'ai eu le vertige en constatant que les visiteurs augmentaient d'heure en heure. Qu'est-ce que les internautes allaient penser de mon étourderie? Mais tout a changé quand j'ai lu leurs commentaires.

Pauvre elle, y a-tu quelqu'un qui sait si elle est correcte? serpent22.

@serpent22 : Oui, elle a parlé dans le Cinq jours, elle dit qu'elle a eu peur, mais elle a juste des petites brûlures à la main. amelie1991.

C'est un twit, ce prof-là. BadSmurf.

Elle va reprendre son émission? sirenedemer.

Wow! Des internautes qui s'inquiétaient pour moi! Et surtout qui ne m'accusaient pas d'avoir été tête folle et d'avoir provoqué l'explosion. Il faut dire que j'ai eu beaucoup de chance puisque les images me montrent à peine une ou deux secondes en train de secouer la bouteille, le caméraman ayant décidé de filmer le public à ce moment-là. Sa caméra est revenue sur nous… juste à temps pour l'explosion. Donc aucune preuve incriminante de ma bêtise.

Puis j'ai aidé P-O dans ses démarches pour passer un test de paternité. J'ai eu beau lui dire qu'il est clair que Mini-Charlotte est sa fille – on ne peut pas nier la ressemblance –, P-O tient mordicus à ce que le tout soit validé de façon scientifique.

J'ai donc commandé pour lui une trousse de prélèvement d'ADN sur Internet. Je lui ai remis le tout, lui expliquant comment procéder. Il a parlé à la maman de Mini-Charlotte, qui a accepté de prélever un échantillon de la salive de la petite, en faisant passer l'opération pour un nouveau jeu, et il m'a promis qu'il le ferait lui-même bientôt.

Un geste tout simple qu'il remet toujours au lendemain. Et moi, je me fais un devoir de lui rappeler qu'une petite fille de Rosemont attend, jour après jour, de connaître son papa. S'il continue de procrastiner, c'est moi qui vais lui enfoncer le Q-tip dans la bouche pour prendre sa salive et l'acheminer ensuite au laboratoire.

Ensuite, j'ai été occupée par… mon déménagement. Eh oui, j'ai quitté le nid douillet d'Ugo pour voler de mes propres ailes et retourner m'installer… au-dessus de son appartement. Comme dans le bon vieux temps. Yé et double yé !

Yé ! Tout d'abord parce que je me retrouve dans mes affaires et que j'échappe au contrôle domestique de mon ami. Et double yé, parce que je réintègre mon ancien appartement rempli de beaux souvenirs, et qu'Ugo reste à proximité.

Bon, je ne devrais peut-être pas me réjouir de la sorte, quand on sait que mon déménagement a été rendu possible grâce au décès du chat de Mme Laviolette, la vieille dame qui occupait mon logement depuis mon départ, il y a près d'un an. Mais bon, ce n'était qu'un vieux matou, après tout. Et, si vous voulez mon avis, Gaspard avait fait son temps.

Mme Laviolette nous a raconté que Gaspard avait décidé d'en finir avec la vie en se laissant mourir de faim. Je suis restée un peu sceptique devant ses explications. Un chat suicidaire… Ça existe vraiment ?

Mais elle avait tellement de peine que j'ai gardé pour moi mes interrogations.

Du coup, la vieille dame a refusé de continuer à vivre dans l'appartement, sous prétexte qu'elle ne cessait d'y voir le fantôme de son minou. Elle s'est donc installée chez son fils à Victoriaville. Et moi, j'ai emménagé dans le logement sans y sentir aucune trace du matou malheureux.

Un appartement maintenant doté d'un petit balcon extérieur à l'arrière. Mme Laviolette a fait construire cette galerie sans issue, pour que monsieur le chat puisse prendre l'air sans s'échapper. Moi, l'été, je pourrai y bronzer, mais je pourrai surtout espionner allègrement ce qui se passera dans la cour d'Ugo.

Tout ça veut aussi dire que je suis désormais la locataire d'Ugo puisque, pendant mon séjour en France, il a acheté le duplex dans lequel il vit depuis des années. Lui qui en rêvait depuis si longtemps, il en a finalement eu l'occasion.

Je dois vous avouer que ça fait mon affaire. Étant mon meilleur ami, Ugo sera certainement un propriétaire compréhensif les premiers du mois où je lui demanderai d'attendre mon chèque de loyer jusqu'à la prochaine paie. Ce qui ne devrait pas arriver souvent… mais on ne sait jamais.

Bon, c'est vrai que c'est déjà arrivé. J'ai effectué le premier paiement en retard, mais j'avais une bonne raison. Une très bonne raison, même. Ce n'est pas que je devais meubler en entier mon nouvel appartement, puisque Mme Laviolette m'a vendu tout son ameublement pour une bouchée de pain. Bon, ce n'est pas terrible, mais ça ira pour l'instant. Ma priorité, c'est d'investir pour garnir… mes armoires de cuisine. Inutile de payer un prix de fous pour faire transporter ma vaisselle de Paris à Montréal. Bien plus simple d'en faire cadeau à Maxou.

Pas question non plus de me contenter des quelques articles laissés dans la cuisine par Mme Laviolette. Ils serviront beaucoup mieux au prochain encan de charité organisé par la paroisse du coin.

J'ai donc décidé de repartir à neuf. Complètement. Pas un seul article n'ayant déjà servi n'entrera dans ma cuisine. De la moindre petite cuillère jusqu'à la cafetière à capsules Nespresso, en passant par les linges à vaisselle en lin et les flûtes à champagne. Tout sera neuf, neuf, neuf.

Et je me donne deux mois et demi pour remplir mes armoires à ras bord. Le jour de mes trente-cinq ans, j'aurai tout ce dont j'ai toujours rêvé pour cuisiner. Je dois admettre que je compte aussi sur mes cadeaux d'anniversaire. Et pour l'occasion, j'organiserai une super soirée tapas avec mes amis et ma famille.

Celle qui a très mal réagi à ma situation d'éternelle locataire, c'est maman. Je dois avouer qu'elle m'a ébranlée en me disant qu'à mon âge il était temps que je m'occupe de « ma santé financière et que je cesse d'être dépendante d'un homme, qu'il soit mon mari ou mon propriétaire ».

J'ai trouvé qu'elle y allait un peu fort, mais je lui ai promis de réfléchir à la situation et d'essayer de trouver une solution… *après* mon anniversaire. D'ici là, je serai trop occupée à courir les magasins de cuisine. Et à tenter de séduire le Dr Lamoureux.

***

— Donc mon suivi médical est terminé?

— Oui, tout est beau.

Je reste assise sans rien ajouter, espérant que mon silence obligera le Dr Lamoureux à relancer la conversation. Mais il semble plutôt se passionner pour les dossiers médicaux qui traînent sur son bureau. Là, j'ai une décision à prendre. Soit je laisse tomber et je retourne seule me morfondre dans mon appartement meublé comme celui d'une octogénaire, soit je plonge.

C'est un risque, je l'avoue. Mais j'ai terriblement envie de le courir. Le pire qui peut survenir, après tout, c'est qu'il me réponde non. Je serais certes embarrassée, mais je n'en mourrais pas. Le problème réside plutôt dans la forme.

Je me vois très mal lui lancer une invitation comme ça, de but en blanc, dans son cabinet médical. « Voulez-vous venir prendre un verre ? » Mon petit doigt me dit qu'il y a quelque chose de totalement déplacé dans un tel comportement. Mais comment faire, maintenant ?

Il est 20 h 50 et je sais que la clinique ferme à 21 heures. Je me suis d'ailleurs organisée pour être la dernière patiente du Dr Lamoureux, en espérant… En espérant quoi, au juste ? Qu'il m'invite lui-même ? Je pense que je ne peux pas compter là-dessus.

Pourtant, je ne le crois pas insensible à mon charme. J'ai même vu quelques signes… Bon, de petits signes de rien du tout, mais des signes quand même ! Sourire en coin, regard furtif posé sur mon décolleté, une légère hésitation, parfois, dans la voix. Et maintenant ce silence. En théorie, il devrait m'indiquer la sortie, se lever pour me donner congé, non ? Mais il n'en fait rien.

Peut-être qu'il me trouve un peu folle parce qu'il a lu cet article de journal dans lequel je disais vouloir entreprendre une relation avec… un médecin ? Comment le savoir ? Rien de tel que de poser des questions. Même si elles peuvent sembler un peu étranges.

— Dites-moi, j'ai lu dans un journal ce matin qu'on avait découvert un nouveau médicament contre… euh… l'asthme. Et je voulais savoir si c'était un bon médicament. C'est pour ma mère.

— Désolé, je ne vois pas du tout de quoi vous parlez.

— Vous n'avez pas lu les journaux ce matin ?

— Non. Je ne lis jamais les journaux, précise-t-il en retournant à ses dossiers.

Exactement la réponse qu'il me fallait.

— Bon, ben, je crois que je vais y aller, moi.

Il lève les yeux vers moi et, sans un mot, me lance un regard pénétrant, dont je ne saisis pas trop le sens. Quel message essaie-t-il de me transmettre? À moins que… Ah, mais oui! Pourquoi n'y ai-je pas pensé avant? S'il ne dit rien, c'est à cause de son code de déontologie! Celui qui l'empêche de faire des avances à ses patientes. Il attend que, moi, j'agisse. Pourquoi pas, après tout?

— Je dois aller rejoindre une amie à la nouvelle rhumerie qui vient d'ouvrir sur Mont-Royal. Enfin, je sais pas trop si elle va être là, vu que son chien est malade, mais je vais y aller quand même. Au pire, je prendrai un verre seule. Après tout, faut fêter la bonne nouvelle: la guérison de ma main.

J'ai utilisé cette approche détournée pour ne pas effaroucher le Dr Lamoureux, qui continue de m'observer en silence. Je me lève, je fouille dans mon cabas mauve éclatant et je sors le premier papier qui me tombe sous la main. Ma facture d'épicerie d'hier au montant de… 146,54 dollars. Ouille!

Je ne me rappelais pas qu'elle était si élevée. Qu'est-ce que j'ai bien pu acheter pour près de 150 dollars? Ah oui, il a fallu que je garnisse mon armoire à épices au complet! Je ne pouvais quand même pas vivre sans cumin, paprika fumé, garam massala, piment de la Jamaïque, fenouil en grains, etc. Une dépense totalement justifiée.

— Hum, hum… marmonne le Dr Lamoureux en se raclant la gorge.

— Désolée, j'y vais, je voulais juste vérifier l'adresse du bar, dis-je en faisant semblant de lire ma facture. J'ai noté ça ici… Mont-Royal et Lanaudière… coin sud-ouest. Parfait! Une petite marche de cinq minutes.

Je m'éloigne vers la sortie, à reculons, pour être certaine de ne pas quitter son regard et de bien lui faire comprendre que je l'attendrai là-bas. Juste au cas où je n'aurais pas été assez claire. C'est peut-être ma dernière chance avec lui et je ne peux pas risquer de tout compromettre.

J'ouvre la porte du cabinet, toujours en soutenant son regard, et j'exprime une dernière fois mon souhait, en lui lançant un « À bientôt » rempli de sous-entendus.

* * *

Quinze minutes plus tard, assise sur une chaise bistro de ce nouveau bar à la mode, je suis confiante de voir bientôt apparaître celui que j'appellerai désormais Antoine. Et que je tutoierai, *of course* ! Si je me fie au sourire qui s'est dessiné sur ses lèvres au moment où j'ai fermé la porte du cabinet, Antoine sera ici d'une minute à l'autre.

Je suis tellement certaine qu'il se pointera le nez que j'ai commandé une bouteille de rouge… et deux coupes. Un choix judicieux quand on sait qu'un verre de vin coûte 9 dollars… Autant économiser dès le départ en achetant une bouteille au complet. C'est maman qui serait fière de sa fille !

Et si jamais il ne venait pas ? Non, non et non. Tu dois continuer d'être positive, Charlotte. Comme l'a expliqué l'autre jour Martine à l'émission, on peut changer son destin par la force du mental, si appliquée au quotidien.

L'idée, c'est de se répéter ce qu'on souhaite obtenir de la vie. Tous les jours, on ferme les yeux dix minutes et on se parle tout bas. On choisit un objectif précis et on le fait comprendre à notre cerveau en le bombardant d'informations positives. Du genre : je suis belle, intelligente et amusante. Et je suis capable de charmer Antoine Lamoureux.

J'avoue que ces drôles de méthodes me laissent un peu sceptique quant à leur efficacité… Mais s'il y avait un peu de vrai là-dedans ? Si j'avais vraiment le pouvoir de changer mon destin? Je pense que ça vaut le coup de l'essayer, non?

Tiens, si je m'y mettais tout de suite? Discrètement, je ferme les paupières et je récite les deux phrases dans ma tête. Et non pas tout bas comme l'expliquait Martine, mais ça devrait quand même faire la job.

J'ouvre les yeux de temps à autre pour surveiller la porte d'entrée. Toujours pas d'Antoine Lamoureux. Je redouble d'ardeur dans mon exercice, ajoutant au passage des phrases telles que: «Antoine Lamoureux vient me rejoindre. Antoine Lamoureux arrive à l'instant.» Nouveau regard vers la porte. Rien encore!

Je savais que c'était de la foutaise, ce truc. Bon, essayons une dernière fois pour voir. Après tout, Martine sait de quoi elle parle: «Antoine Lamoureux arrive à l'instant, Antoine Lamoureux arrive à l'instant, Antoine Lamou…»

— Charlotte?

Je sursaute, accrochant au passage le petit plat en verre rempli d'amandes blanchies, qui se fracasse par terre et éclate en mille morceaux. Les grignotines s'étalent sur le plancher sali par la gadoue du mois de mars. Ah, la honte! Bravo, Charlotte!

— Ça va? me demande Antoine, qui se tient debout devant moi.

Il est encore plus beau dans son chic et long manteau de cachemire noir.

Oh my God! Oh my God! Non, ça ne va pas du tout! Est-ce qu'on peut rembobiner le film d'une minute et reprendre la scène? *Pleaaaaase!* Question que je ne fasse pas une folle de moi dès notre première rencontre en dehors du cadre professionnel.

— Oui, oui, ça va. Excuse-moi, je… je faisais un peu de… je me reposais les yeux.

Ce n'est pas vrai! Je n'ai pas dit quelque chose d'aussi stupide! Je baisse le regard, encore plus dévastée par la honte.

— Ah oui. Moi aussi, ça m'arrive. Je fais ça tous les jours, lance Antoine en enlevant son manteau, qu'il dépose ensuite sur une chaise.

Je lève les yeux et je constate qu'il affiche un sourire moqueur. C'est qu'il semble drôlement s'amuser à mes dépens, le beau docteur. À cet instant-là, il me fait terriblement penser à Maxou. Le même air narquois, légèrement suffisant et très sûr de lui. C'est ce qui m'avait attirée au départ chez mon mari : sa confiance inébranlable en lui-même. Et Antoine semble être fait du même moule. Est-ce une bonne ou une mauvaise chose ? Pour le moment, je l'ignore.

— Ah, ah… très drôle, dis-je, un soupçon d'indignation dans la voix.

Antoine s'assoit à mes côtés et interpelle la serveuse. Il l'informe du « petit accident » qui vient de survenir et lui demande de lui apporter une eau minérale Eska. Elle acquiesce et retourne au bar en le gratifiant d'un grand sourire.

— Tu veux pas de vin ? dis-je en désignant la bouteille et les deux verres.

— Merci, mais je ne bois pas.

Oups ! Je me sens vraiment bête. Pourquoi n'ai-je pas envisagé cette option avant de commander une bouteille entière ? De quoi ai-je l'air, maintenant ? D'une vraie alcoolo ! Ça, j'avoue que je ne l'avais pas vu venir. Il faut dire que, dans mon milieu, c'est plutôt rare, les gars dans la trentaine qui ne boivent pas. Peut-être est-ce plus fréquent chez les médecins ?

— Ah, très bien.

Je meurs d'envie de lui demander pourquoi il ne touche pas à l'alcool, mais j'ai peur qu'il me trouve fouineuse. Est-ce qu'il est dans les AA ou est-ce simplement un choix de vie ? Je finirai bien par le découvrir. En attendant, je pousse discrètement la bouteille un peu plus loin sur la table, afin qu'il oublie sa présence.

— Alors, le chien de ta copine est toujours malade ? demande Antoine.

J'éclate d'un grand rire franc, et lui aussi. La situation est plutôt étrange. Il y a à peine une demi-heure on se donnait du «vous», du «madame Lavigne» et du «docteur Lamoureux». Et voilà que maintenant on rigole comme si on était complices depuis toujours.

— Ah, écoute, j'osais pas te demander directement si tu voulais venir prendre un verre… Tu vois, comme j'étais un peu ta patiente.

Antoine se raidit instantanément. Il appuie ses deux coudes sur la table, se masse les tempes deux secondes avant de me regarder droit dans les yeux.

— Non, non, Charlotte, t'es pas ma patiente. Faut que ce soit bien clair. C'était une consultation ponctuelle et il y en aura pas d'autres.

Troublée par le ton autoritaire de sa voix, je reste silencieuse et je bois une grande gorgée de vin. Je sais bien que son code de déontologie lui interdit de fréquenter des patientes, mais il n'est pas obligé de me le rappeler aussi peu gentiment. Je me sens comme une enfant qu'on gronde sans raison valable.

— Ah, excuse-moi, Charlotte. Je n'ai pas voulu être rude. C'est seulement que c'est un sujet délicat. C'est même un peu limite, ce que je fais là.

— Ah oui?

— Ben oui, je cours un risque, là.

Le sourire revient peu à peu sur mes lèvres. J'ai toujours aimé entendre un homme avouer qu'il s'expose à des dangers pour moi. C'est tellement romantiiiique!

— T'en fais pas, Antoine. Si on me pose des questions, je dirai que je t'ai rencontré à l'épicerie.

— Euh… non. L'épicerie, je vais pas souvent là.

— Hein? Mais tu manges où?

— À l'hôpital la plupart du temps. Ou je ramasse des *take-out* commandés au resto viet près de chez moi.

— Ah, pauvre chou!

— Mais non, je m'arrange très bien, voyons, me répond-il en riant.

— Moi, je serais incapable. Toute ma vie tourne autour de la bouffe.

— Moi, c'est autour du travail. Je n'ai pas beaucoup de temps pour le reste.

— Ah, mais pour moi aussi, le travail, c'est important.

Je ne veux pas qu'Antoine croie que je suis seulement une fille qui aime manger, boire du vin et provoquer des explosions. C'est pour ça aussi que, même si mon verre est vide, je n'ose pas me resservir, malgré la bonne bouteille à peine entamée qui trône sur la table.

Je réalise que nous avons des vies bien différentes. La sienne semble bien organisée, bien rangée, bien planifiée... alors que moi, j'aime bien surfer sur la vague du moment et laisser beaucoup de place au plaisir. Mais lui? Comment lâche-t-il son fou? De quelle façon évacue-t-il toute la pression et le stress qu'il doit subir au travail?

— Antoine, est-ce que tu vas au gym?

— Oui, pourquoi?

— Pour rien. Juste pour savoir... Plusieurs fois par semaine?

— Quatre ou cinq. Et toi?

Tout à coup, j'ai vraiment besoin d'un autre verre. Je ne réponds pas et j'étire le bras pour attraper la bouteille. Je verse une bonne dose de cabernet sauvignon dans ma coupe et j'en bois une grande gorgée. Je repose mon verre et je regarde Antoine directement dans les yeux.

— Je ne vais jamais au gym, je bois du vin tous les jours et je passe le plus clair de mon temps libre à cuisiner des soupers pour mes amis.

Mon ton est celui d'une fille décidée. D'une fille qui n'a pas envie de jouer à être une autre. Ni de jouer à la fille parfaite.

— Ah oui, j'oubliais. Je déteste commander des *take-out* au restaurant. Je le fais seulement en cas de force majeure!

Voilà ! Ça passe ou ça casse ! Je regarde Antoine avec un air de défi. Il ne semble pas impressionné du tout. Il plonge son regard dans le mien.

— Ça me fait pas peur, les différences. Et toi, Charlotte ?

***

Oh que non, ça ne me fait pas peur ! C'est ce que je me dis à l'instant où je glisse la clé dans la serrure de la porte d'entrée de mon appartement, le souffle d'Antoine dans mon cou.

Les deux dernières heures ont été magiques. Après ma petite mise au point, la tension est tombée et nous avons pu apprendre à nous connaître.

J'ai découvert un gars sensible, charmant… et charmeur. Antoine est né ici, il y a trente-huit ans, d'une mère martiniquaise et d'un père originaire de Baie-Comeau, décédé il y a dix ans dans un accident de chasse.

Antoine m'a littéralement captivée en me racontant ses premières années de pratique dans le fin fond de l'Abitibi. Il m'a fait monter les larmes aux yeux quand il m'a confié qu'il avait dû placer sa maman dans une résidence pour personnes âgées parce qu'elle souffre d'alzheimer précoce.

Et il m'a complètement séduite quand il m'a candidement avoué qu'il était tombé sous mon charme à la minute où il m'avait vue arriver à l'hôpital, inconsciente, les cheveux en broussaille et le mascara coulant sous mes yeux. Et moi, je lui ai simplement répondu : « *You had me at Hello.* »

La serrure me donne du fil à retordre. Surtout que mes jambes sont de plus en plus flageolantes et mes mains, tremblotantes. Faire l'amour avec un homme pour la première fois est à la fois euphorisant et complètement terrorisant.

Qu'est-ce qu'il va penser de mes seins ? Est-ce qu'il va les trouver à son goût, même s'ils sont petits ? Et mon odeur? Va-t-elle lui plaire? Peut-être que je devrais filer rapido à la salle de bain et remettre un peu de parfum.

À quoi s'attend-il? Comment aime-t-il être caressé? Tranquillement, avec les doigts qui effleurent sa poitrine et qui descendent jusqu'à son pantalon en faisant durer le plaisir? Ou bien plus directement en attaquant tout de suite les parties intimes?

— Tu y arrives? me demande Antoine en s'approchant un peu plus.

Comme par magie, la porte d'entrée s'ouvre sur le long corridor de mon appartement. En deux temps, trois mouvements, je me retrouve plaquée contre le mur, le corps d'Antoine pressé contre le mien, ses lèvres qui cherchent les miennes et ses mains qui déboutonnent mon manteau. C'est clair, je n'aurai pas le temps de passer aux toilettes!

Il me débarrasse de mon manteau et laisse glisser le sien sur le sol. Toujours en m'embrassant passionnément, il me soulève agilement en glissant ses mains sous mes fesses. Je sens l'excitation monter d'un cran dans tout mon corps. J'encercle sa taille de mes cuisses et je passe mes mains derrière son cou. Avec assurance, Antoine s'avance dans le couloir et je lui fais signe d'entrer dans la dernière pièce à gauche.

Il me jette sur le lit et me déshabille rapidement. À cet instant-là, je ne me pose plus de questions et je m'abandonne dans les bras de cet homme que je connais à peine. Mais qui, je le sais, sera un amant extraordinaire.

***

— Charlotte, t'es là? J'ai vu de la lumière dans ta chambre.

Eh merde! Ugo qui débarque, maintenant. Dix minutes plus tôt et il arrivait en pleins ébats amoureux. J'envoie valser la boîte de bleuets enrobés de chocolat noir que je partage avec Antoine et je sors du lit pour enfiler le grand t-shirt orange que je laisse toujours accroché à la porte de ma penderie.

— C'est qui? me demande Antoine, légèrement inquiet.

— Mon meilleur ami.

— Ah bon, dit-il, visiblement un peu décontenancé par cette visite nocturne.

Il s'assoit sur le lit et attrape son boxer stretch Emporio Armani qui traîne au sol.

— Non, non, reste là, je reviens. Ce sera pas long.

— Faut que j'y aille, de toute façon.

— Déjà?

Je me sens soudainement très triste à l'idée de finir la nuit toute seule. Je croyais bien que, une fois la boîte de bleuets terminée, nous allions refaire l'amour. Et qu'au petit matin il me prendrait une troisième fois. Et que, pour le remercier de cette nuit torride, je lui préparerais un déjeuner du tonnerre. Jus de pamplemousse fraîchement pressé, yogourt à la vanille, petits fruits frais et toast aux raisins, accompagnés d'un bon *latte*.

— Je dois être à l'hôpital très tôt demain matin.

— Bon, OK.

Je ne peux m'empêcher de pousser un soupir de tristesse.

— Ah, ouache! C'est tout mouillé, sur ton plancher! crie Ugo depuis le couloir où il marche possiblement nu-bas, après avoir enlevé ses bottes, lui.

Je me rue vers la porte de ma chambre pour la fermer. Trop tard. Ugo se pointe le bout du nez dans la pièce. Pour aussitôt reculer. Comment se fait-il qu'il n'ait pas vu les manteaux qui traînent sur le sol? Il aurait compris…

— Ah non! Je pensais que tu étais toute seule! Excuse-moi, je savais pas. Dérange-toi pas, je redescends. Tu m'appelleras demain.

Le ton de mon ami m'inquiète. Plus sec qu'à l'habitude. Il cache de la colère, j'en mettrais ma main au feu. Il n'a certainement pas rappliqué ici à minuit et demi seulement pour jaser du beau temps. Je ne peux pas le laisser filer comme ça, je le suis dans le couloir.

— Non, non, c'est correct, Ugo. Antoine partait. Va m'attendre dans le salon.

Il se tourne vers moi, me fait un sourire reconnaissant et je lis le soulagement sur son visage. Encore Justin, je suppose. Il se dirige vers le salon pendant que je reviens sur mes pas. Dans la chambre, Antoine cherche ses bas sous le lit. Nous voilà à la délicate étape de la suite de notre relation. Qui va demander en premier à l'autre à quel moment on se revoit? Ou… si on se revoit? Pour moi, c'est déjà clair. Mais pour lui?

En silence, je regarde Antoine finir de s'habiller. Sa tenue est plutôt du genre *preppy*. Le style matelot-écolier. Je n'ai pas l'habitude de fréquenter des hommes qui portent ce type de vêtements, mais je peux m'y faire, n'est-ce pas? Et puis peut-être qu'il s'habille plus chic quand il ne travaille pas.

Il remet sa montre à son poignet, son cellulaire dans la poche de sa chemise et se tourne vers moi pendant que j'enfile ma petite culotte.

— J'ai passé une très belle soirée, Charlotte.

Youhou! Je bondis de joie! Intérieurement, soyez sans crainte. Je m'approche de lui avec un grand sourire, je l'enlace par la taille et je lui réponds: «Moi aussi.» Il dépose un baiser rapide sur mes lèvres, s'éloigne vers la porte et ramasse son manteau au passage.

Je le reconduis jusqu'à l'entrée. Il ouvre la porte et un fort courant d'air froid entre dans l'appartement. Je tire sur mon t-shirt pour tenter de couvrir mes jambes. Il me lance un dernier regard et je souhaite seulement qu'il dise qu'il veut me revoir. J'attends.

— On s'appelle? dit-il enfin.

Yesssss! Thank God!

— Oui, super! Bonne nuit, Antoine.

Toute joyeuse, je ferme la porte pour aller rejoindre Ugo. Je songe déjà au moment où je vais appeler

Antoine. Demain ? Non, après-demain. Laissons-nous un peu désirer. Mais j'y pense, je n'ai pas son numéro de téléphone. Et lui non plus ! Merde ! Je retourne sur mes pas rapidement, j'ouvre la porte avec fracas et je sors sur le balcon. Nu-pieds, en petite culotte et en t-shirt. En plein mois de mars.

Je me penche pour regarder en bas. Antoine dévale les dernières marches de l'escalier.

— Antoine !

Je le vois sursauter avant de lever la tête vers moi.

— J'ai pas ton numéro de cell.

Il remonte aussi prestement et nous rentrons à l'intérieur. On échange rapidement nos numéros de téléphone.

— Je te laisse aussi mon courriel, m'indique Antoine. Je suis beaucoup plus facile à joindre par courriel. Écris-moi avant de m'appeler, d'accord ?

— OK... À moins que je t'envoie des textos ?

— Bof, j'aime mieux les courriels, je suis pas très texto. Mon cell est fermé quand je suis à l'hôpital.

— Comme tu veux.

Un dernier bisou et le voilà parti pour de bon. Allons maintenant voir comment Justin a, une fois de plus, blessé mon ami. J'entre dans le salon, encore plongé dans le noir. J'allume le plafonnier. Ugo est étendu sur le vieux sofa rose et gris où feu monsieur le chat Gaspard avait l'habitude de dormir. En m'apercevant, il se redresse. Je m'assois à côté de lui.

— Je suis tellement en cal&%?#, Charlotte, tu peux pas savoir !

— Qu'est-ce qui se passe ?

Ugo se lève d'un bond et marche de long en large. Tout son corps est tendu comme un fil de fer. Ses mouvements, habituellement si langoureux, si doux, sont maintenant saccadés.

— J'en reviens pas. J'arrive pas à croire qu'il m'a fait ça.

— Fait quoi? Dis-moi pas qu'il t'a donné le VIH?
C'est pas vrai!

— Ben non, c'est pas ça.

— Fiou! Ben c'est quoi d'abord?

— Imagine-toi donc que j'ai découvert qu'il avait
un autre chum.

Je soupire, écœurée, mais pas du tout surprise.

— Et ça t'étonne? Dans le fond, tu le sais bien
qu'il te *bullshittait* avec ces histoires de fidélité. Je
suis convaincue qu'il n'a jamais cessé d'avoir des
amants.

— Non, t'as pas compris, Charlotte. Un autre
chum. Pas un amant, un chum.

— Hein? Qu'est-ce que tu veux dire?

— Ça fait un mois que Justin mène une double vie.
Il vit avec un autre gars à temps partiel!

— Quoi?

— Ben oui.

— Ouin, mais comment ça se fait que tu t'en sois
jamais rendu compte?

— Bon, traite-moi donc de niaiseux tant qu'à y
être!

— Ah, c'est pas ça, Ugo. Je trouve juste ça bizarre.

— Il me disait qu'il avait besoin de passer du temps
tout seul, dans son appartement. Pis comme j'ai été
pas mal occupé avec les deux boucheries, je savais pas
trop ce qu'il faisait.

— Tu pensais qu'il avait recommencé à aller dormir
chez lui?

— Ben oui, à peu près trois nuits par semaine. Il
disait que, d'être seul, ça l'aidait à mieux accepter sa
maladie.

— Belle excuse!

— Et il se tenait aussi beaucoup avec sa gang de
séros, fait que je me suis jamais douté de rien, j'avais
pas de raison.

— Pis comment tu l'as découvert?

— C'est un de mes amis qui me l'a dit.

— J'en reviens pas, après tout ce que tu as fait pour lui. Je l'haïs, je l'haïs, je l'haïs !

— Moi aussi.

— Bon, je suis contente d'entendre ça. J'espère que, là, c'est fini pour de vrai !

— Tu peux en être certaine.

— Bonne décision.

On reste silencieux quelques instants pendant que je mijote dix mille scénarios de vengeance dans ma tête.

— Sais-tu quoi ? On devrait jeter toutes ses affaires sur le balcon ! Sauf les cadeaux que tu lui as offerts. On va les garder. Attends un peu, je vais m'habiller.

— Non, non, Charlotte, c'est correct. Je vais m'occuper de tout ça de façon civilisée.

— Ouin, mais là, tu changeras pas d'idée, hein ?

— Promis. C'est vraiment fini, je t'assure.

Je m'approche de mon ami pour le serrer dans mes bras. J'éprouve un véritable sentiment de soulagement. Il y a tellement longtemps que je veux qu'il laisse tomber cet hypocrite de Justin. Et encore plus depuis que je sais que ce dernier est séropositif.

— Merci, Charlotte, pour ton écoute. Je suis chanceux de t'avoir dans ma vie.

— Ben voyons, c'est moi qui suis chanceuse… Viens, on va aller dormir.

Je le prends par la main pour l'entraîner dans ma chambre.

— Euh, je resterai pas.

— Pourquoi ? Tu dois pas avoir envie d'être tout seul.

— T'as raison, ça me tente pas d'être tout seul, mais ce dont j'ai besoin, tu peux pas me le donner.

— OK. *No more information, please.* J'ai compris. Mais… tu vas aller où ?

Ugo détourne le regard pour éviter de répondre.

— Ah non, tu vas pas aller au sauna ? J'aime pas ça quand tu vas là !

Il y a quelques années, j'avais tellement cuisiné Ugo sur les saunas gais qu'il m'avait avoué les avoir fréquentés à quelques reprises. Mais seulement dans un cas d'urgence. Comme ce soir.

— Eille, ça fait des siècles que j'y suis pas allé. Laisse-moi donc tranquille!

— Bon, OK, mais sois prudent.

— Oui, oui, t'inquiète. Et toi, tu l'as été, prudente, avec le gars que j'ai vu tantôt? Pis tu l'as finalement réalisé ton fantasme, ma coquine? Comment tu disais, déjà? Ah oui, vanille-chocolat.

Mon sourire s'efface tout à coup. Mon ami affiche un air interrogateur.

— Eh merde, Ugo! On a complètement oublié de mettre un condom!

***

— À quoi t'as pensé?

Ce matin, j'ai droit à une deuxième engueulade en quelques heures. Après Ugo cette nuit, c'est au tour d'Aïsha de me sermonner. Aussitôt réveillée, je l'ai convoquée à un petit déjeuner d'urgence chez moi.

— Ben oui, mais il est docteur!

— Il est docteur, il est docteur! Pis, ça? Ça veut pas dire qu'il n'a pas de maladies!

— Ben, y a pas beaucoup de risques, me semble.

— Non, mais il est où, ton jugement, Charlotte? Voyons donc! Tu le connais à peine, pis tu couches avec lui. Pis sans condom en plus.

Je ne réponds pas, préférant sélectionner une à une les framboises que je mets dans mon yogourt.

— Moi, à ta place, poursuit Aïsha, je lui ferais pas trop confiance, à ce gars-là. Premièrement, y est même pas foutu de mettre un condom. Pis deuxièmement, moi, un docteur qui couche avec ses patientes...

— Mais je suis pas sa patiente!

— Ça, c'est discutable, si tu veux mon avis.

Je me lève pour aller préparer du café, pendant qu'Aïsha me rappelle que les ITS sont en recrudescence depuis quelques années et que je dois absolument passer tous les tests au cours des prochaines semaines.

— Au moins, t'as pas à te préoccuper de tomber enceinte.

Je reste le dos tourné, en silence. Ce qui inquiète mon amie.

— Charlotte, tu prends bien la pilule ?

— Pas vraiment, non.

Aïsha se lève de table, vient me rejoindre et m'oblige à lui faire face.

— Comment ça, pas vraiment ?

— Ben, tu sais, je l'avais arrêtée quand je pensais que j'étais enceinte de Max.

— Oui, mais tu l'as pas reprise depuis ?

— Ben non, comme il ne se passait rien. Je me suis dit que j'allais prendre un *break*.

— Charlotte, tu me décourages ! Remarque que c'est pas très grave, t'as juste à prendre la pilule du lendemain.

— Hum, hum, dis-je en détournant le regard.

— En plus, c'est super facile, maintenant. T'as juste à demander au pharmacien. On va y aller ensemble après le déjeuner, si tu veux.

— Non, non, c'est beau. Je peux y aller toute seule.

J'évite toujours de regarder mon amie, cette fois-ci en frottant une tache imaginaire sur le comptoir.

— Charlotte, tu vas la prendre, hein ? Tu niaiseras pas avec ça ?

— Non.

— Non quoi ?

Je cesse de faire semblant de nettoyer et je me tourne vers Aïsha pour la regarder droit dans les yeux.

— Non, je ne la prendrai pas, si tu veux tout savoir.

— Comment ça ?

— Parce que si j'ai la chance d'être enceinte d'un gars comme Antoine, médecin pis beau comme un dieu, je veux pas la bousiller.

Aïsha semble sous le choc. Je la comprends. Je suis moi-même surprise par les mots qui viennent de sortir de ma bouche.

Aïsha se rassoit tranquillement, avale une gorgée de jus de canneberge en fixant le napperon rouge sur lequel on peut lire : *Vis ton rêve... rêve ta vie.*

— T'es rendue là, Charlotte ? Pressée d'être maman au point de vouloir un bébé toute seule ?

— J'y avais pas pensé avant, mais, si l'occasion se présente... pourquoi pas ?

— Parce qu'un bébé, ça se fait à deux, Charlotte. Tu le sais, voyons !

— Ben oui, mais c'est pas dit qu'Antoine voudrait pas prendre ses responsabilités.

Aïsha me lance un regard sévère.

— Mais je compte pas là-dessus, je te le promets.

— Ç'a pas de bon sens, ton affaire ! Tu le connais à peine ! Je te laisserai pas faire une connerie pareille.

— C'est pas une connerie ! Y en a des filles qui font ça.

Aïsha me regarde, découragée. Elle se met à tortiller vigoureusement une de ses belles mèches noires et bouclées, visiblement en pleine réflexion. Le silence s'installe pendant que je sers le café.

— Charlotte, ce gars-là, Antoine, est-ce que tu le voudrais comme chum ?

— Si je le voudrais comme chum ? Si je le voudrais comme chum ? Tu parles d'une question niaiseuse. C'est sûr !

— Même si tu le connais pas beaucoup ?

— Ouin, mais j'ai un super bon *feeling*. Je suis certaine que c'est un bon gars. Pis ça clique tellement entre nous deux sexuellement.

— Qu'est-ce que t'aimes d'autre chez lui ? À part le sexe ?

— Écoute, il est tellement intelligent, il connaît plein de trucs, il peut parler de n'importe quoi.

— T'as juste passé quelques heures avec lui, Charlotte.

— Oui, mais c'est assez pour savoir que c'est un gars brillant. Il est pas médecin pour rien.

— Mais qu'est-ce que t'as à être impressionnée comme ça par sa profession?

— Ben quoi! C'est *cool*, un gars qui est médecin! Pis en plus, il doit avoir un super bon salaire.

Aïsha lève les yeux au ciel. Bon, j'aurais peut-être dû garder cette dernière information-là pour moi, mais inutile de faire comme si ça ne comptait pas du tout.

— Quoi d'autre, à part le gros salaire? me demande Aïsha, ironique.

— Bon, bon, ça va, le sarcasme! Ben, il est beau. Trop beau. Tiens, attends, il doit bien y avoir une photo de lui quelque part sur le web. Je vais te le montrer.

J'ouvre mon ordinateur, que j'ai déposé sur la table de la salle à manger en même temps que le petit déjeuner. C'est fou comme mon ordi me suit partout dans l'appartement, maintenant. Plus capable de m'en passer.

Quelques secondes plus tard, je montre une photo d'Antoine à mon amie. Une photo du Dr Antoine Lamoureux, qu'Aïsha détaille des pieds à la tête.

— Ouin, j'avoue qu'il est pas mal *hot*. Moi, d'habitude, les gars de couleur ça me dit pas grand-chose, mais lui…

— C'est rien, ça. Il est encore plus beau en personne. Pis il sent bon.

— Et qu'il ne boive pas, ça te dérange pas?

— Ben… Y a pas juste ça, le vin, dans la vie. Peut-être que, justement, ce serait bon pour moi? Peut-être que je boirais moins?

— Pis son style vestimentaire, ça te gêne pas non plus?

Bon, je pense que j'en ai un peu trop raconté à mon amie. La prochaine fois, je jure que je donne moins de détails.

— Ben là. C'est probablement juste pour le boulot. J'imagine qu'il est différent le soir… Un docteur, ça doit s'habiller chic quand ça sort, non?

— Ahhhh, tu m'exaspères!

— S'cuse.

— Bon, je comprends que tu veux vraiment te donner toutes les chances avec lui.

— Oui.

— Alors écoute-moi bien.

Aïsha m'énumère dix mille façons de faire fuir un homme, dont la première: le forcer à s'engager en tombant enceinte. Elle me rappelle ensuite l'importance pour un enfant d'avoir un père dans sa vie et termine en me parlant d'épuisement professionnel chez les mères monoparentales.

À la fin de sa tirade, elle m'a si bien convaincue que, toutes les deux, on sort main dans la main pour aller à la pharmacie. Non seulement pour acheter la pilule du lendemain, mais aussi pour renouveler ma prescription d'Alesse 21.

10

« En caravane, allons à la cabane,
Oh ! Eh oh ! On n'est jamais de trop
Pour goûter au sirop,
Pour goûter au sirop d'érable. »
ALBERT LARRIEU, *La Cabane à sucre*, 1952.

— Voyons, ma princesse, c'est pas un érable, ça !
Oups. Je viens de faire un immense trou dans…

— Ben c'est quoi d'abord, papa ?

— Un chêne !

Mais voulez-vous bien me dire ce que fait un chêne dans une érablière ? Je suis avec papa sur les terres de son frère Bernard. Oui, le gros colon qui a failli ruiner mon mariage en tombant presque dans la fontaine à chocolat, possède une petite érablière artisanale. Et papa lui donne un coup de main pour la saison des sucres. Quand papa m'a appris qu'il allait passer les prochaines semaines à fabriquer du sirop d'érable, ça m'a donné une formidable idée.

Organiser une journée familiale à la cabane à sucre pour toute l'équipe de *Mangues et prosciutto*. Un *wrap party* pour souligner la fin de la saison de télé, puisque nous avons enregistré notre dernière émission hier. Il y a de bonnes chances que nous soyons de retour en ondes à l'automne, mais j'attends une confirmation d'ici quelques semaines.

Donc c'est une véritable journée de fête aujourd'hui en ce Vendredi saint, avec la collecte de l'eau d'érable, le brunch, la tire sur la neige et la balade en carriole.

C'est aussi l'occasion de remercier tout le monde pour avoir remis le *show* sur la *map* ! Eh oui, *Mangues et prosciutto* est maintenant l'émission la plus regardée en avant-midi, toutes les chaînes confondues. Et j'en suis particulièrement fière. Il faut dire que l'épisode « cuisine moléculaire explosive » a grandement aidé à améliorer nos cotes d'écoute. Et à me faire connaître comme animatrice, ce qui, je l'avoue, est loin de me déplaire.

— Viens ici, Charlotte, j'en ai un beau que tu vas pouvoir entailler.

— J'arrive !

Mes pieds s'enfoncent dans la boue et je me dis que j'ai tellement bien fait d'avoir acheté ces bottes en caoutchouc vert lime avec des grenouilles rouges pour cette activité père-fille. Je suis venue rejoindre papa tôt ce matin pour passer quelques heures seule avec lui avant l'arrivée de mon équipe.

Il m'a proposé de l'accompagner en forêt pour nous occuper des quelques érables qui n'avaient pas encore été entaillés.

Je l'ai suivi en songeant que c'était l'occasion idéale pour lui dévoiler le véritable but de ma présence ici en ce matin de mi-avril : lui parler de ma relation avec Antoine.

Il y a maintenant plus d'un mois que je fréquente mon beau docteur. Fréquente ? Est-ce le bon verbe ? Je n'en suis pas certaine. C'est qu'Antoine a véritablement des horaires de fous. Mais de fous ! Je n'ai jamais vu ça.

Je peux mesurer au compte-gouttes le nombre de soirées libres qu'il a eues depuis que je le connais. Soit il est de garde à l'hôpital, soit il travaille à la clinique, soit il donne un cours aux résidents, soit il doit aller voir sa mère souffrant d'alzheimer. Je suis essoufflée pour lui.

Ce qui fait que nous ne nous voyons… pas très souvent. Environ deux fois par semaine, la plupart du temps chez moi, vers 21 heures. Surtout pour baiser. Avec condom, maintenant. Nous nous sommes rassurés sur notre santé sexuelle, mais nous avons décidé de faire comme tout le monde qui commence une relation : nous protéger. On arrêtera quand on se connaîtra assez.

Il lui est arrivé de rester toute la nuit, mais Antoine préfère dormir chez lui pour ne pas me réveiller quand il part le lendemain à l'aube pour l'hôpital.

On est sortis deux fois au resto. La première fois, nous sommes allés au petit Italien au coin de ma rue, que j'ai l'habitude de fréquenter au moins une fois semaine. Les gnocchis à la courge y sont extraordinaires. Et la seconde fois, il a voulu me faire découvrir un de ses coups de cœur : un resto français situé à… Laval. J'ai trouvé ça un peu bizarre, mais je l'ai suivi de bonne grâce. C'est vrai que c'était très bon, mais nous aurions pu profiter d'une table tout aussi délicieuse à deux pas de notre quartier. Parce que Antoine aussi habite le Plateau. Je suis allée chez lui une fois. Une seule fois, en fait.

On aurait juré un appart de fonction. Sans âme, sans vie. Seul un vieux minou à l'horizon. Avec un frigo vide. De superbes meubles design, mais rien de personnel. Comme il me l'a expliqué lui-même : il n'y est jamais. Alors à quoi ça sert de décorer ? Finalement, je préfère de loin le recevoir. Au moins, si j'ai faim, je n'ai pas à commander de la pizza. En plus, je suis allergique aux chats !

Donc on apprend à se connaître tranquillement. J'essaie de me raisonner en me disant qu'un jour il aura plus de temps pour nous deux. Il m'a assurée que son enseignement tirait à sa fin, que sa sœur revenait bientôt d'un séjour de deux mois en Suisse et qu'elle pourrait prendre le relais pour s'occuper de leur mère. Sa sœur Sophie est infirmière et elle est allée suivre un stage de perfectionnement en Europe.

Ce qui me plaît beaucoup chez Antoine, c'est qu'il est très attentionné. Il arrive souvent à la maison avec une petite gâterie. Des chocolats Christophe Morel, une superbe écharpe en cachemire vert forêt qui lui a rappelé la couleur de mes yeux, un *mug* pour le café aux couleurs de la lutte contre le cancer du sein.

Avec lui, j'ai l'impression d'être un peu plus calme. Peut-être parce que, inévitablement, je bois moins de vin. C'est gênant de descendre seule une bouteille de rouge avec quelqu'un qui trinque à l'eau minérale.

Je pense que je suis plus mature aussi. Je ne suis pas dans l'urgence, comme j'ai l'habitude de l'être avec un mec au début d'une relation. Je ne sens pas le besoin de tout connaître sur lui, de mener une enquête auprès de ses amis, de fouiller dans son portable. Je laisse les choses aller, sans rien précipiter. Parce que je suis bien avec lui, que j'apprécie de plus en plus sa compagnie et qu'il me fait terriblement bien l'amour. Pas autant que Maxou… mais presque. Et ça, ce n'est pas peu dire !

***

— Tiens, juste ici, me dit papa en posant la main sur le tronc d'un gros arbre.

— Bof, je suis un peu tannée. Fais-le, toi, dis-je à papa en me débarrassant de mon vilebrequin.

Il perce un trou dans l'arbre. Je le regarde, en silence. D'aussi loin que je me souvienne, j'ai toujours aimé observer mon père en plein travail. Quand il posait les carreaux de céramique de la salle de bain de la maison familiale, quand il fabriquait de ses propres mains une rallonge pour le patio ou bien quand il passait dans notre rue, au volant de son camion de déneigement et que je lui faisais des bye bye par la fenêtre du salon.

J'ai toujours admiré la facilité avec laquelle il travaillait manuellement. À quelques reprises, quand j'étais enfant, j'ai tenté de l'imiter. Mais le moindre geste tournait à la catastrophe. Je me mettais à hurler dans la maison, et papa se ruait pour venir à mon secours. Il me prenait alors dans ses bras, en me consolant et en me disant que ce n'était pas à moi de faire ces travaux-là. « Ton papa est là pour ça », me disait-il. Je soupire, un brin nostalgique.

— À quoi tu penses, ma princesse ?

La question de papa me sort de ma rêverie.

— À toi, quand j'étais petite. Je me rappelle comment tu t'occupais de moi.

Papa arrête son geste et se tourne vers moi. Mais il baisse aussitôt le regard. Il dépose son outil et met la main sur mon avant-bras. Il me parle, toujours sans me regarder.

— Écoute, Charlotte, je sais que ç'a pas été facile pour toi quand tu étais en France et je me sens vraiment coupable de pas avoir été là. Quand j'ai appris tout ce que ta belle-mère te faisait subir, j'aurais juste voulu pouvoir prendre le premier avion et aller te consoler.

— Ah, elle ! Je lui ai jamais pardonné !

La simple évocation de ma chipie de belle-mère me met hors de moi. Rien que de penser à toutes ses tentatives pour nous éloigner, Maxou et moi, mes cheveux se dressent sur ma tête.

— En tout cas, je voulais seulement te dire que… euh… ben… que je m'excuse.

Papa a l'air sincèrement malheureux. Je sens un élan de sympathie et de tendresse à son endroit. J'ouvre les bras pour lui signifier que je ne lui en veux pas. Ou plutôt, que je ne lui en veux plus.

— C'est pas grave, papa. Je sais bien que tu pouvais pas faire autrement.

On reste tous les deux collés, en silence, dans l'air frisquet de ce matin printanier. Et puis une question me vient à l'esprit. Je me dégage de son étreinte.

— Mais j'y pense, comment tu sais tout ça ? Tout ce qui est arrivé en France ? Je t'ai jamais rien raconté.

— C'est ta mère qui me tenait au courant.

— Ah ouin… Comment ça ?

— Ben, par courriel. Comme tu ne me disais pas tout dans les tiens, je lui écrivais pour en savoir plus. Et là, c'est drôle, mais c'était plus la même version.

— Ah, c'est vrai, j'aurais dû t'en parler. Mais je voulais pas t'inquiéter. Déjà que je mettais maman et Ugo sur les nerfs avec mes histoires.

— Tu devrais pas avoir peur de me parler. Comme là. Qu'est-ce qui te tracasse, ma princesse ?

— Ah, c'est compliqué.

— J'ai tout mon temps, dit-il en m'entraînant vers un petit banc de fortune fabriqué avec un vieux tronc.

Je lui raconte ma relation avec Antoine. À quel point il est gentil avec moi, même s'il n'est pas là souvent. Et plus je parle de lui, plus je m'aperçois que je commence à m'attacher. Et que son manque de disponibilité me dérange beaucoup plus que je ne le croyais.

Papa m'écoute en silence, l'air grave. Il hoche la tête pendant que je lui explique qu'Antoine m'a demandé d'être patiente, qu'il m'a assurée qu'il serait plus disponible d'ici quelque temps. À la fin de mon récit, papa se lève et s'éclaircit la gorge en évitant mon regard. Son comportement m'inquiète.

— Quoi ? Qu'est-ce qu'il y a, papa ?

— Je sais pas… Y a quelque chose de bizarre… T'es certaine, Charlotte, que ce gars-là est libre ?

Je bondis sur mes deux pieds.

— Qu'est-ce que tu veux dire ?

— Ben… Il aurait pas une femme par hasard ?

— Ben voyons donc ! Ça se peut pas !

— Tout se peut, Charlotte. Crois-moi, tout se peut.

Je suis complètement estomaquée par les observations de papa. Se pourrait-il que… Non! Impossible! Antoine me l'aurait dit. Ou bien je l'aurais senti. J'aurais vu des signes. Il aurait reçu des appels étranges sur son cellulaire. Il se serait caché dans la salle de bain pour répondre. Il en serait ressorti avec un air coupable. Mais rien de tout ça n'est jamais arrivé.

— Par exemple, ajoute papa, tu trouves pas étrange qu'il ne dorme presque jamais chez toi?

— Ben non, je le comprends, c'est plus facile d'aller chez lui quand il travaille tôt le lendemain. Tu sais, il est médecin. C'est normal qu'il soit occupé.

— Les médecins sont des gars comme les autres, Charlotte.

— Non, pas vraiment. Ils ont pas mal plus de responsabilités que nous autres. Ils sauvent des vies, faut pas l'oublier.

Papa me regarde sans rien dire. Je ne crois pas l'avoir convaincu avec mon argument pourtant bien solide.

— Je te répète que ça se peut pas. Il m'a même emmenée chez lui et il n'y avait rien de féminin dans cet appartement-là.

— OK, si tu le dis… Mais je suis pas tranquille quand même.

— Ben moi, oui.

Je marche d'un pas alerte en direction de la cabane, et papa me suit. Oui, je suis tranquille. Oui, je suis convaincue que papa se trompe. C'est évident que, si Antoine était marié, je le saurais. Je ne suis pas naïve au point de ne pas connaître le statut civil de l'homme avec qui je couche!

Je presse le pas encore plus pour fuir ces pensées tout à fait ridicules. Ces prétentions sans aucun fondement. J'essaie de penser à autre chose, de revoir dans ma tête mon menu de ce midi. Un spécial cabane à sucre à la Charlotte. Plus raffiné que les traditionnelles «bines», les oreilles de crisse et les grands-pères au sirop d'érable. On va débuter avec un soufflé, sauce au fromage bleu, pas de sauce pour les enfants, cela va de soi. Ce sera suivi d'un petit potage Saint-Germain à la menthe. Ensuite, je servirai des filets de porc à l'érable et aux canneberges avec une salade de quinoa et, pour dessert, j'ai prévu…

Soudainement, je m'arrête. J'en ai rien à foutre, de mon menu quatre services. Le doute s'est installé dans mon esprit et commence à me ronger les sangs. J'ai beau essayer d'écarter de toutes mes forces l'idée saugrenue d'un Antoine marié, je n'y arrive pas. Si jamais papa avait raison ? Je dois savoir. Maintenant, à 8 h 40 du matin en ce Vendredi saint, je dois avoir une réponse à ma question.

Je sors mon téléphone de la poche de ma nouvelle veste sport marine, que j'ai achetée la semaine dernière. Je voulais mieux comprendre pourquoi Antoine aimait ces vêtements sans intérêt pour moi. Et j'ai finalement découvert que le look écolière *preppy* pouvait avoir quelque chose de sexy. À condition de l'agencer avec des trucs super féminins comme mes bottes de pluie vert lime et mon petit sac à dos en cuir rouge.

Je me retourne et je vois que papa s'est aussi arrêté. Il prend une gorgée d'eau dans une petite bouteille en plastique.

— Vas-y, papa, je te rejoins tantôt.

— OK, comme tu veux.

Il passe devant moi en revissant le bouchon de sa bouteille, qu'il accroche ensuite à son sac à dos. Le sien est plutôt de type sport, banal comme tout ce que porte mon père.

— À tout de suite, ma princesse. Sois pas trop dure avec lui, là.

Qu'est-ce qu'il raconte ? Je n'ai pas l'intention d'engueuler Antoine. Je veux juste savoir. Mais comment faire ? L'appeler pour prendre de ses nouvelles et lui demander, en passant, s'il a une femme dans sa vie ? Pas très subtil comme approche…

Ah, et puis merde! J'aurai bientôt trente-cinq ans et je n'ai plus de temps à perdre! Je lui pose la question, c'est tout. Au moins, j'aurai ma réponse et je pourrai profiter de cette journée que j'attends avec impatience depuis une semaine. Car c'est aujourd'hui que je dois rencontrer pour la première fois Mini-Charlotte. Et j'ai tellement hâte! Donc je ne veux pas laisser de sombres pensées ternir mon bonheur.

Je compose le numéro de téléphone d'Antoine, en espérant que cette fois-ci il répondra. Habituellement, nous communiquons par courriel, mais je veux entendre sa voix quand il répondra à ma question.

— Allô, Charlotte!

Wow! La chance me sourit. L'avoir au bout du fil tient presque du miracle.

— Allô! Comment ça va?

— Bien, et toi?

— Oui, très bien. T'es où, là, Antoine?

— J'arrive à l'hôpital, tu m'attrapes juste à temps.

— Ah, super!

Et maintenant, je dis quoi? Comment je procède, hein? Plus facile à dire qu'à faire! Restons un peu dans les généralités.

— T'as une grosse journée?

— Comme d'habitude, pourquoi?

— Pour rien.

— Charlotte, je dois fermer mon cellulaire, maintenant. Il y a quelque chose de spécial?

— Euh… oui.

— C'est quoi? Tu veux qu'on se voie ce soir? Je suis libre vers 9 heures.

— OK, je vais t'attendre chez moi.

Peut-être finalement qu'il serait préférable de lui parler face à face. Ce serait plus facile, j'imagine. Après tout, ça me fait quoi… une douzaine d'heures à attendre. Douze heures, c'est vite passé. Mais douze heures dans le doute… c'est carrément de la torture.

— Antoine?

— Oui ?

— Euh… faut que je te parle de quelque chose.

— Ça peut pas attendre à ce soir ?

— Pas vraiment, non.

— OK, je t'écoute.

— C'est que… ben… euh… tu me l'aurais dit, hein, si t'étais marié ?

— …

Pas un son au bout du fil. Mon inquiétude monte d'un cran. Ce silence est de très mauvais augure. Soit papa a raison, soit je viens d'insulter Antoine solidement.

— Charlotte, pourquoi tu me poses une question pareille ? demande-t-il d'une voix froide.

— Ah, excuse-moi. Oublie ça.

— Qu'est-ce qui te fait croire ça ?

— Ah, regarde, c'est juste que… je sais pas… Vu que t'as pas beaucoup de temps, j'ai pensé que peut-être…

— Faut que j'y aille, m'interrompt-il.

— Ahhhh, Antoine, excuse-moi. On oublie ça, OK ?

— On m'attend, Charlotte.

— On se voit toujours ce soir ?

— …

— Antoine ?

— Bon d'accord. Chez toi à 9 h 15.

Fiou ! Je pousse un soupir de soulagement.

— Merci… J'ai hâte de te voir.

— À ce soir, Charlotte.

Il raccroche et je reste de longues secondes à fixer mon téléphone dans le silence de la forêt. Je me sens soulagée, mais en même temps tellement niaiseuse. Comment ai-je pu compromettre ma relation avec Antoine en lui lançant pratiquement de fausses accusations à la figure ? Tout ça, c'est la faute de papa ! S'il ne s'inquiétait pas autant pour moi, il ne se mettrait pas des idées folles en tête. Il devra apprendre à me traiter en adulte et à me faire confiance !

Enfin, l'important, c'est qu'Antoine semble prêt à passer l'éponge. Et l'autre bonne nouvelle, c'est que je vais le voir ce soir. Youpi! J'ai trop hâte. Bon, il est temps de me mettre à l'ouvrage. J'ai un brunch de Pâques à préparer, moi.

***

Je suis presque arrivée à la cabane de mon oncle Bernard. En passant dans un sentier, je jette un coup d'œil aux seaux situés à l'entrée de l'érablière puisque c'est ici que nous ferons la cueillette de l'eau d'érable.

Je m'aperçois alors que les seaux en question contiennent à peine quelques gouttes d'eau d'érable. Visiblement, on vient de les vider. Ah non! Les enfants seront tellement déçus, eux qui s'attendent à une grosse récolte. Il faut que je trouve un moyen de ne pas gâcher leur plaisir. Et si je retournais sur mes pas pour vérifier si d'autres seaux sont plus pleins? Je n'aurais ainsi qu'à les substituer. Bonne idée!

Je m'exécute en regardant ma montre. Dépêche-toi, Charlotte, si tu veux avoir le temps de cuisiner... Allez! À mon grand désarroi, les autres contenants sont aussi vides que les premiers. Eh merde! J'avais pourtant dit à l'oncle Bernard que cette activité était primordiale pour moi. Mais il ne m'a pas écoutée. J'aurais dû m'y attendre.

Je suis tellement fière de pouvoir faire visiter à mes amis une vraie cabane à sucre, où le travail se fait à la main, et non pas une de ces érablières industrielles où tout est mécanisé. Mais là, sans cueillette de l'eau d'érable, ça fait pas mal moins *Filles de Caleb*. Je dois trouver un moyen de tenir mes promesses à mes invités.

Et si je mettais un peu de neige dans les seaux? Elle fondrait, et les enfants n'y verraient que du feu. Ils croiraient que c'est de l'eau d'érable. Bingo! Allons-y!

Je me penche pour ramasser le peu de neige qui est au sol, mais elle est grisâtre. Quelle horreur! Il est clair que ce plan-là ne fonctionnera pas. Il me faut une autre solution. Je vais aller chercher de l'eau à la cabane et revenir la verser dans les seaux. Je me mets en route quand j'aperçois une tache bleue au sol. Intriguée, je me penche et j'y découvre une bouteille d'eau… presque pleine. La bouteille de papa a dû tomber de son sac à dos. Génial! Je n'aurai pas à me rendre plus loin pour trouver de l'eau.

Je choisis trois arbres dans une petite clairière et je verse une bonne quantité d'eau dans chacun des seaux. Voilà! Ni vu ni connu. Reste maintenant à marquer les seaux pour que les enfants les retrouvent facilement. Je range la bouteille d'eau vide dans mon sac à dos. J'attrape mon rouge à lèvres, de couleur rouge gourmand, et je trace un cœur sur les trois seaux. Par-fait!

Satisfaite, je me dirige vers la cabane pour aller préparer mon soufflé au jambon et aux poireaux, en espérant que Mini-Charlotte ne soit pas allergique aux œufs. Selon P-O, c'est fou, le nombre d'aliments auxquels sa fille ne peut pas toucher.

11

« Ouvertes, sympathiques, extraverties, communicatives,
elles possèdent de grandes facilités d'expression.
Joviales et de bonne humeur, elles sont avant tout affectives
et ont besoin des autres pour se sentir exister. »
www.signification-prenom.com/prenom/prenom-
CHARLOTTE.html.

*J*e suis sous le charme. Complètement gaga. Depuis
le début du repas, je n'ai d'yeux que pour elle,
Mini-Charlotte. Je ne pensais jamais qu'un petit bout
de chou d'à peine un mètre puisse me faire autant
d'effet. Elle est tout simplement A-DO-RA-BLE !

— Tu sais, moi aussi je m'appelle Charlotte.

Assise en face de moi, la petite me sourit timide-
ment en hochant la tête de haut en bas. Elle enfouit
ensuite son visage dans le chandail de son papa.

Mini-Charlotte est une enfant douce et tranquille.
Et pas capricieuse le moins du monde. Moi, à sa place,
j'aurais été furax de ne pouvoir manger ni le soufflé
au jambon – allergie aux œufs –, ni le potage Saint-
Germain – allergie au poulet et donc au bouillon de
poulet –, ni le pouding chômeur au chocolat – allergie
au cacao. Mais la petite n'a pas fait de crise. Elle a
attendu sagement que je lui prépare une assiette de
crudités et de cheddar doux, pendant que les autres

mangeaient leurs entrées. Et elle a accepté de sauter le dessert sans rechigner ni pleurer. Wow! Je suis ébahie par sa maturité.

À ses côtés, j'observe son père... P.-O. Mon collègue, mais aussi de plus en plus mon ami. Toute cette histoire de paternité m'a fait connaître P.-O sous un autre jour. Tout d'abord, je l'ai vu en colère contre la mère de Mini-Charlotte, puis désemparé devant les résultats positifs du test de paternité. Ensuite, complètement paniqué à l'idée de rencontrer sa fille pour la première fois.

Et puis la magie a opéré. Il est revenu de cette première rencontre totalement subjugué. Sous le charme de la fillette. «Charlotte, m'avait-il confié le lendemain matin en essayant la nouvelle crêpière qu'il avait exigée pour notre émission spéciale sur les déjeuners, je pense que, pour la première fois de ma vie, je vais aimer quelqu'un inconditionnellement.»

J'avais été tellement touchée par ses paroles que je m'étais dit à ce moment-là que P.-O méritait que je lui fasse confiance.

Le nouveau papa qu'il est me semble certes un peu maladroit, mais très attentionné. Depuis le début de la journée, il n'a pas lâché la main de Mini-Charlotte, ne serait-ce que pour manger. Il faut dire que la fillette est intimidée. Et elle a raison, avec tout ce monde autour d'elle qu'elle ne connaît ni d'Ève ni d'Adam.

À la grande table de la cabane à sucre, c'est particulièrement animé en cette fin de repas. Un air folklorique joue en sourdine, enterré par les conversations et les cris des autres enfants. Au centre de la table, le grand plat de pouding chômeur est presque vide, ainsi que les deux bouteilles de vin blanc l'Orpailleur que mon oncle nous a offertes quand il est arrivé tout à l'heure pour prendre le dessert avec nous.

Martine est assise entre ses deux garçons hyper tannants, tout juste en face de papa. Et elle ne cesse de lui faire les beaux yeux.

— Vous êtes vraiment le papa de Charlotte? Vous savez que vous pourriez être son frère.

Tout ça me déplaît royalement! Pas question que papa ait une relation, ou même un semblant de relation, avec une de mes collaboratrices. Même pas une relation amicale. Est-ce assez clair?

Et puis je caresse le rêve secret de le voir se réconcilier avec maman. Bon, je ne sais pas trop si c'est réaliste, mais enfin… une fille peut bien rêver, hein? Je regarde papa et je constate avec tristesse qu'il semble assez réceptif au charme séducteur de Martine.

Si seulement maman pouvait revenir de New York, où elle se trouve depuis quelques semaines pour suivre une formation intensive en *management*. Je pourrais finalement l'organiser, ce souper de réconciliation que je me promets de tenir depuis mon retour au Québec.

Et si seulement le mari de Martine avait accepté mon invitation. Elle ne pourrait pas flirter comme ça sans retenue. Mais il n'est pas venu. Martine m'a dit qu'il ne pouvait pas se libérer, trop pris par des obligations professionnelles. J'ai trouvé ça douteux quand on sait qu'il est artiste sculpteur et qu'il n'a aucune exposition à son horaire depuis des lustres.

Justin se tient tranquille à côté de Martine, sa portion de pouding chômeur presque intacte devant lui. Depuis qu'il a, encore une fois, brisé le cœur de mon ami, je ne lui adresse pratiquement plus la parole. Je sais que Justin a tout fait pour qu'Ugo lui pardonne sa liaison avec un autre homme, mais mon ami est resté intraitable. Il a refusé de lui donner une je-ne-sais-plus-combientième-chance! À mon grand soulagement.

Au bout de la table, les techniciens de l'émission discutent de sujets hyper plates comme la nouvelle caméra ultralégère 3D plus performante que jamais, ou pire, les Canadiens qui ne feront pas les séries.

Denise, assise avec eux, les écoute sans un mot. Avec sa tenue *granole*, elle cadre tout à fait dans le décor de la cabane à sucre. Je la regarde et je me demande, une fois de plus, à quoi carbure Denise. Parce qu'on carbure tous à quelque chose dans la vie. Moi, c'est à la bouffe et à l'amour. P-O, à son nouveau rôle de père; Martine, à l'argent, au pouvoir et au jeu de la séduction. Mais Denise? *Not a clue!*

Elle ne carbure pas au travail; pour elle, c'est un boulot comme un autre. Ni à l'amour; elle est célibataire et fière de l'être. Ni au *shopping*; on n'a qu'à regarder son look, c'est assez évident. Ni à la bouffe; elle se contente souvent de manger les salades insignifiantes de la cafétéria. Qu'est-ce qu'elle aime? À part les encens qui sentent trop fort et la numérologie? Ah, à moins que ce soit ça, sa passion à elle? Les sciences occultes. Bon, à chacun ses goûts, hein?

Denise est la seule, dans l'équipe, avec qui je n'ai aucune affinité. J'ai bien essayé de m'intéresser à son monde, mais c'est plus fort que moi, quand elle me parle, je pars dans les vapes. C'est trop long, trop monotone et trop ennuyeux. J'essaie de me focaliser, mais mon esprit vagabonde toujours ailleurs quand elle me lit mon horoscope tibétain ou me parle de télékinésie.

« Un jour, m'a dit Denise dernièrement, tu comprendras mieux mon langage. Et ce jour-là, nous pourrons vraiment communiquer. »

C'est bien noté, madame la réalisatrice. D'ici là, restons-en aux relations professionnelles, voulez-vous?

Je regarde les artisans de *Mangues et prosciutto* réunis dans une atmosphère détendue et ça me rend vraiment heureuse. Un bel esprit s'est formé au sein de l'équipe ces derniers mois. Pourvu que tout ça dure et que l'émission revienne à l'automne.

Il ne manque qu'une personne pour que mon bonheur soit complet, et c'est mon amie Aïsha. C'est la seule de l'équipe qui a refusé de participer à la journée familiale. Même le grand patron, M. Samson, doit venir faire un tour cet après-midi.

Il y a maintenant plus de sept mois qu'Aïsha et P-O se sont quittés, mais, pour mon amie, la blessure est toujours vive. Et quand elle a appris qu'il serait accompagné de sa fille aujourd'hui, Aïsha a préféré aller magasiner au Dix30.

Pour soulager sa peine, elle m'a accusée. « T'as pas pensé à moi une minute quand t'as organisé une fête avec les enfants, Charlotte ? Tu savais que je ne serais pas capable d'y aller. Encore une fois, tu t'es fait passer en premier. Parce que, toi, la fille de P-O, tu rêves juste de la rencontrer, alors que moi… »

Ses paroles m'ont bouleversée, je me suis sentie coupable et j'ai même songé à annuler l'activité. Mais Ugo m'a convaincue de ne pas céder à ce qu'il appelle « du grand Aïsha tout craché ». Et, de toute façon, enfants ou pas, mon amie n'aurait jamais participé à une fête à laquelle P-O est convié. Et écarter mon coanimateur du *wrap party*, ça ne se faisait carrément pas.

J'essaie le plus possible de cacher à Aïsha ma nouvelle amitié avec P-O, mais elle n'est pas dupe. Elle sait bien que je me rapproche de lui. Et ça l'éloigne de moi. Encore une fois, les hommes sont un obstacle à notre relation. Ça ne cessera donc jamais.

— Pis, ma petite Charlotte, comment tu le trouves, mon vin du Québec ?

Bon, voilà oncle Bernard qui revient de l'extérieur, où il est allé vérifier si la bouilloire fonctionnait bien dans la remise. Quant à moi, il aurait pu y rester toute la journée.

— Très bon, mon oncle. Merci encore.

— Ahhhh, je savais que t'aimais ça, des affaires de même, lance-t-il en vidant dans son verre le reste des deux bouteilles.

Quel manque de classe !

— Des produits du terroir, dis-je en le corrigeant.

— Ouin, c'est ça. Mais ça coûte plus cher, par exemple.

Je vois P-O qui tend l'oreille, maintenant. Mon coanimateur a toujours été sensible à l'importance d'utiliser les produits locaux en cuisine. Il s'en fait un point d'honneur à ses restos. C'est d'ailleurs pourquoi je l'ai tout de suite aimé comme chef. Il a été l'un des premiers à valoriser tout ce que nos artisans produisent.

— Ce n'est pas toujours le cas, Bernard, intervient P-O. Et même si c'est un peu plus cher, ça vaut la peine. Faut encourager nos producteurs.

Je renchéris en hochant la tête et je me lève pour ramasser les corps morts sur la table.

— Ouin, ouin, répond Bernard, visiblement peu concerné. Entéka, moi, je l'ai trouvé ben bon, ce vin-là. Les tanins étaient vraiment quelque chose.

Je suspends mon geste, laissant la bouteille vide en l'air quelques secondes. Je secoue la tête pour être certaine que j'ai bien entendu. Des tanins dans le vin blanc ? L'oncle Bernard n'y connaît vraiment rien ! Ce qui ne l'empêche pas de continuer.

— Pis son moût, hein ? C'est un vrai moût, ça.

Je repose la bouteille, toujours éberluée par les paroles de mon oncle. Parmi les plus imbéciles que j'ai entendues de ma vie. Je garde les yeux sur la nappe à carreaux bleu et blanc, pour éviter de céder au fou rire que je sens monter.

Selon moi, il n'y a rien de plus ridicule qu'une personne qui essaie d'en impressionner d'autres avec des connaissances qu'elle n'a pas. Moi, quand on parle politique américaine, je ferme ma gueule ou je vais faire des biscuits au gingembre dans la cuisine.

— Y paraît qui le font cuver ben longtemps, ce vin-là. Entéka, celui-là, c'est un ben bon millième.

Incroyable ! Je lève les yeux et je vois oncle Bernard qui fait tournoyer son verre dans sa main, en l'observant comme s'il était un fin dégustateur. Je croise le regard de P-O. Lui non plus n'en revient pas.

— Quel con ! murmure P-O à mon intention.

Il ne m'en faut pas plus pour éclater d'un grand rire franc qui résonne dans toute la pièce. P-O m'imite aussitôt. Mini-Charlotte nous observe, intriguée par notre soudaine crise de fou rire, pendant que Bernard s'interroge. Tous les autres invités cessent de parler et nous regardent.

Je suis bien consciente que je suis en train de créer un malaise dans la petite cabane à sucre, mais je suis incapable de m'arrêter. P-O non plus. Il me semble que je relâche tout le stress que j'ai subi ces derniers mois avec la nouvelle émission, ma séparation d'avec Maxou et l'accident moléculaire. Que ça fait du bien de rire comme ça !

C'est finalement papa qui sauve la situation en annonçant à tout le monde que c'est maintenant l'heure de la récolte de l'eau d'érable et en faisant signe à son frère, toujours en mode interrogatif, de ne pas s'inquiéter de ma réaction.

— Allez, tout le monde dehors, maintenant ! Toi aussi, Bernard.

Mes invités attrapent leurs manteaux et suivent papa à l'extérieur, pendant que, P-O et moi, on reprend nos esprits. P-O essuie une larme du revers de la main, pousse un long soupir de satisfaction, prend Mini-Charlotte dans ses bras, lui donne un bisou mouillé sur la joue et se dirige vers la sortie.

— Tu viens ? me demande-t-il.

— Pas tout de suite. Je vais ramasser un peu. Je vais aller vous rejoindre.

— OK.

— Bye, ma Coccinelle.

J'agite la main en direction de Mini-Charlotte qui me répond maintenant avec un grand sourire.

— Bebeil, dit-elle de sa voix toute douce.

— Ah oui, P-O, j'oubliais. Pour les enfants, prenez les seaux qui sont marqués d'un cœur rouge. Ils sont plus pleins que les autres.

— D'accord. À tout à l'heure.

Je les regarde sortir de la cabane à sucre, tout attendrie. Que j'ai hâte d'avoir ma propre Mini-Charlotte! MA petite fille à moi qui fera fondre mon cœur d'un seul sourire. Est-ce que cette enfant-là sera celle d'un médecin? Est-ce que j'aurai une petite Lavigne-Lamoureux? Un peu tôt pour le dire, n'est-ce pas? Voilà une question que je n'ai pas encore abordée avec Antoine. Veut-il des enfants? Si oui, bientôt?

Parce que, de mon côté, le temps presse. Dans un mois et demi, je vais fêter mes trente-cinq ans. Je n'ai plus le temps d'attendre. J'aborderai le sujet ce soir. Comme ça, en passant, l'air de rien, juste pour parler. Mais je ne veux pas qu'Antoine s'effarouche.

Je veux juste savoir. Et là, je pourrai décider si je continue à m'investir dans cette relation ou non. Parce qu'il est clair pour moi que mon futur chum devra rencontrer le critère de vouloir devenir papa. Idéalement pour la première fois. Je n'ai pas envie de me retaper une ado qui pense, comme la fille de Maxou, que je suis une voleuse de sacoche.

Je continue de débarrasser la table quand j'entends la porte s'ouvrir. Je lève les yeux et j'aperçois Justin qui entre dans la cabane et vient vers moi. Je reprends ma tâche comme s'il n'était pas là, le regard fixé sur la nappe.

— Charlotte, je peux te parler? me demande-t-il en s'assoyant.

— Faut que je finisse de ramasser.

— Juste deux minutes. S'il te plaît.

— …

— Après ça, je vais t'aider.

Je pousse un long soupir, je repose le reste de pouding chômeur au chocolat sur la table et je m'assois pour l'écouter.

— Qu'est-ce que tu veux? J'espère que c'est professionnel, parce que, toi et moi, on a plus rien à se dire sur le plan personnel.

J'ai longtemps été ambivalente quant à mes sentiments pour Justin. Le sachant mal dans sa peau et pas totalement prêt à assumer son identité sexuelle, je m'en suis toujours méfiée. Les gens qui ne sont pas en harmonie avec ce qu'ils sont peuvent être d'une telle méchanceté, parfois. Comme si l'univers entier était responsable de leur malaise. Au fond, j'ai toujours su que Justin appartenait à cette catégorie.

Mais parce que mon ami Ugo en était profondément amoureux, j'ai essayé de le comprendre et de l'aimer. J'y suis arrivée par moments et j'ai même accepté de passer l'éponge sur ses conneries. Plusieurs fois. Mais pas aujourd'hui. Il est allé trop loin. Beaucoup trop loin.

— Écoute, Charlotte, je sais que tu m'en veux. J'ai fait une gaffe, mais je le regrette, crois-moi.

— Une gaffe? dis-je en bondissant sur mes deux pieds. Non, Justin, c'est pas ça, une gaffe. Toi, ton affaire, c'était tout calculé.

— Mais non, voyons! Je voulais pas faire de mal à personne.

— Quoi! T'as joué sur deux tableaux pendant un mois! Tu savais très bien ce que tu faisais, Justin Brodeur. T'as trahi Ugo, il te pardonnera jamais. Moi non plus!

Pour bien montrer ma détermination, je marche vers la cuisine, emportant le dessert presque terminé. En le déposant sur le comptoir, je réalise que je n'ai pas fini de dire à Justin ma façon de penser. Je retourne à la table, où il est toujours assis. Et moi, je reste debout intentionnellement.

— Je comprends pas, Justin. Je comprends pas pourquoi tu lui as fait ça. Ugo, c'est le meilleur gars de la Terre. Il t'a laissé vivre ce que tu avais à vivre, pis, après ça, il a pris soin de toi quand t'as appris que tu avais le VIH. Au lieu de te sacrer là comme bien d'autres l'auraient fait.

— Je sais.

— En plus, il a pas arrêté de payer pour toi. Et ça, même si tu l'as mis dans le pétrin quand t'as fermé le commerce de fleurs.

— Ben là, quand même!

— Pas de «quand même», Justin. Essaie pas de te défendre, pis écoute-moi.

Je suis survoltée. Il y a tellement longtemps que j'ai envie de lui dire ses quatre vérités. Quel soulagement! Rien ne peut plus m'arrêter.

— Pis toi, qu'est-ce que t'as fait pour le remercier? T'as trouvé un autre chum! T'as joué dans le dos de la personne qui t'aimait le plus au monde.

Justin baisse les yeux et tripote la fermeture éclair de sa veste de cuir. Un cadeau, bien entendu, de mon ami Ugo.

— On dirait que plus les gens sont fins avec toi, plus tu leur en fais baver.

— Oui, mais là, j'ai besoin de lui.

— Trop tard.

— Pis j'ai une maladie.

— Le VIH te donne pas tous les droits, Justin.

— Non, c'est pas ça.

— Quoi? T'as des symptômes du sida? Pourtant, t'as l'air en pleine forme.

— Non, j'ai une autre maladie… pas physique.

— Hein? Une maladie mentale?

— Hum, hum… répond Justin, la voix basse et le regard toujours fuyant.

— Ben voyons donc! Je pense que tu sais pas ce que c'est, des problèmes de santé mentale. C'est pas parce que t'es *fucké* que t'es malade.

Justin cesse de manipuler inutilement sa fermeture éclair et me regarde droit dans les yeux.

— Mais puisque je te dis que c'est vrai. J'ai même eu un diagnostic.

Intriguée par ses paroles, je m'assois en face de lui, en gardant toutefois la même méfiance.

— Comment ça, un diagnostic?

— Ben oui, je souffre d'autodestruction. J'ai des comportements autodestructeurs.

— Pff… Fais-moi donc rire ! Je pense que t'es la personne la plus égocentrique que je connaisse. Et, à ce que je sache, l'autodestruction, c'est lié à l'alcool ou à la drogue, non ?

— Pas toujours, non. Oui, tu peux vouloir te détruire en prenant un coup, mais tu peux aussi vouloir le faire en ayant des comportements qui éloignent les gens de toi. Moi, c'est ça que je fais. Sans m'en rendre compte.

— Bon, là, Justin, on va arrêter ça tout de suite.

— Non, il faut que tu m'aides Charlotte. Il faut que tu parles à Ugo.

— Pas question.

— *Come on*. Il me rappelle jamais, m'implore-t-il, les yeux maintenant pleins d'eau.

Pendant un bref moment, je ressens un vague sentiment de pitié et je crois que je pourrais bien céder devant ses grands yeux gris-vert tout tristes. Mais je me reprends rapidement, me rappelant que j'ai devant moi un des plus grands manipulateurs de mon entourage. Et je doute fort que le comportement autodestructeur soit classé comme une maladie mentale.

— De toute façon, même si je voulais, ça servirait à rien. Ugo n'a plus confiance en toi, Justin. Plus du tout.

— Il faut que tu lui dises que c'est pas ma faute. C'est à cause de ma maladie.

— Bon, là, faut pas charrier.

— C'est vrai. Je suis super déprimé, en plus.

— Qu'est-ce que tu veux que je fasse, Justin ? Je peux pas t'aider.

— Mais c'est fini avec l'autre. Je veux juste m'expliquer avec Ugo.

— Honnêtement, t'avais juste à y penser avant.

Justin soupire, se lève et, d'un air abattu, se dirige vers la sortie. Juste avant d'ouvrir la porte, il se retourne.

— En tout cas, Charlotte, tu lui diras que je l'aime, pis que j'ai jamais voulu y faire de peine.

Je le regarde sortir de la petite cabane en me promettant que son message ne se rendra jamais. À travers la fenêtre, je suis des yeux Justin qui monte à bord de son véhicule. Et je ne peux pas m'empêcher d'éprouver une certaine tristesse devant tant de gâchis.

12

Le manteau Prada de Martine.
Long, vert pâle et en laine vierge.
Deux mille dollars.
Son préféré.

Les cris des enfants guident mes pas dans la forêt. C'est qu'ils ont l'air d'avoir un plaisir fou à recueillir l'eau d'érable. Je me dépêche de les rejoindre.

— Félix et Nathan, laissez Charlotte tranquille! Tout de suite!

La voix forte de Martine me parvient entre les arbres. Qu'est-ce que ses deux abrutis de fils peuvent bien être en train de faire à ma Coccinelle? Et son père protecteur, il est où, hein?

J'entends soudainement des pas rapides derrière moi. P-O passe ensuite en trombe à mes côtés, en finissant de remonter sa fermeture éclair. Je l'entends marmonner: «Pas moyen d'aller pisser en paix, coudonc!»

Je me mets à courir derrière lui. Quelques secondes plus tard, on arrive tous les deux dans la petite clairière où toute l'équipe est installée. Les deux garçons de Martine pourchassent Mini-Charlotte, l'attrapent et la poussent dans un vieux banc de neige tout gris.

La petite ne dit pas un mot, mais ses joues sont baignées de larmes. Martine, debout à côté d'elle, gronde ses garçons qui, eux, continuent de pousser la fillette, sans les arrêter pour autant. Ça me dépasse!

P-O se rue sur sa fille pour l'arracher aux griffes des méchants Lebœuf. Il la prend dans ses bras et la console tout doucement en la berçant.

— Pauvre Coccinelle, dis-je en m'approchant d'elle et de P-O qui se tient maintenant en retrait.

Les larmes coulent sur ses joues, mais on n'entend presque aucun bruit. Elle sanglote, sans se donner en spectacle comme bien des enfants le font. Plus je la connais, plus elle m'impressionne par sa maturité.

Toutefois, je suis un peu inquiète de constater qu'elle s'est laissé tabasser sans un mot. Il faut qu'elle sache se défendre, sinon elle n'arrivera à rien dans la vie. Ce serait chouette si je pouvais lui apprendre à ne pas se laisser marcher sur la tête. Je me promets de le suggérer à P-O.

Je sors un mouchoir en papier de la poche de ma veste, que je remets à son père.

— Tiens, je pense qu'elle a besoin de ça.

P-O mouche le nez de sa fille, puis se tourne vers Martine, l'air sévère. Je sens qu'il a envie de l'engueuler. Et je le comprends parfaitement, mais je ne pense pas que ce soit une bonne idée. Les enfants n'ont pas besoin d'assister à une démonstration du caractère bouillant de mon coanimateur. Je pose une main sur son bras.

— Laisse tomber, P-O.

— Les petits tabar%?&#!

— Eille, Charlotte, veux-tu goûter à mon eau d'érable? m'interpelle l'oncle Bernard.

— Non merci! Peut-être que les enfants en voudraient, par exemple?

— Ben oui, bonne idée.

— Choisis un seau avec un cœur rouge, mon oncle.

— Pourquoi ?

— Je pense que les érables ont été plus généreux avec les seaux qui ont un cœur rouge. Parce qu'ils ont été plus fins cette année, dis-je d'un air mystérieux en regardant Mini-Charlotte.

Elle cesse de pleurer et me dévisage à son tour. Yé ! J'ai réussi à capter son attention et à lui faire oublier sa peine. Je le savais. Je vais être une maman extraordinaire !

— Moi, j'en veux… avec des cœurs.

Ahhhhhh ! Trop *cute* !

— Tu vas en avoir, Coccinelle. Tu vas en avoir.

— C'est bizarre, ton histoire, commente Bernard, mais on va prendre ceux que tu dis. Venez ici, les petits. Mononcle va vous donner de la bonne eau d'érable.

Ahhhh… Il me lève le cœur ! On croirait entendre un vieux pervers qui veut attirer des enfants avec des bonbons. Quelle honte ! Papa m'avait pourtant promis qu'il n'y serait pas aujourd'hui. Mais c'était trop beau pour être vrai ! Je savais bien qu'il trouverait le moyen de se montrer le bout du nez. Depuis que je suis une personnalité connue, Bernard ne cesse de vouloir en tirer profit.

Tout d'abord, il est venu assister à l'enregistrement d'une émission, en arrivant à la dernière minute sous prétexte qu'il n'avait pas besoin de réservation pour être assis avec le public. « Je fais partie de la famille », a-t-il clamé haut et fort.

Après le tournage, il a insisté pour être pris en photo avec « sa nièce adorée » et chacun de mes collègues. Les images se sont retrouvées sur son statut Facebook, où il se vantait de connaître intimement l'équipe de *Mangues et prosciutto*. *You bet !*

De plus, il s'est présenté dans un des restos de P-O en disant qu'il était l'ami du chef, dans le but évident d'impressionner la femme qui l'accompagnait. Il a poussé l'audace jusqu'à affirmer que son ami chef lui avait promis une bouteille de champagne pour sa première visite. Malheureusement pour lui, P-O travaillait à son autre resto ce soir-là. Bernard a donc dû se contenter d'un spritz gratuit en guise d'apéritif.

Finalement, la semaine dernière, Aïsha a reçu un appel étrange d'une des boutiques de designers qui commanditent l'émission. La vendeuse lui expliquait qu'un certain Bernard Lavigne voulait lui emprunter un complet trois pièces pour un gala télévisé et qu'il avait la permission de la styliste de l'émission. Eille! Il se prend pour qui, celui-là? Aïsha a rapidement mis fin au stratagème de Bernard en interdisant à la vendeuse de lui prêter quoi que ce soit. Même une paire de bas. Bien fait pour lui!

Je le regarde maintenant décrocher un des seaux et s'accroupir pour se mettre au niveau des deux garçons de Martine, accourus auprès de lui. Il plonge ensuite un petit verre en styromousse dans le grand seau d'eau d'érable, qu'il tend à Nathan.

— Stop! Les dames en premier.

Je m'approche et m'empare du petit verre.

— Celui-ci, c'est pour Mini-Charlotte!

Je reviens sur mes pas, toute fière d'avoir servi une bonne leçon d'éducation à l'oncle Bernard et aux deux garçons. Je m'apprête à donner le verre à ma Coccinelle quand P-O me l'enlève des mains.

— C'est beau, je vais le faire.

Je lui lance un regard noir. Quel manque de générosité! Il pourrait bien la partager, sa fille fraîchement retrouvée.

D'une seule main, P-O tente d'enlever les gants de la petite, afin qu'elle soit plus à l'aise pour tenir son verre, pendant que Bernard explique aux garçons «comment on fait des trous dans les érables» avant de leur servir la précieuse eau.

— Charlotte?

Je me retourne et vois papa qui s'approche. Il s'arrête et me fait signe de le rejoindre. J'y vais, curieuse de savoir ce qu'il veut.

— Quoi?

— J'avais une bouteille et je l'ai perdue. Tu l'as pas vue par hasard?

— Ta bouteille d'eau? C'est moi qui l'ai prise.

— Ah, parfait. Peux-tu me la redonner, s'il te plaît?

— Désolée, j'ai vidé l'eau dans les seaux.

— Ah non! T'as pas fait ça?

— Ben quoi? C'est juste de…

— Ouaaaaaaah! Beurk!

Alarmée par les cris des enfants, je me retourne vivement et j'aperçois Félix et Nathan qui hurlent à pleins poumons. Les deux verres de styromousse sont renversés par terre, et Bernard est complètement démuni devant la situation.

— Ça… ça… ça chauffe! dit le plus vieux en haletant.

— Maman… fait mal, ajoute l'autre en pleurnichant.

Martine s'élance auprès de ses garçons, l'air à la fois inquiet et furibond. Je regarde papa, complètement paniquée.

— Qu'est-ce qu'il y avait dans ta bouteille?

— De la vodka, murmure-t-il.

— De la quoi?

— Vodka, dit-il un peu plus fort.

— Eh merde!

Je jette un coup d'œil du côté de Mini-Charlotte. Pas de dommages de ce côté-là. Fiou! Ma Coccinelle est sauve. Les pleurs des garçons ont alerté P-O, qui plonge le nez dans le petit verre pour vérifier ce qu'il contient. Ah non! Qu'est-ce que je vais bien pouvoir inventer pour justifier la présence de vodka dans les seaux d'eau d'érable?

— Voulez-vous bien me dire ce qu'il y a dans ces seaux-là? demande Martine à Bernard, d'un ton autoritaire.

La voix forte de ma collègue crée un silence inconfortable. Plus personne de l'équipe n'ose parler.

— Allez, répondez, monsieur Lavigne.

— Ben, je sais pas, moi… Y a juste de l'eau d'érable.

— Me semble, oui !

— Mal au cœur… maman.

— Moi aussi.

Assise sur ses talons, Martine prend Nathan dans ses bras et colle Félix contre elle.

— Ça va aller, mes petits choux, ça va aller. Est-ce que quelqu'un peut me donner de l'eau ? Tout de suite !

Un des techniciens s'approche rapidement de Martine, une bouteille d'eau à la main. Elle s'en empare sans même le remercier. Elle donne une petite gorgée d'eau à Nathan, puis se penche pour en donner une à Félix.

Mais l'enfant envoie valser la bouteille d'eau par terre et, dans un grand haut-le-cœur, vomit tout son repas de cabane à sucre sur son frère et sur le manteau long de Martine. De marque Prada, vert pâle et en laine vierge. *OMG !*

— Ouache ! s'écrie Nathan.

— Félix ! T'aurais pu faire attention !

Quoi ? Martine va chicaner son fils parce qu'il n'a pas pu se retenir ? Tu parles d'une mère peu compréhensive. Ce n'est tout de même pas sa faute s'il a bu de la vodka !

— Restez là. Je vais aller chercher des guenilles, suggère Bernard qui sort enfin de sa léthargie.

Le voilà qui part comme une balle vers la cabane, pendant que Martine continue de consoler ses deux enfants et essuie son manteau avec des mouchoirs de papier, ce qui n'améliore pas beaucoup les choses.

— Charlotte, viens ici, chère.

Penaude et consciente d'avoir fait une gaffe monumentale, je marche lentement vers Martine. Le plus lentement possible. En passant devant P-O, je n'ose pas le regarder, de peur qu'il ait découvert que l'eau d'érable s'était mystérieusement transformée en vodka.

— Oui, Martine ?

— Qu'est-ce qui lui a pris, à ton gros *jigon* d'oncle, de vouloir empoisonner mes enfants ?

— Faut pas exagérer, quand même ! Il a certainement pas voulu les empoisonner. Voyons donc ! Peut-être que l'eau était là depuis longtemps et qu'elle n'était plus bonne… Je sais pas, moi.

— Donne-moi le seau que je goûte moi-même.

Je me fige sur place. Non, non et non ! Pas question qu'elle vérifie et découvre qu'une boisson contenant 40 % d'alcool est responsable de l'état de ses bambins. Je reste silencieuse.

— C'est pas nécessaire, Martine, lance une voix derrière nous.

Je me retourne et je vois P-O qui marche vers nous, Mini-Charlotte toujours dans les bras. Il me fusille du regard.

— C'est pas de l'eau d'érable qu'il y avait dans les seaux, ajoute-t-il.

Je le regarde d'un air malheureux et je l'implore silencieusement de ne pas aller plus loin. Mais P-O ne semble pas avoir pitié de moi pour deux sous.

— Ah non, c'était quoi, alors ? demande Martine.

— De la vodka.

— QUOI ?

C'est maintenant au tour de Martine d'être en furie contre moi. Elle se lève avec précipitation, bousculant ses enfants qui pleurnichent de plus belle. Ce qui semble exaspérer leur mère.

— Vous autres, arrêtez de chigner ! Charlotte, pourquoi tu voulais faire boire de la vodka aux petits ? T'es malade !

— Veux-tu bien me dire ce qui t'a pris ? T'imagines si ma fille avait bu ça ? en remet P-O.

— Ben, c'est euh… c'est pas ça. Je savais pas que…

— Essaie pas, Charlotte, c'est toi qui nous as dit de prendre les seaux avec des cœurs, me rappelle P-O.

T'es vraiment irresponsable. Et dire que tu penses être prête à avoir des enfants !

— T'exagères, là… quand même !

Les paroles de P-O me blessent profondément. En plus, elles sont injustes. Je ne suis pas une irresponsable. Je suis juste une fille qui veut plaire à tout le monde. Ce n'est tout de même pas ma faute si mes bonnes intentions se retournent contre moi !

— C'est pas elle, retentit soudainement une voix derrière moi.

Papa s'avance vers nous. Tous les trois, on attend la suite en silence.

— C'est ma faute ! C'est moi qui ai mis de la vodka dans les seaux.

Je baisse les yeux pour que personne ne voie à quel point je suis soulagée. Mais en même temps, j'ai tellement honte ! À trente-quatre ans, faire porter le chapeau à son père… pas fort !

— Pourquoi vous avez fait ça ? demande ma collègue à papa.

— C'est une erreur, tout simplement. La vodka, c'est pour un autre *party* qui a lieu ce soir à la cabane. Charlotte ne le savait pas et elle a tout simplement pensé que c'était de l'eau d'érable.

— Pis j'ai mis un cœur rouge parce que ces seaux-là étaient plus pleins que les autres, pis je voulais que les enfants en aient suffisamment. M'excuse…

À bien y réfléchir, qu'il le porte, le chapeau ! Après tout, c'est lui qui m'a mise dans ce pétrin en transportant de la vodka dans une bouteille d'eau. Quelle idée !

— Et puis, on en fera pas tout un drame, hein ? poursuit papa. Les enfants en mourront pas, ils ont pas dû en boire beaucoup.

— Assez pour être malades. Vous avez été négligent, monsieur Lavigne. Vous auriez pu vérifier les seaux avant que votre frère les décroche.

— Vous avez raison, Martine.

— Bon... très bien. Pour vous faire pardonner, raccompagnez-moi donc à la cabane. J'en ai assez d'attendre votre *bretteux* de frère pis ses guenilles.

Papa, Martine et les deux garçons quittent la clairière, emportant avec eux l'odeur désagréable de vomi qui empestait les lieux. Épuisée, je m'appuie contre un arbre et je ferme les paupières quelques instants.

— Charlotte ?

Je n'ai pas envie d'ouvrir les yeux et de répondre à P-O. Je suis encore heurtée par ses insultes de tout à l'heure. Je fais comme si je n'avais rien entendu.

— Excuse-moi.

Une petite excuse du bout des lèvres ? Non, ce n'est pas assez pour que je te pardonne, cher coanimateur.

— Je pensais pas vraiment ce que j'ai dit, Charlotte.

Pas encore assez ! Je l'entends soupirer. Puis une petite voix douce se fait entendre.

— Cha'lotte. Comme moi. Cha'lotte.

Il n'en faut pas plus pour me tirer de ma bouderie. J'ouvre les yeux en même temps que j'éclate de rire. Mini-Charlotte me sourit d'un air coquin.

— Je peux la prendre ?

— Ben oui, approuve-t-il en la déposant dans mes bras.

Ma Coccinelle se blottit tendrement contre moi. Je n'ose plus bouger, de peur de rompre ce moment magique. Je la berce tranquillement.

— Elle est pas trop lourde ?

— Non, non.

Mini-Charlotte pousse un long bâillement. La journée a été longue pour tout le monde, je crois.

— T'es bonne pour l'emmener jusqu'à la cabane ?

— Oui, oui, dis-je, un peu trop d'orgueil dans la voix.

P-O n'est pas dupe, mais il me laisse faire. On marche tous les deux tranquillement sur le sentier détrempé. Je prends bien soin de ne pas faire de mouvements brusques pour permettre à Mini-Charlotte de s'endormir.

P-O passe la main dans les cheveux de son enfant en murmurant tendrement des mots en italien que je ne comprends pas. Et moi, je continue d'avancer en rêvant du jour où ce sera ma fille à moi qui s'endormira dans mes bras.

13

« Le corps d'une femme n'a pas de secret
pour un amant médecin. »
Une partenaire épanouie sexuellement.

— Est-ce que ça se peut, selon toi, un diagnostic
d'autodestruction ?
— Un diagnostic de quoi ?
— D'autodestruction.

Je suis allongée sur mon sofa, la tête sur les cuisses d'Antoine, que j'admire en contre-plongée. Ni double menton, ni pli dans le bedon à l'horizon. Vêtu uniquement d'un boxer à carreaux rouge et bleu, il est mangeable !

Mais pour l'instant, je suis rassasiée. On vient tout juste de finir de faire l'amour et ç'a été, comme toujours, très intense. Je ne sais pas si c'est parce que Antoine est médecin, mais le corps d'une femme ne semble avoir aucun secret pour lui. Il possède une habileté peu commune et il me comble totalement. Et la couleur sombre de sa peau me procure chaque fois un sentiment de nouveauté. Je ne m'y suis pas encore totalement habituée et c'est très bien comme ça.

Tout ça m'a donné faim et je nous ai préparé un petit casse-croûte. Sur la table à café, j'ai posé un plateau de fromages avec des figues fraîches, un chutney aux canneberges maison… et deux verres d'eau minérale Eska.

Je me serais bien offert un verre de rouge, mais je n'ai pas osé, de peur qu'Antoine trouve que je picole un peu trop. C'est que j'ai déjà largement dépassé ma limite aujourd'hui avec le brunch à la cabane à sucre et la demi-bouteille de rouge que j'ai bue en début de soirée pour passer le temps en attendant mon… amoureux. Ou mon amant, je ne sais trop. Bon, d'accord, Antoine ne m'a pas vue faire, mais il a bien dû le sentir en arrivant.

Je me redresse pour prendre un morceau de Comtomme Signature, en attendant toujours la réponse d'Antoine.

— On parle plutôt de comportements autodestructeurs, mais ce n'est pas une maladie en soi. C'est un symptôme.

Antoine a le don d'expliquer les choses de façon tellement claire. Et qu'est-ce qu'il en connaît, des choses! Son intelligence m'impressionne chaque fois.

— Ah… Et ce serait le symptôme de quelles maladies?

— Il y en a plusieurs. Le trouble de la personnalité limite, par exemple.

— *Borderline*?

— Exact. Et c'est également souvent associé à la dépression.

— La dépression?

— Hum, hum… Pourquoi tu me poses toutes ces questions-là?

— Pour savoir. Un de mes amis m'a dit qu'il souffrait d'autodestruction.

— Est-ce qu'il est dépressif?

— Je sais pas trop. C'est peut-être juste de la manipulation.

Je me lève et fais les cent pas dans le salon. Les précisions d'Antoine m'inquiètent. Se pourrait-il qu'un gars comme Justin soit en dépression ? Non. Impossible.

— Tu sais, Charlotte, quand une personne nous parle de comportements autodestructeurs, on ne doit jamais prendre ça à la légère.

— Je sais pas si c'est vraiment sérieux. Il n'est pas du genre à s'autodétruire en sombrant dans la drogue ou l'alcool. Parce que c'est comme ça que ça se passe, hein ?

— Souvent, oui, mais pas nécessairement. C'est beaucoup plus complexe et tu dois rester vigilante.

Ahhhhh ! Merde ! Qu'est-ce que je fais maintenant ? Visiblement, je ne pourrai pas balayer ça sous le tapis comme j'en avais l'intention. Est-ce que je vais être obligée d'en parler à Ugo ? Il faut que j'y réfléchisse. Mais ça va mal, réfléchir sans son compagnon habituel : le verre de vin.

— Antoine, ça te dérange si je me sers un verre de rouge ?

— Bien sûr que non. Tu es libre de faire ce que tu veux, Charlotte.

Je me rends à la cuisine avec les paroles d'Antoine qui me trottent dans la tête. Libre de faire ce que je veux… Des propos qui, je trouve, s'adressent plus à une amante de passage qu'à une future amoureuse. Qui suis-je pour Antoine ? C'est maintenant que je dois savoir.

Je retourne au salon, en prenant soin de repasser par ma chambre pour revêtir un peignoir de soie couleur framboise. Ma tenue actuelle, une camisole transparente en dentelle avec une petite culotte brésilienne assortie, ne convient pas à la discussion que je veux avoir avec Antoine.

Je dépose mon verre de rouge à côté de l'assiette de fromages et je m'assois sur le fauteuil en face d'Antoine. Il a enfilé son t-shirt noir, celui qu'il portait en arrivant sous son cardigan gris en cachemire. Un peu drabes comme vêtements, mais enfin…

— Je peux te poser une question ?

— Euh… ouin, répond Antoine, visiblement peu enclin à se faire interroger.

Tant pis !

— Pourquoi tu bois pas ?

C'est étrange, mais j'ai la curieuse impression de voir une expression de soulagement sur le visage de mon amant-peut-être-chum et peut-être-futur-compagnon-de-vie. Ah oui, j'oubliais, peut-être-futur-père-de-mes-enfants…

— Parce que ça ne m'intéresse pas. C'est tout.

— T'es pas dans les AA ?

— Non. Je ne suis pas alcoolique, si c'est ce que tu veux savoir. C'est juste que je n'ai jamais été attiré par l'alcool.

Hein ? Ça se peut, ça ? Quelle drôle d'idée !

— Même pas par le bon vin ?

— Non, ça ne me dit rien.

— Ah bon.

Un silence embarrassant s'installe entre nous deux. J'aurais bien besoin d'une bonne gorgée de vin, mais je n'ose pas m'approcher de mon verre. Maintenant, j'ai envie d'éclaircir un autre point entre nous deux.

— Charlotte, je voulais te dire…

— Antoine, est-ce que tu veux des enfants plus tard ? dis-je en lui coupant la parole.

Sans un mot, il se lève et remet son pantalon en toile qui traîne au sol.

— Il faut que je te parle de quelque chose, annonce-t-il en se rassoyant.

— Quoi ? T'es stérile ?

— …

— Honnnn… pauvre chou. Mais c'est pas grave. Tu peux toujours adopter. Ou bien faire appel à une banque de sperme. Il paraît que c'est super facile, maintenant.

— C'est pas ça, Charlotte.

Tout à coup, son ton m'inquiète. Trop sérieux, trop officiel, trop porteur de mauvaises nouvelles. Et son langage corporel n'arrange rien. Il a le regard fuyant, et sa main droite pianote nerveusement sur sa cuisse.

Encore un qui va prétendre que je suis trop intense ? Pourtant, j'ai fait attention, cette fois-ci ! Je ne l'ai pas bombardé de questions personnelles, j'ai respecté son rythme et j'ai gardé pour moi ma déception de ne pas le voir plus souvent. J'ai agi en femme mature et je mérite d'être traitée comme telle !

— Tu vas me dire ce qui se passe ?

— Euh… Tu sais, ce matin, tu m'as posé une question.

— Ce matiiiinnnnn ?

Avec la journée de fous que j'ai eue, ce matin me semble bien loin.

— Ben oui, quand tu m'as appelé.

Je me souviens. LA fameuse question que j'ai dû poser à cause des élucubrations de papa. Mais pourquoi revient-il là-dessus maintenant ? Son ton était pourtant sans équivoque. Ça doit être autre chose… Il n'a probablement pas encore digéré de se faire questionner avant de rentrer au boulot.

— Ça t'a fâché ? Je le sais, excuse-moi encore.

— Ça m'a plutôt mis très mal à l'aise.

— Comment ça, mal à l'aise ?

Je commence soudainement à avoir très peur de la suite de la conversation. Qu'est-ce qu'il veut dire exactement ? Est-ce qu'il serait possible que…

— Charlotte, je t'ai pas dit la vérité.

— QUOI ?

Je bondis sur mes deux pieds, rattache rapidement la ceinture de ma robe de chambre, tout en commençant à marcher de long en large dans le salon.

— Je comprends pas, là… T'es pas marié, toujours ?

— …

— Dis-moi que c'est pas ça !

Je le vois prendre une grande inspiration, baisser les yeux, et je l'entends murmurer :

— Désolé.

Je ne peux pas croire que tout ça est vrai. C'est un cauchemar, je vais me réveiller, c'est sûr. Ou bien il me niaise. Il me fait marcher pour me tester. Quoi qu'il en soit, ce petit jeu n'est pas drôle du tout.

— Ben voyons donc, ça se peut pas ! J'ai vu ton appart. C'est l'appart d'un célibataire, ça !

— C'est pas mon appartement. C'est celui d'un collègue. Il était en colloque à l'étranger et je m'occupais de son chat.

Je réalise alors que tout ça est bien réel. Il n'est pas libre, il vit avec une femme et, pire, il a trahi ma confiance. Je prends une grande respiration et je lui tourne le dos.

— Moi, j'étais quoi pour toi, hein ? Une fille que tu baises quand ça fait ton affaire ? Hein, c'est ça ?

— Mais non, c'est beaucoup plus que ça. Laisse-moi t'expliquer.

— Va-t'en !

— C'est fini avec elle, je vais la quitter. Donne-moi juste le temps de m'organiser, de penser à ce qu'on va faire avec… avec les…

Non, ce n'est pas vrai ! Je me retourne, et l'air coupable qu'il affiche me confirme que j'ai raison.

— Parce que, en plus, t'as des enfants ?

Il baisse les yeux et hoche la tête de haut en bas. Je suis complètement assommée par ces révélations. Je n'en reviens tout simplement pas. Comment ai-je pu ne rien voir ?

— J'allais te le dire, je te le jure.

J'ai mal au plus profond de moi-même. Je sens que, bientôt, les larmes vont couler sur mes joues. Des larmes de rage et de trahison.

— Je peux pas croire que tu m'as fait ça !

— Charlotte, je t'en prie, écoute-moi. J'ai déjà consulté un avocat, j'entame les procédures de divorce très bientôt.

Je m'assois et je cache mon visage entre mes mains. Pas question de lui laisser voir tout le mal qu'il me fait.

— Je ne pourrai plus jamais avoir confiance en toi. S'il te plaît, va-t'en, dis-je en retenant mes sanglots.

J'entends Antoine qui ramasse ses affaires éparpillées dans la pièce. Je le sens ensuite s'approcher, dans une dernière tentative. Je lève la main pour lui signifier d'en rester là.

— Pis rappelle-moi plus jamais.

Quelques secondes plus tard, la porte s'ouvre et se referme aussitôt sur un pan de ma vie qu'il me sera bien difficile d'oublier. J'ai tellement de peine. Et de colère. Et d'incompréhension. Ce soir, quelque chose s'est brisé dans mon cœur. Encore une fois.

14

1, 2, 3… Charlotte.
Charlotte la totale.
Une Charlotte au dessert.

Salut, Charlotte,

Comment vas-tu ? J'ai su que tu étais revenue au Québec. Es-tu ici pour rester ou tu repars en France bientôt ? Est-ce que ton mari est avec toi ?

Ça fait un moment que je veux t'écrire, mais j'ai été très occupée. Il y a eu de gros changements dans ma vie ; je viens tout juste de me séparer. C'est ma décision, et Benoît l'a très mal prise. Mais moi, je suis soulagée. Tu ne le sais pas, mais tout ça c'est un peu grâce à toi. Le soir de ton mariage, tu m'as inspirée à foncer, à vivre mes rêves. Et c'est ce que j'ai fait, un an plus tard.

Ce serait chouette de se voir. On pourrait aller prendre un verre, ou luncher, comme tu veux.

J'ai très hâte de te revoir !

Marianne xx

Wow ! Je suis touchée par le message de mon amie d'enfance que je viens tout juste de recevoir. Je savais bien qu'elle n'était pas heureuse avec son balourd de mari ! Un mec dont le sex-appeal rappelle celui des hommes des cavernes. Je suis trèèès contente qu'elle l'ait laissé. D'autant plus que, si mon intuition est bonne, Marianne devrait choisir *une* compagne de vie plutôt qu'un mari.

Je me souviens de l'air angoissé que j'ai lu sur son visage le soir de mon mariage, pendant qu'elle admirait une superbe Parisienne. Marianne est-elle finalement sortie du placard ? J'ai trop hâte de le savoir !

Chère Marianne,
Je suis très heureuse d'avoir de tes nouvelles et d'apprendre que tu as décidé de réaliser tes rêves. Trop génial !
De mon côté, je suis au Québec pour y rester. Ça n'a pas marché pour moi là-bas. Je n'étais pas heureuse et je ne voyais pas le jour où j'allais avoir une carrière digne de ce nom. Nous nous sommes donc laissés, Max et moi. Je refais ma vie ici tranquillement. C'est dur, mais j'y arrive.
Écoute, j'organise une soirée pour fêter mes 35 ans. On n'est jamais si bien servi que par soi-même, n'est-ce pas ? C'est dans moins d'un mois. J'aimerais beaucoup que tu viennes.
Je te fais signe bientôt pour les détails.
Charlotte xx

Et voilà, l'invitation est lancée ! Je suis très heureuse de renouer avec Marianne. J'aurais dû le faire depuis longtemps, mais je n'avais pas tellement envie de parler de mes échecs en France. Mais là, je suis prête… C'est bon signe, non ?

Je referme mon ordinateur et je sors de ma chambre pour déjeuner quand j'entends la porte de mon appartement s'ouvrir.

— Charlotte, c'est moi.

Comme tous les matins, Ugo joue au *barista*. Il m'apporte une tasse de café au lait avant de partir travailler. Je sais bien que ce n'est qu'un prétexte. Depuis trois semaines, mon ami prend soin de moi. Et de mon cœur brisé par Antoine.

Ugo vient donc s'enquérir, pas discrètement du tout, de la nuit que j'ai passée. Et chaque matin je lui répète la même chose : meilleure qu'hier et moins bonne que demain. Je remonte la pente et je n'ai pas l'intention de la redescendre.

Même si des tas de questions me tourmentent. Qu'est-ce qui était vrai dans ce que me racontait Antoine ? A-t-il vraiment une maman qui souffre d'alzheimer ou si ce n'était que de la foutaise ? Une couverture pour son manque de disponibilité ? Ses enfants ont quel âge ? Où habite-t-il avec sa famille ? À Ville Mont-Royal ? Ou plus près de la nature... quelque part comme Mont-Saint-Hilaire. Et s'il m'a emmenée dans un resto de Laval, est-ce parce qu'il avait peur de se faire voir avec moi, de rencontrer des collègues de l'hôpital sur le Plateau ? Je me souviens maintenant que j'avais dû insister longuement pour qu'il accepte de venir manger au petit resto en bas de chez moi.

Pourquoi ne portait-il pas de jonc de mariage ? L'enlevait-il juste avant nos rencontres ? Je n'ai aucun souvenir d'avoir vu un anneau à son doigt, même pas la première fois où je l'ai rencontré !

Et quand il me confiait que je lui plaisais beaucoup, que j'apportais de la fraîcheur dans sa vie, qu'il pensait de plus en plus souvent à moi... était-il honnête ?

Et avait-il vraiment l'intention de quitter sa femme ? Ou voulait-il simplement gagner du temps ? Est-ce que j'étais sa première maîtresse ou est-ce, pour lui, un mode de vie ? Ahhhh... Toutes ces questions m'empoisonnent l'existence, mais je m'interdis formellement d'essayer de trouver des réponses.

Quand j'ai reçu un courriel de sa part, deux jours après l'avoir foutu à la porte, j'ai pensé lui donner une seconde chance. Ma réflexion a duré dix secondes. D'instinct, je savais que je ne serais jamais tranquille avec un homme qui m'a menti pendant des semaines. Et qui m'a fait visiter un appartement qui n'était pas le sien. Non, mais quel culot!

J'ai donc lu en diagonale ses excuses et je lui ai répondu tout de go de me laisser en paix, que notre histoire était terminée pour de bon. Il a pris ma réponse au pied de la lettre. À mon grand soulagement. J'ignore si j'aurais eu la force de résister longtemps s'il s'était acharné. Le sexe était si bon…

— Et tu fais quoi aujourd'hui? me demande Ugo en posant mon café sur la table.

Ça aussi, c'est quelque chose que mon ami fait tous les jours: s'informer de mon emploi du temps. Mon contrat étant terminé depuis trois semaines, je vaque à toutes sortes d'activités pas du tout lucratives, en attendant de savoir ce que je ferai au cours des prochains mois.

La bonne nouvelle, c'est que l'émission a été renouvelée. Yé! On reprend le boulot en août. Mais d'ici là, je ne sais pas trop comment occuper mon temps. Je ne peux pas passer les trois prochains mois à simplement faire ce que je fais depuis trois semaines, c'est-à-dire dépenser de l'argent. Il faudra bien que j'en gagne!

Mais je verrai tout ça après mon anniversaire. Pour l'instant, l'organisation de cette soirée est ma priorité. Ainsi que le remplissage de mes armoires de cuisine. Sur dix armoires, seulement quatre sont encore vides. Et j'ai bien l'intention d'y remédier AVANT mes trente-cinq ans.

— Je sais pas trop… Je pensais aller magasiner.

— Encore?

— Ben oui, il y a une super petite boutique qui vient d'ouvrir au centre-ville avec des trucs de filles trop *cute*. Pas chers en plus. Ça va être parfait pour mon *party*.

— Il me semble que t'en as déjà pas mal, des affaires pour ton *party*, non ?

Qu'est-ce qu'il en sait, lui ? Il n'a tout de même pas inspecté mes armoires de fond en comble ! En plus, j'ai une carte secrète, désormais, quand je fais du *shopping*. Celle du vedettariat. Je laisse croire aux vendeuses que les assiettes, verres, couteaux et autres accessoires que j'achète serviront à mon émission. Ce qui sera peut-être vrai… Sait-on jamais ? Tout ça me vaut des rabais pouvant aller jusqu'à 50 %. Honnêtement, je serais stupide de m'en passer.

— Charlotte, tu vas te ruiner si tu continues comme ça.

— Mais non, j'ai eu un bon salaire comme animatrice. Pis t'as été assez chou pour m'héberger gratuitement pendant près de deux mois. Ça fait que je suis correcte.

— Si tu le dis…

— Mais ça, c'est cet après-midi, parce que, ce matin, j'ai une rencontre au bureau avec Denise. Et toi, beaucoup de boulot ?

— Ouais, j'ai un *meeting* avec ma gérante. Je pense que je vais lui donner un peu plus de responsabilités. J'en ai trop, là.

— Bon, ça, c'est sage.

Même si je n'aime pas vraiment Isabelle parce que je trouve qu'elle prend beaucoup de place dans la vie de mon ami, je suis contente de savoir qu'il entend se garder un peu plus de temps pour lui. Deux commerces, ce n'était peut-être pas l'idée du siècle, finalement.

Satisfaite, je place deux tranches de fougasse bacon-cheddar-olives dans le grille-pain, sous le regard intrigué d'Ugo.

— Tu vas manger de la fougasse ce matin ?

— Hum, hum… T'en veux ? Y a du bacon dedans, c'est super bon.

— Euh… non merci. Mais deux toasts au beurre d'arachide, ça ferait mon bonheur.

— Tout ce que tu veux, chéri.

Je regarde tendrement mon ami, qui me sourit avec confiance. Ce qui m'embarrasse au plus haut point. S'il savait que je lui cache quelque chose, il ne serait pas content. Je n'arrive pas à décider si je dois parler à Ugo de ce que Justin m'a confié lors de notre sortie à la cabane à sucre. Et, surtout, est-ce que je dois lui faire part des avertissements d'Antoine ?

Incapable de soutenir plus longtemps le regard de mon ami, je me réfugie dans la contemplation de mon café au lait.

— C'est pour quoi, ta rencontre avec ta réalisatrice ?

— Pour discuter du contenu de l'émission de la saison prochaine. Mais moi, c'est surtout du titre que je veux lui parler.

— T'as raison… *Mangues et prosciutto*, méchant titre poche.

Je réfléchis en attrapant mes tranches de fougasse et en glissant celles d'Ugo dans le grille-pain.

— Je sais, c'est pour ça que je veux *brainstormer* avec elle. Faut trouver quelque chose de rafraîchissant, de drôle.

— Comme ?

— Je sais pas, moi… mais je pense qu'il faudrait que mon prénom soit dans le titre.

Ugo me lance un regard interrogatif, tout en replaçant méticuleusement les assiettes sur la table. Mon nouveau service de vaisselle – enfin, celui que j'ai acheté pour le déjeuner – est composé d'assiettes avec des images de gentils chats. Mais là, ils ont la tête à l'envers, ce qu'Ugo s'empresse de corriger. Parce que tout ce qui n'est pas bien placé le fatigue. De plus en plus obsessif, mon ami. Je vais devoir lui en parler.

— Ben quoi ! C'est la grosse mode, tu sais.

— Oui mais, Charlotte, vous êtes *deux* animateurs.

— Je sais bien, mais on peut pas mettre les deux noms. *Charlotte et Pierre-Olivier reçoivent... À la table de Charlotte et Pierre-Olivier.* Tu vois bien que ça marche pas. C'est beaucoup trop long.

— Et trop quétaine. *À la table de...* On dirait un titre des années quatre-vingt.

— Ah, c'étaient juste des exemples. Non, je pensais à un truc pétillant, vif. Quelque chose qui met de la vie.

— Genre : *Charlotte fait tout exploser*, se moque Ugo.

— Ahhhh, t'es con ! dis-je amicalement en déposant deux toasts devant mon ami.

Il les regarde d'un drôle d'air.

— C'est quoi, ce pain-là ?

— Ben, c'est du pain au fromage.

— Du pain au fromage pour des toasts au beurre d'arachide ? Franchement ! T'as pas de pain ordinaire ?

— Non, j'en ai pas. D'ailleurs, y a plus rien d'ordinaire qui va rentrer dans ma cuisine. Ça m'intéresse plus, les affaires ordinaires.

Ugo pousse un soupir de découragement, prend une gorgée de mon café et se lève de sa chaise.

— Bon, je pense que je vais aller travailler, moi, annonce Ugo.

— Non, non, reste. Faut qu'on parle du titre.

— OK, mais donne-moi un peu de beurre. Je vais l'essayer, ton pain au fromage.

— Euh... j'en ai pas.

— T'as pas de beurre ?

— Non. C'est pas bon pour la santé... Mais j'ai de l'huile d'olive, par exemple.

— Ahhhh, laisse tomber... Je vais prendre du yogourt, finalement.

Je lui sers une portion de yogourt aux cerises noires dans une de mes nouvelles coupes à dessert vert lime, en forme de verre à martini. J'ajoute une petite poignée de muesli au miel de trèfle. Pour la déco, je place une minibranche de menthe fraîche dans la petite assiette blanche qui soutient la coupe. Wow! Je dépose fièrement ma présentation devant Ugo.

— Bon, enfin! Quelque chose qui a de l'allure.

— Ahhh, plains-toi donc, dis-je pour le taquiner. Bon, revenons au titre. Qu'est-ce que tu penses de *1, 2, 3... Charlotte*, ou de *Charlotte la totale*, ou de *Une Charlotte au dessert*?

Ugo, qui s'apprêtait à engloutir une énorme bouchée de yogourt, s'arrête brusquement. Il me dévisage en reposant sa cuillère dans sa coupe.

— Ça y est, t'es folle! Le vedettariat t'a monté à la tête. Il n'y a pas d'autres explications.

— Pourquoi tu dis ça? T'es ben pas fin!

— *Charlotte la totale*? C'est complètement nul. En plus, ça ressemble à *Totalement Roxanne*.

— Bah... Elle, ça fait longtemps que tout le monde l'a oubliée.

— En tout cas, fais attention à ne pas devenir une diva aussi chiante qu'elle.

— Ben voyons donc, je suis pas comme ça!

— Pas encore...

— Ahhh! Ahhh! Ahhh!

— Pis arrange-toi pas, non plus, pour finir comme elle.

— Pas de danger.

Après un bref séjour comme animatrice à *Appel-TV*, un quiz insipide aux méthodes douteuses, Roxanne D'Amour a quitté le milieu de la télévision. Elle qui avait déjà décroché un rôle secondaire dans un téléroman minable s'est concentrée sur son métier de comédienne. Mais elle a choisi de faire du théâtre pour « être plus en fusion avec mon public », comme elle l'a raconté dans le *Cinq jours*.

Sauf qu'aucune troupe de théâtre sérieuse n'a voulu engager une diva qui se voyait déjà « gagner un Jutra », comme elle l'a mentionné à la radio. Pouahhh!

L'animateur l'a gentiment reprise en spécifiant que les Jutra récompensent les acteurs de cinéma. Roxanne a tenté de sauver la face en précisant qu'elle voulait aussi «tâter le grand écran», mais elle n'a pas su masquer son embarras. Et dire qu'elle se vante d'être une comédienne d'expérience!

En désespoir de cause, mon ex-animatrice s'est tournée vers le théâtre d'été, où elle jouera le rôle d'une banlieusarde névrosée dans une pièce poche dès le mois de juin, à Saint-Philidor-de-Lalancette. C'est où, ça? Aucune idée!

— De toute façon, reprend Ugo, tu peux pas écarter P-O comme ça. Il se laissera pas faire, c'est sûr.

— Pas question de l'écarter. C'est juste que… faut choisir un nom, c'est tout.

— OK, je comprends, mais il ne t'est pas venu à l'idée qu'ils pouvaient prendre celui de P-O?

— Ben voyons donc! Impossible, c'est moi qui le porte, ce *show*-là. Beaucoup plus que lui.

Ugo soupire en me regardant mordre dans ma délicieuse fougasse. Je lui lance un regard de défi, mais, au fond, ce qu'il vient de dire m'agace. Et s'il avait raison? Si j'exagérais, cette fois-ci?

— Tout ce que je veux dire, Charlotte, c'est: fais attention. Tombe pas dans le piège de tout vouloir trop vite. Une étape à la fois.

— Ahhhh! Tu m'exaspères quand t'es trop sage!

— Avoue que j'ai raison.

Je hausse les épaules en murmurant un «peut-être» plus ou moins franc.

— C'est pour toi que je dis ça. Charlotte. Je veux pas que tu te brûles, c'est tout.

— Ben oui, c'est correct. J'ai compris. Pas besoin d'en faire tout un plat.

Ugo replonge dans son yogourt en silence, pendant que je tourne les pages de ma nouvelle revue sur les accords mets-vins. Petit moment paisible entre amis, où les paroles ne sont pas nécessaires.

Parfois, la seule chose dont je suis certaine dans ma vie, c'est que ces moments-là avec Ugo vont durer toujours. Je nous imagine tous les deux, à soixante-cinq ans, savourant notre café ensemble tous les matins. Ensuite, nous sortirions pour faire notre marche quotidienne avec Whisky, le petit chien qu'Ugo aurait acheté à défaut d'avoir un homme dans sa vie. Moi, j'hébergerais une perruche pour compenser l'absence d'un mari et d'une famille. Et nous vivrions tous les quatre paisiblement, après avoir renoncé à l'amour.

— Tu sais que je t'aime, toi.

Surpris par cette soudaine déclaration d'amitié, dont je ne suis pourtant pas avare, Ugo fronce les sourcils.

— Qu'est-ce que tu veux me demander, Charlotte?

— Pff, rien pantoute, dis-je, vexée.

— Je te connais... et tu sais que je ne peux rien te refuser.

— Parce que monsieur se sent un peu coupable de m'avoir brassée, hein?

— Je fais pas ça de gaieté de cœur. Tu le sais très bien.

— Hum, hum.

Il faut que je pense à toute vitesse à la meilleure façon d'exploiter la situation. Ugo est prêt à me faire une faveur... Pourquoi ne pas en profiter?

Je jette un coup d'œil à la fenêtre. Un soleil éclatant perce à travers le petit rideau de dentelle kitch. Et le temps est exceptionnellement doux pour le début de mai. Une journée parfaite pour une balade... en décapotable!

— Si tu veux te faire pardonner, t'as juste à me prêter ton auto pour la journée!

— Ah non, pas ça. Tu conduis trop mal.

— Je vais être prudente, je te le promets.

Je m'approche de mon ami. Debout derrière lui, je l'enlace énergiquement en collant ma joue contre la sienne.

— Allez, dis oui. S'il te plaît !

— Bon, bon, OK, mais tu vas pas loin.

— Yé !

Au même moment, la sonnette de l'entrée retentit. Je m'avance dans le long couloir et je vois Aïsha qui pousse la porte de l'appartement.

— Salut ! lance-t-elle en me remettant un sac de croissants dans les mains.

— Wow ! Merci, ma chouette ! Eille, tu sais pas quoi ? Aujourd'hui, je m'en vais me promener en décapotable !

— C'est quoi ? Le gros nounours a accepté de te prêter son auto ? Veux-tu bien me dire ce que t'as fait pour mériter ça ? répond Aïsha en mettant les pieds dans la cuisine et en apercevant Ugo.

Pas très content, mon ami.

— Oups ! s'exclame-t-elle.

— Je vous ai déjà demandé de ne plus m'appeler comme ça !

— Bah, c'est juste pour te taquiner, dis-je.

— Et parce que t'as pris un p'tit peu de bedaine dernièrement, ajoute Aïsha.

— Comment ça, de la bedaine ? répète Ugo en se levant pour s'examiner.

C'est vrai que, depuis sa rupture avec Justin, Ugo agit comme une fille. Il compense en mangeant des desserts. D'autant plus que la tentation est maintenant à même sa boucherie. Récemment, Ugo a loué à une pâtissière l'espace qu'occupait autrefois le commerce de fleurs de Justin.

Anaïs est française et elle a travaillé aux côtés de mon ouvrier préféré, Philippe Conticini. Je ne compte plus les fois où j'ai mis les pieds dans La pâtisserie des rêves, rue du Bac à Paris, pour acheter un éclair au café, un millefeuille du dimanche ou une tarte tatin aux pommes confites.

— Vous trouvez vraiment que j'ai pris un peu de poids ? demande Ugo, maintenant perplexe.

— Bah… juste un peu. Trois ou quatre kilos peut-être, mais c'est pas ta faute. C'est celle d'Anaïs, dis-je.

— Et de ta peine d'amour, complète Aïsha.

Je la regarde avec du feu dans les yeux. Sujet délicat qu'elle vient d'aborder là et qu'il aurait été préférable d'éviter.

— Je suis pas en peine d'amour.

— Bon, tant mieux! dis-je.

Pour bien signifier que le sujet est clos, je tourne le dos à mes amis pour préparer une belle assiette de croissants, gracieuseté d'Aïsha. Et faire du café. Ce matin, je vais avoir besoin de plus qu'une simple tasse.

— Vous voulez un…

— En tout cas, Ugo, si toi, t'es pas en peine d'amour… Justin, lui, il l'est, précise Aïsha.

Mon cœur ne fait qu'un tour! Non, non et non. Pourquoi diable Aïsha veut-elle à tout prix parler de Justin? Et prendre pour lui! J'ai remarqué, au fil des ans, que mon amie pouvait parfois être très mesquine envers Ugo. Comme si elle voulait le blesser intention-nellement. Ou simplement attirer l'attention. Je ne sais pas trop… Possiblement un mélange des deux.

— Pourquoi tu dis ça? demande Ugo à Aïsha.

— Ouin. Pourquoi tu dis ça? Personne a vu Justin depuis des semaines.

— C'est pas vrai. Moi, je l'ai vu.

— Quand ça? Où ça? demande-t-on en chœur, Ugo et moi.

— À la buanderie.

Depuis quelques mois, Aïsha fait une partie de son lavage à la buanderie la plus populaire du Pla-teau. Elle sélectionne soigneusement ses vêtements: petites culottes en dentelle noire, camisole en lycra rose pâle, t-shirt décolleté avec l'inscription *They're real* à la hauteur de la poitrine… Personnellement, je trouve ce t-shirt à la limite du vulgaire, mais Aïsha me répond toujours que c'est pour rire et qu'elle peut se le permettre, elle!

D'ailleurs, elle m'a rappelé cruellement que la nature ne m'a pas bien servie, côté poitrine, en m'offrant un t-shirt sur lequel on peut lire *Who needs big tits?* Que j'ai tout de suite jeté à la poubelle!

Les visites de plus en plus fréquentes d'Aïsha à la buanderie ont pour unique but, vous l'aurez compris, de rencontrer un mec. Mais, pour l'instant, sa stratégie fait plutôt patate. Les hommes qu'elle y a croisés sont des cégépiens trop jeunes pour elle, qui vivent à trois dans un quatre et demie.

— Et qu'est-ce que faisait Justin à la buanderie? demande Ugo.

— Il lavait sa douillette dans la grosse machine.

— Et puis?

Je n'ai pas vraiment envie qu'Aïsha réponde à mon ami. J'essaie, encore une fois, de mettre un terme à la conversation.

— Et puis, et puis rien, Ugo. Il lavait sa douillette, c'est tout. Bon, je pense qu'il faudrait que tu y ailles, là, il est déjà 8 h 45.

— Qu'est-ce qui te fait croire qu'il est en peine d'amour? demande Ugo, ignorant complètement mon observation pratique.

— Il me l'a dit. Comme il l'a dit à Charlotte il y a quelques semaines. Hein, Charlotte?

Aïsha se retourne pour me regarder droit dans les yeux, avec un air de défi. Je suis catastrophée! Je ne lui ai jamais parlé des confidences de Justin. C'est donc lui qui a tout raconté à Aïsha, à sa façon. C'est-à-dire en se donnant le beau rôle et, à moi, le mauvais. Et pourquoi est-ce que ça m'étonne? Justin a toujours été un fauteur de troubles.

Comme je ne réponds pas, Aïsha pose son regard sur Ugo.

— Et ta bonne amie Charlotte ne l'a pas écouté du tout, semble-t-il. Elle ne l'a pas pris au sérieux quand il a insinué qu'il était déprimé à cause de sa maladie.

— C'est même pas vrai! Je l'ai écouté.

— Lui, là ! s'exclame Ugo, piqué au vif par les paroles d'Aïsha. Est-ce qu'il va arrêter un jour de tout mettre sur le dos du VIH ? Il est pas capable de prendre ses responsabilités, pour une fois ?

Je fulmine contre Aïsha, mais je suis aussi très contente de voir Ugo se fâcher contre son ex, plutôt que d'en avoir pitié. Je m'empresse de le seconder.

— Bien dit !

— Non. Il parlait pas du VIH, précise Aïsha.

Oups ! Je veux rentrer six pieds sous terre. Ugo dévisage mon amie d'un air méfiant pendant de longues secondes, avant de se tourner vers moi.

— C'est quoi, l'affaire, Charlotte ?

Je soupire de découragement et je m'assois pour tout raconter à Ugo. Aïsha nous observe, avec la mine un peu défaite de celle qui n'a pas réussi à créer la crise escomptée.

Ugo m'écoute en silence, le visage impassible. Je lui fais part de tout. Du diagnostic d'autodestruction, du message d'amour de Justin et même des recommandations d'Antoine de ne rien prendre à la légère. Je n'ai pas le choix, je ne peux plus continuer à tout lui cacher. Même si je suis convaincue qu'aussitôt mon récit terminé il quittera l'appartement pour aller appeler Justin. Et tout recommencera comme avant.

— Voilà, tu sais tout, maintenant. Désolée, chéri, j'aurais dû te le dire avant.

Ugo se lève sans un mot, fouille dans les poches de son jeans et dépose les clés d'auto sur la table.

— Tiens, tu me la ramènes à 6 heures à la boucherie. Celle du Plateau.

Et il s'éloigne dans le long couloir, en silence. Je me précipite derrière lui.

— Pourquoi tu parles pas ? T'es fâché ?

Il se retourne et me regarde d'un air las.

— Mais non, je suis pas fâché. Je sais bien que tu voulais me protéger.

— Fiou ! Et pour Justin, tu vas faire quoi ?

J'attends de longues secondes avant qu'il réponde à ma question. Je suppose qu'il essaie de trouver une façon élégante de me dire que ça ne me regarde pas. Même s'il sait que je ne le laisserai pas tranquille tant que je ne saurai pas.

— Justin qui ? lance Ugo avant d'ouvrir la porte et de sortir en me souriant d'un air complice.

Yé ! Mon ami est guéri. Quelle bonne nouvelle ! Je suis tellement soulagée, moi qui croyais que rien ne pourrait l'arracher définitivement aux griffes de Justin.

Je retourne à la cuisine et j'aperçois Aïsha qui mord dans un croissant aux amandes en toute innocence. Ah non ! Elle ne s'en tirera pas aussi facilement ! Je veux savoir pourquoi elle tient à blesser Ugo. Et pourquoi elle s'amuse à vouloir semer la bisbille entre lui et moi. À nous deux, Aïsha Hammami !

15

« On a tout vécu ensemble : le cégep, la Gaspésie sur le
pouce, le premier joint, le premier *french kiss*,
la première brosse où on a vomi sur le même gars. »
ALICE (SOPHIE LORAIN) qui parle de son amie MYRIAM
(ANNE-MARIE CADIEUX) dans *Maman Last Call*, 2005.

*A*ssise dans le bureau de Denise, à attendre
qu'elle se manifeste pour notre rendez-
vous, je songe à la nouvelle que vient de m'apprendre Aïsha. Tout à l'heure, elle ne m'a guère
laissé le temps de l'engueuler. Elle m'a court-
circuitée en m'annonçant son déménagement… à
Québec !

Mon amie s'est fait offrir une job en or par la station locale du réseau pour lequel on travaille. Celle
de styliste en chef pour toutes les émissions produites
dans la Vieille-Capitale. Et elle commence… dans
deux semaines.

Je suis encore sous le choc. Ma meilleure amie… à
deux cent cinquante kilomètres.

Mais le pire, c'est qu'elle ne pourra pas être présente
pour ma grande fête. Sa fin de semaine est occupée par
un foutu lac-à-l'épaule de toute l'équipe, dans une
auberge de Mont-Sainte-Anne. Et elle m'a annoncé ça

le plus simplement du monde, comme si ce n'était pas une catastrophe. Mais C'EST une catastrophe !

Déjà que je n'ai ni mari ni amant pour passer célébrer mes trente-cinq ans, voilà maintenant que ma meilleure amie n'y sera pas. Bon, j'avoue que j'exagère peut-être un peu. Je devrais plutôt parler d'une mini-catastrophe. Le véritable drame aurait été l'absence d'Ugo. Parce que, au fond, mon ami le plus cher et le plus fidèle, c'est lui.

La scène de ce matin l'a d'ailleurs prouvé assez clairement. Je pense qu'Aïsha ne supporte pas le traitement de faveur que me réserve Ugo. C'est ainsi qu'elle qualifie le comportement de celui-ci à mon endroit. Je suis totalement en désaccord avec elle. Ugo me traite comme il le doit et ce n'est pas ma faute s'il n'agit pas de la même façon avec elle.

Two is a company, three is a crowd… Je me demande parfois si cette maxime ne s'applique pas à notre trio. Bien sûr, nous avons eu de très beaux moments, tous les trois. Mais plus souvent qu'autrement, il y a cette tension que je n'arrive pas à m'expliquer.

Enfin, le départ d'Aïsha pour Québec me rend triste, mais j'éprouve aussi un grand soulagement. Depuis quelques semaines, notre relation s'était un peu compliquée, et j'en connais la raison : Mini-Charlotte.

Aïsha ne le prend pas et ne le prendra jamais. Elle m'en veut terriblement de m'être attachée à cette enfant sous prétexte, selon elle, qu'on porte le même prénom. Elle n'a rien compris. Mon affection pour Mini-Charlotte va bien au-delà de ce point commun. Elle est la fillette que je rêve d'avoir et de protéger.

Je soupire devant ce que je crois être la fin d'une amitié. Une amitié toxique, certes, mais une amitié quand même. J'ai l'impression que l'histoire se répète d'année en année. J'ai l'intuition que, cette fois-ci, c'est pour de vrai. Triste, mais inévitable. Tout ce que je souhaite maintenant, c'est qu'Aïsha trouve finalement le bonheur. Avec un beau Québécois, riche de préférence.

À la recherche d'une friandise pour me consoler, je fouille dans ma petite housse rose en néoprène. En réalité, c'est un étui pour iPad, mais j'aime bien l'utiliser de temps en temps en guise de sac à main. À défaut de pouvoir me payer un iPad, je peux tout au moins faire semblant d'en avoir un!

Au lieu d'y glisser un ordinateur, j'y mets le nécessaire : cellulaire, deux ou trois cartes de crédit, quelques billets de banque, mon *gloss* transparent, mes recettes du jour imprimées sur Internet et mon nouveau stylo avec une plume mauve au bout. Sans oublier des petites gâteries : un minisachet de *jelly beans* au melon d'eau, trois sucettes à l'orange, un collier en petits bonbons et une barre de nougat à la papaye. C'est celle-ci que je choisis et que je m'empresse de croquer. Instantanément, je ressens un sentiment de satisfaction. Ahhh! Le pouvoir du sucre! Dommage que ça ne dure que quelques instants.

Je regarde une fois de plus l'heure sur mon iPhone. Vingt minutes de retard! J'en ai marre d'attendre ma réalisatrice. Et si j'essayais de la joindre sur son cellulaire? Ah non, c'est vrai… elle n'a pas de cellulaire, sous prétexte qu'elle refuse d'être l'esclave d'un objet. Non, mais sur quelle planète vit-elle? Certainement pas sur la même que moi!

Encore cinq minutes et je fous le camp. Elle me convoquera de nouveau quand elle sera disponible. Voilà tout! Je patiente en consultant mes courriels sur mon iPhone. Rien de bien excitant jusqu'à présent. Que des messages de promotion des boutiques de vêtements et d'alimentation que je fréquente. Encore! Je dois absolument cesser de distribuer mon courriel à tous les vents, c'est de plus en plus dangereux pour mon portefeuille.

Noyé parmi toutes ces offres alléchantes, un message attire mon attention. Il provient de Boris Delauney. Boris? Le Boris de Paris? Le Boris de mon Maxou? Qu'est-ce qu'il peut bien me vouloir? Pourvu qu'il ne soit rien arrivé à mon mari. Je clique sur le message.

Bonjour, Charlotte,
Comment s'est passé ton retour au Canada ? Tu sais, je n'ai pas eu l'occasion de te le dire, mais j'ai été navré d'apprendre ton départ de Paris, bien que je comprenne parfaitement tes raisons.
Quoi qu'il en soit, je serai au Québec pour le boulot, du 21 au 30 mai. J'ai quitté la pub pour tenter ma chance en photoreportage. Je travaille maintenant pour un magazine international de plein air. On m'a affecté à une série de reportages au Canada, dont le premier sur la pêche au homard aux Îles-de-la-Madeleine. Je prends quelques jours de congé à mon arrivée à Montréal, avant de m'envoler pour les Îles. On dîne ensemble ?
À bientôt
Boris xx

Je lève les yeux de l'écran de mon iPhone. J'avoue que je suis perplexe. Entre Boris et moi, ça n'a jamais vraiment cliqué ; on ne s'est jamais vraiment aimés, ni vraiment détestés. C'était le meilleur ami de mon mari. Point. Une relation un peu neutre, quoi !

Alors qu'il se dise navré par mon départ m'étonne.

Je souris en regardant la façon dont il écrit son nom de famille, Delauney. J'ai toujours pensé qu'il l'écrivait « De Launey ». Ce qui à mes yeux le rendait plus noble. Allez donc savoir pourquoi… Mais maintenant que je sais que son nom n'a rien d'aristocratique, il m'impressionne moins, le Boris. Tout à coup, il m'est plus sympathique.

Et si son envie de me voir cachait un autre désir ? Celui de tomber sur Ugo, par exemple ? Voilà peut-être l'explication. Je me souviens des paroles de mon ami, l'année dernière à Paris, alors que nous venions de passer la soirée en compagnie de Boris et d'une *bitch* aux longues jambes dont je refuse de prononcer le nom : « Boris, c'est un "bi-curieux". »

J'avais demandé à Ugo la définition de cette expression. Ce à quoi il avait répondu : « Un hétéro un peu mêlé qui rêve juste de coucher avec un gars. »

Eh bien, monsieur le bi-curieux, votre heure est peut-être arrivée. Je réponds à Boris que je le verrai avec le plus grand plaisir et que je l'invite à la maison pour lui préparer un repas composé uniquement de produits du terroir. Ce que je passe sous silence, par contre, c'est que pour dessert je lui réserve le meilleur des produits québécois : mon ami Ugo.

Quelle belle surprise, finalement ! Un peu de défi dans la vie sexuelle d'Ugo sera vraiment bienvenu. Lui qui, depuis sa rupture avec Justin, ne fait que travailler et s'empiffrer de pâtisseries. Il est grand temps qu'Ugo recommence à vivre. Et mon petit doigt me dit que d'initier un homme aux plaisirs charnels masculins peut être une très bonne façon de renaître.

J'ai toujours aimé jouer les entremetteuses. Voir deux êtres s'unir pour une nuit ou pour la vie et en être responsable a quelque chose de terriblement gratifiant. Cette fois-ci, le défi est encore plus grand. Pourvu que je ne me trompe pas et que Boris soit bel et bien à la recherche d'une aventure homosexuelle. Ce qu'il n'oserait jamais avoir à Paris, j'en suis convaincue. Beaucoup trop macho, le mec.

Je m'empresse d'envoyer un texto mystérieux à Ugo. Dans le but évident de le titiller. J'écris : « Je vais avoir une date pour toi ;) »

Bip ! La réponse ne se fait pas attendre longtemps. Un seul mot : « Non. »

Ahhh ! Il m'énerve quand il est borné comme ça ! Il devrait au contraire me remercier de m'occuper de satisfaire ses besoins que je ne peux pas, moi-même, combler.

Nouveau bip. Bon, peut-être qu'il a réfléchi. Je lis : « Tu sais que je déteste les blind date. »

Si c'est juste ça, le problème, c'est facile à régler. J'écris : « Ce n'est pas un blind date. »

Réponse instantanée : « C'est qui ? »

Hummm… Je le lui dis ou pas ? Je pèse le pour et le contre. Si je pense à moi et si je m'écoute, je lui garde la surprise. En tant qu'entremetteuse, je trouve ça beaucoup plus excitant. Les cachettes, les secrets, c'est comme dans les films. Mais si je pense à lui et que je me mets à sa place, je préférerais le savoir.

Alors, Charlotte, tu joues les bonnes amies ou tu fais ton bébé lala ?

À regret, j'écris : « Boris, de Paris. Il débarque dans dix jours. »

Le sourire me revient aussitôt que je lis la réponse de mon ami : « ;))) »

***

— Ce que je cherche à comprendre, Charlotte, c'est pourquoi tu tiens autant à ce que ton nom soit dans le titre de l'émission.

— Oui, mais tu viens de dire qu'il n'y avait pas de problème.

Voilà maintenant une demi-heure que je discute avec ma réalisatrice. Nous avons réglé plusieurs points. Martine sera de retour avec nous, mais pas Justin. Je l'ai convaincue d'abolir la chronique horticole. Je ne veux plus avoir affaire à Justin de toute ma vie.

Ensuite, j'ai abordé le sujet crucial : le titre de l'émission. À ma grande surprise, elle a tout de suite adopté mon idée d'y inclure Charlotte. Ce qui ne l'empêche pas de vouloir me faire ce qui semble être une thérapie bidon, dont je n'ai surtout pas besoin.

— Ce n'est pas parce que je suis d'accord avec toi que ton comportement ne m'inquiète pas.

Je n'ai qu'une seule envie : lui sauter à la gorge. Mais je ne crois pas que ce soit la meilleure façon de me débarrasser d'elle. Essayons plutôt une approche rassurante.

— Mais non, t'as pas à t'inquiéter. Je suis en super forme, il fait beau, je vais aller prendre du soleil en décapotable. Regarde, la vie est belle.

Denise reste silencieuse quelques instants. J'en profite pour changer de sujet.

— Si on parlait de mon salaire, maintenant?

Denise se lève, contourne sa table de travail et y pose une fesse. Avec l'arrivée des beaux jours, Denise a enlevé quelques pelures d'oignon, ce qui me permet de constater qu'elle ne semble pas si mal, finalement. Elle n'est pas la mollasse que je croyais. Pour une femme de son âge, elle a une silhouette plus qu'honorable. Si seulement elle savait s'habiller…

Elle se penche vers moi, comme si elle allait me faire une confidence de la plus haute importance.

— Charlotte, tu ne le sais peut-être pas, mais moi aussi j'ai déjà été devant la caméra.

Eh que ça ne m'intéresse pas! Rien à foutre des vieilles histoires d'une nostalgique. Et je déteste qu'elle me parle à cinq centimètres du visage. Le plus discrètement possible, je recule ma chaise.

— As-tu peur de l'intimité, Charlotte?

— Non.

— Parce que la peur de l'intimité, ça peut cacher autre chose, tu sais.

Non, je n'ai pas peur de l'intimité. Mais je choisis les gens avec qui je veux être intime. Et ces gens-là ne sentent pas l'encens de bois de santal blanc! Point final. Inutile de chercher plus loin.

— Denise, est-ce qu'on peut revenir à mon salaire?

— Dans une minute, Charlotte. Je tiens seulement à te livrer ma propre expérience. Ça pourrait t'aider.

Eh merde! Je vais être prise ici un bon moment encore. Heureusement, il me reste des bonbons. Je déballe une sucette à l'orange, sans prendre la peine d'en offrir une à Denise. Je sais qu'elle ne mange jamais de friandises.

— C'est incroyable comment tu me rappelles ce que j'étais à mes débuts.

Je suis loin d'être certaine d'aimer la comparaison. Je ne me vois vraiment pas comme une fille *granole*.

— J'étais journaliste pour les nouvelles. Et comme toi, j'étais ambitieuse, je voulais tout, tout de suite. Et là, je te parle de la fin des années soixante-dix. Une femme qui voulait faire sa place à la télé devait travailler dix fois plus fort que les hommes.

Tout à coup, son discours m'intéresse. Est-ce que, sous son allure de fille dépassée, Denise serait une de ces femmes que j'admire? De celles qui ont tracé la voie aux jeunes comme moi? Renversant.

— Je couvrais les histoires de police. Et j'étais la seule femme. Les autres journalistes m'en ont fait baver, tu peux pas savoir. Sauf un, qui travaillait à la radio. Tout le monde l'appelait le « négociateur ». Ou 10-4.

— Ah oui, je le connais, ce monsieur-là. Je le vois à la station, parfois, il me fait toujours de beaux sourires.

— Normal, il a toujours aimé les belles femmes.

Flattée, je souris en baissant les yeux. Je suis maintenant passionnée par le récit de Denise.

— J'en ai travaillé un coup. Des semaines de fous. Des soixante-dix, quatre-vingts heures. Les patrons m'appelaient n'importe quand pour rentrer. La nuit, les fins de semaine. J'étais toujours disponible. Je voulais tout le temps être en ondes, être la première sur la nouvelle, la meilleure.

— Ben là, moi, je travaille pas autant que ça. J'ai une vie, quand même.

— Non, mais t'as le même besoin maladif de reconnaissance que j'avais, moi aussi.

Profondément irritée par ce que je considère comme un jugement absolument gratuit, je bondis de ma chaise.

— Eille, c'est même pas vrai! Pis je suis pas venue ici pour me faire psychanalyser. On se verra une autre fois pour négocier le salaire!

J'attrape mon étui à iPad et mes nouvelles lunettes soleil Marc Jacobs à montures immenses. Je les pose sur ma tête, puis je m'apprête à quitter le bureau. Denise ne semble pas s'en formaliser.

— Pis, un jour, j'ai craqué. *Burn-out*, dépression… Appelle ça comme tu veux, j'étais plus capable de rien faire. Même pas de me lever le matin.

Je me trouve tout à coup bien ingrate de m'en aller alors que Denise s'ouvre ainsi. Et j'ai envie de savoir comment se termine son histoire. Je me rassois sagement.

— Pendant un an, j'étais complètement légume. Je mangeais plus, je prenais des pilules pour dormir. J'ai perdu ma job et, comme c'était tout ce que j'avais dans la vie, je me suis retrouvée seule. Sais-tu ce qui m'a sauvée, finalement ? Une thérapie de groupe.

Je ferme les yeux un instant. Si elle veut me convaincre de suivre une thérapie, elle perd son temps. Encore moins une thérapie de groupe. Je continue à l'écouter pour rester polie.

— C'est comme ça que j'ai découvert pourquoi j'avais autant besoin d'attention.

— Excuse-moi, Denise, mais moi, j'ai pas besoin de ça.

— Pourtant, ça te ferait du bien, Charlotte. Même que t'aimerais ça. Tu pourrais raconter ta vie pendant des heures à des gens qui t'écouteraient sans t'interrompre.

— Hein ? Ça se passe comme ça ? Je croyais qu'en thérapie on te disait comment agir, quoi faire de ta vie.

— Pas dans mon groupe. On t'écoute sans te juger. On comprend ce que tu vis. Tu bénéficierais d'une oreille attentive en tout temps, au moment où tu en as besoin.

Vraiment ? Un auditoire pour moi toute seule ? Des gens qui ne me diraient pas à tout bout de champ que je suis trop comme ci, ou trop comme ça. Hummm… J'avoue que, vues de cette perspective, les thérapies de groupe semblent beaucoup plus intéressantes. Par contre…

— Mais il faut qu'on écoute les autres aussi, je suppose?

— Ben oui, ça fait partie du *deal*.

Bon, voilà l'arnaque! Pas envie de me taper l'histoire d'une fille qui a sombré dans la drogue après trois peines d'amour consécutives ou celle d'un homme fraîchement sorti de prison qui se dit victime de discrimination au travail.

Je n'ai jamais eu de patience pour les plaignards. Voilà qui met un terme aux images qui avaient commencé à trotter dans ma tête. Je m'imaginais déjà assise en cercle avec une quinzaine de personnes, les yeux grands ouverts, fascinées par le récit de ma vie… Bon, on repassera.

Denise regagne sa chaise et ouvre un tiroir de son bureau. Elle me remet un feuillet explicatif en me suggérant d'y réfléchir. Sans même le regarder, je le range négligemment dans mon étui à iPad. J'ai juste le temps d'y lire une phrase: «Et si l'Académie internationale de l'âme changeait votre vie?»

OK, j'ai la confirmation que tout ça n'est pas pour moi. Premièrement, je ne veux pas changer ma vie. Et deuxièmement, je ne ferais jamais confiance à un organisme qui s'appelle l'Académie de l'âme. Internationale en plus!

— Bon, je vais y aller, Denise.

— OK. Mais penses-y, Charlotte. C'est vraiment une belle expérience de vie.

— Hum, hum, dis-je pour être polie.

Je marche jusqu'à la porte de son bureau quand j'entends ma réalisatrice m'interpeller. Je me retourne.

— Et n'oublie pas d'annoncer la «bonne» nouvelle à Pierre-Olivier, hein?

— Non, non, je vais lui parler du titre tout de suite.

Je sors du bureau, tout à coup pressée de quitter cet environnement que je commençais à trouver étouffant. Ah non, on a oublié de parler du salaire! Tant pis, ce sera pour une autre fois. J'ai trop envie de prendre l'air.

À l'extérieur, le soleil est encore plus chaud en cette fin de matinée. Je monte à bord de la magnifique voiture d'Ugo que j'ai stationnée dans la rue la plus passante afin d'attirer l'attention. Je parcours la liste de musique du iPod de mon ami et je choisis une chanson tout à fait de circonstance quand on se promène en décapotable: *I'm Sexy And I Know It*.

Je démarre tout en demandant à mon nouveau GPS parlant, intégré à mon iPhone, l'itinéraire pour me rendre au nouveau resto de P-O dans HoMa. Je n'y suis jamais allée encore. J'ai vérifié, mon coanimateur y est ce matin.

Denise m'a délégué la tâche de lui annoncer que le futur titre de l'émission allait porter mon prénom. On est encore à la recherche de LA formule idéale, mais il est clair que «Charlotte» en fera partie. Pourvu qu'il ne le prenne pas mal...

Un coup d'œil à mon iPhone me permet de constater qu'il n'a pas du tout enregistré l'information que je lui ai donnée. Je hurle l'adresse du resto une nouvelle fois, à travers le *beat* de LMFAO. Et voilà que l'itinéraire s'affiche comme par magie! Wow! J'adore cet outil. Je n'ai maintenant plus qu'à suivre ses instructions.

Je roule tranquillement dans la rue Sainte-Catherine en direction est, consciente d'attirer les regards des autres automobilistes. Il FAUT que je m'achète une décapotable, moi aussi. C'est trop *cool*.

Je décide toutefois de jouer un peu plus *low profile* en baissant la musique. C'est bien beau, être le centre d'attraction, mais je ne veux tout de même pas passer pour une quétaine finie.

— *Turn right on Iberville Street*, mentionne la voix robotisée de mon GPS.

Eh que je déteste qu'il me parle en anglais! Le problème, c'est que je n'ai toujours pas trouvé le truc pour changer la langue. Je n'ai jamais eu de patience avec tout ce qui est électronique, informatique et mécanique. Et ce n'est pas à presque trente-cinq ans que je vais commencer à en avoir!

Mon GPS m'ordonne ensuite de tourner dans la rue Notre-Dame, en direction est. La circulation est fluide sur cette grande artère et je me surprends à accélérer légèrement. C'est tellement agréable de sentir le vent sur mon visage, dans mes cheveux. Je constate que j'aurais eu avantage, cependant, à attacher mes longs cheveux blonds, puisqu'ils ne cessent de revenir dans mes yeux, m'obstruant partiellement la vue. Chaque fois, je les ramène vers l'arrière, mais ils s'obstinent à revenir vers l'avant. Exaspérant et pas très sécuritaire.

Et si je roulais encore un peu plus vite? Peut-être qu'ils finiraient par me ficher la paix? Essayons pour voir. J'enfonce la pédale d'accélérateur. Hé! Ça marche! Je peux maintenant continuer ma route en toute quiétude.

Je jette un coup d'œil à mon GPS. Aucune autre indication, je suis donc sur la bonne voie. Je roule encore quelques minutes, un sentiment de liberté totale m'envahit et me pousse à accélérer encore un peu. J'augmente également le volume de la musique, question de mettre un peu d'ambiance.

J'arrive maintenant à la hauteur du tunnel Louis-H.-La Fontaine. Étrange! Je ne pensais pas que le resto de P-O était si loin. Humm… Pas certaine de son choix d'emplacement. Et si ça continue, je vais arriver en plein *rush* du lunch et P-O sera trop occupé pour m'écouter. Accélérons encore un peu.

Une nouvelle intersection, puis une autre et une troisième. Toujours aucune directive de mon GPS. Je m'impatiente et me mets à douter de mon appareil. Il a dû mal comprendre les indications, c'est certain! Un GPS parlant… J'aurais bien dû savoir que ce n'est pas fiable.

Bon, il ne me reste plus qu'à entrer les données à la main. Ça, au moins, je sais que ça fonctionne.

Faisons-le discrètement toutefois. Je pose mon iPhone sur mes genoux et commence à taper le nom du resto de P-O, en regardant tour à tour la route et l'appareil. Bon, je sais, on ne doit jamais texter au volant, mais deux ou trois mots ne vont pas me mettre en danger.

Pin-pon !

Oh my God ! C'est quoi, ce bruit-là ? Pas une sirène de police, toujours ! Je regarde dans le rétroviseur et, là, mon cœur s'emballe. Les gyrophares bien activés, une voiture du SPVM est à mes trousses. Ah non ! J'espère que les policiers m'arrêtent seulement pour excès de vitesse et qu'ils ne m'ont pas vue pitonner sur mon téléphone. Quelle honte !

Je me range sur l'accotement et j'envoie valser mon téléphone au sol, côté passager. Je sais, c'est de la dissimulation de preuves, mais il faut ce qu'il faut. Je suis prête à vivre avec l'étiquette d'une fille qui conduit un peu trop vite, mais pas avec celle d'une écervelée qui texte au volant.

Je m'observe rapidement dans le rétroviseur. Parfait ! Ma coiffure a survécu à la balade et mes lèvres sont encore bien mises en valeur par mon nouveau rouge à lèvres framboise longue tenue.

Si je suis chanceuse, je vais tomber sur un beau policier qui me donnera simplement un avertissement en échange de mon plus beau sourire. Et de la vue plongeante sur mon décolleté. Pour mettre toutes les chances de mon côté, je déboutonne le haut de mon chemisier blanc cassé.

— Madame, votre permis de conduire, s'il vous plaît.

Je déchante aussitôt en entendant la voix de la policière… Et je repars quelques minutes plus tard avec en main deux contraventions, dont une pour avoir utilisé un téléphone au volant. Pas folle, madame l'agente. Elle a tout de suite compris la *game* que je m'apprêtais à jouer et me l'a fait payer cher. Un peu plus de 200 dollars d'amende et cinq points d'inaptitude. Ouch !

— Tiens, la fille qui vient de se faire ramasser par la police!

Voilà comment m'accueille P-O, quinze minutes plus tard, au moment où je mets les pieds dans la cuisine de son resto. Je suis renversée.

— Comment tu sais ça, toi?

— C'est sur la page Facebook de l'émission, m'annonce-t-il en découpant des mini-hachis Parmentier de dinde confite à l'aide d'un emporte-pièce.

— Hein? Comment ça se fait que ça s'est retrouvé là? ·

— C'est un citoyen qui a pris une photo. J'ai reçu un avis, pis je suis allé voir. Ça te va bien, une décapotable, Charlotte.

— C'est pas vrai! Faut que j'aille enlever ça tout de suite, dis-je en fouillant dans mon étui à iPad, à la recherche de mon téléphone.

— Comme ça, t'aimes ça, faire de la vitesse?

— Ben non, pas vraiment… Mais c'est juste marqué ça? Que je conduisais trop vite?

— Oui. Pourquoi, il y a autre chose?

— Euh, non, non.

P-O me lance un air interrogatif, avant de s'attaquer à la finition de ce qui semble être une sauce aigre-douce.

J'en profite pour aller vérifier la fameuse photo rendue publique. Et surtout pour m'assurer qu'on ne parle pas de texto au volant. Quelques secondes plus tard, je suis soulagée. Tout d'abord, je suis vraiment à mon avantage sur la photo. Pas de couette rebelle, pas de mascara qui coule et un rouge à lèvres parfaitement appliqué. J'affiche un petit air navré de circonstance. Et la légende se lit comme suit:

«Votre animatrice prise en flagrant délit de vitesse dans la rue Notre-Dame ce matin. Charlotte, ralentis un peu, s'il te plaît, on veut pas qu'il t'arrive un accident.;))»

Et c'est suivi d'un commentaire d'une autre adepte de la page de l'émission :

« Oui, d'autant plus qu'on a eu très peur avec l'explosion cet hiver. Take care ! »

Ouf ! Je l'ai échappé belle ! C'est fou comment certaines téléspectatrices s'adressent à moi, comme si elles me connaissaient personnellement. Je trouve ça à la fois flatteur et un peu *freakant*. Mais là, j'avoue que ça me fait plaisir.

— Pis, c'est plutôt bon, hein ? m'interpelle P-O. Le monde t'aime, Charlotte. J'espère que t'en es consciente.

— Euh… justement, P-O, il faut que je te parle de quelque chose à ce sujet-là.

— Ah, parce que tu penses que j'ai le temps de te parler, là ? Je suis venu aider mon sous-chef parce qu'on a une réservation d'un groupe de vingt-cinq ce midi. Fait que va t'asseoir au bar, pis attends-moi là.

Bon, bon, pas besoin d'être bête ! Je soupire et m'apprête à sortir de la cuisine.

— Qu'est-ce que tu veux manger, Charlotte ?

Ah, ça, par contre, c'est gentil.

— Je sais pas, qu'est-ce que tu me suggères ?

— La pintade, sauce madère.

— Ah non, je *feele* plus pour des pâtes. Fais-moi tes penne aux artichauts. Tu sais, ceux avec des…

Oups ! Je m'interromps subitement devant le regard noir de P-O.

— OK, OK, c'est correct. Sers-moi ce que tu veux. Du poisson, si t'en as.

Dix minutes plus tard, mon coanimateur dépose devant moi une assiette tout en couleurs.

— *Insalata di calamari alla griglia.*

— Chouette, des calmars grillés. J'adore ça !

Encore plus quand ils sont servis en salade avec de la roquette et des tomates cerises confites. Le tout arrosé d'une belle vinaigrette. À l'huile d'olive italienne, bien entendu !

— Et un petit verre de pinot *grigio* pour madame, ajoute-t-il en versant du vin blanc dans mon verre.

Et il y va plutôt généreusement.

— Eille, eille, pas trop, là !

— Bah… t'es pas en congé, toi, aujourd'hui ? Profites-en donc.

— C'est vrai, dans le fond. Merci, t'es fin !

— Qu'est-ce que je ferais pas pour ma collègue préférée, hein ?

Oups ! Et dire que je suis venue ici pour lui annoncer qu'il… qu'il quoi, exactement ? Qu'il devient deuxième, finalement.

J'essaie de savourer ma salade, mais je n'y arrive pas. J'ai l'estomac complètement noué. Et s'il m'en voulait à mort et qu'il quittait l'émission ?

Le mieux, c'est de lui annoncer ça graduellement. Et non tout de go comme j'en ai l'habitude.

Bip !

Mon cellulaire annonce l'arrivée d'un texto. Le nom de l'expéditeur n'est pas affiché, il n'y a qu'un numéro de téléphone que je ne reconnais pas. Je m'empresse de lire le message.

« C'est pas beau de texter au volant, ma pitoune. »

Hein ? Qui peut bien être au courant de mon infraction ? Quelqu'un qui me connaît bien puisqu'il m'appelle « ma pitoune » ! Bon, pas de panique, Charlotte. Tu rappelles au numéro inscrit sur ton écran et tu convaincs cette personne, qui qu'elle soit, de fermer sa trappe.

Je m'exécute illico. Mon interlocuteur répond dès la première sonnerie en se nommant.

— Paul-André Desrosiers, salut, ma pitoune !

Ah non ! Non, non, non et non ! Pas lui ! Pas encore le journaliste à potins le plus célèbre du Québec !

— Salut, Paul-André.

— Comme ça, Charlotte, les pubs de la SAAQ, ça t'atteint pas pantoute, toi ?

— Écoute, je sais pas ce qu'on t'a raconté, mais…

— Essaie pas, ma pitoune, les sources de mononcle sont très fiables. J'ai pas des contacts seulement dans le *showbiz*, j'en ai dans la police aussi.

Je connais assez Paul-André pour comprendre que je ne pourrai pas lui en passer une petite vite. Mieux vaut négocier tout de suite.

— Tu vas pas écrire ça, hein?

— Ça dépend.

— Qu'est-ce que tu veux?

— *Toutte*!

— Comment ça, *toutte*?

— Ben oui, *touttes* tes scoops : ton premier bébé, ta première chicane avec P-O, la visite de ta maison.

— J'ai pas de maison.

— Pas grave, la visite de ton appartement. Pis tout le reste, ta nouvelle carrière de chanteuse, ta conversion au judaïsme.

— Hein?

— Ben oui, si ça arrive un jour. Ou ta conversion au crudivorisme.

— Ça, y a pas de danger. Moi, l'alimentation vivante…

— Bon, on a-tu un *deal*, ma pitoune?

— Ouin, ouin. J'ai-tu le choix?

— Non… Fait qu'on se parle bientôt?

— Oui, oui, je te fais signe si j'ai du nouveau dans ma vie.

— Oublie-moi pas, là.

— Non, non, t'inquiète.

Je raccroche sans plus de façon en me disant qu'il serait grand temps que j'engage un agent. J'avale une bonne gorgée de vin avant de replonger dans ma salade.

Une heure plus tard, P-O s'assoit à mes côtés, pose une assiette de pintade devant lui et un dessert en verrine devant moi.

— C'est quoi?

— *Panna cotta* aux griottes et gelée de chardonnay.

— Miam !

P-O interpelle Soraya, sa serveuse, qui essuie des coupes à vin derrière le bar. Il lui demande de lui verser un verre de Barbera d'Asti, avant d'attaquer son plat qui semble absolument délicieux.

La jeune femme, une mulâtre d'une beauté raffinée, lui fait un grand sourire plein de sous-entendus au passage. À mon grand étonnement, P-O reste impassible et continue d'afficher un air professionnel. Ma surprise n'échappe pas à mon coanimateur.

— Quoi ? Qu'est-ce qu'il y a ? me demande-t-il.

— Rien, rien, dis-je en souriant de façon espiègle.

Inutile de lui confier que ça me fait drôlement plaisir de constater qu'il semble s'assagir. Ça ne peut être qu'une bonne chose pour Mini-Charlotte.

— Tu veux un autre verre, Charlotte ?

— Non, non, merci… J'ai une décapotable à ramener à Ugo. Mais je prendrais bien un cappuccino.

— Mais non, on ne boit pas de cappuccino après le repas. Les cappuccinos, c'est pour le matin seulement. Soraya, sers-lui donc un espresso, s'il te plaît.

— Bon, bon, comme tu veux. Toi pis tes traditions italiennes.

— C'est vous autres qui savez pas boire le café.

Habituée à me faire rabrouer par P-O quand je commets une impardonnable hérésie culinaire italienne, je laisse passer. Je plonge ma cuillère dans la petite verrine rosée. Comme tous les desserts qu'il cuisine, c'est divin.

— De quoi tu voulais me parler, Charlotte ?

— Euh…

Plus facile à dire qu'à faire, finalement.

— C'est par rapport au *show* ?

— Hum, hum.

Pour gagner du temps, je lui donne quelques nouvelles en rafale avant de tomber dans le vif du sujet.

— J'ai parlé à Denise. Justin est *out*.

— Parfait. On va faire plus de cuisine.

— Exactement. Mais on veut garder Martine.

— Ben oui. Est trop bonne.

— Et puis je viens d'apprendre qu'Aïsha a démissionné.

— Ah bon.

— On lui a offert une job à Québec. Elle déménage là-bas.

— Tant mieux pour elle.

— C'est tout ce que ça te fait?

P-O dépose sa fourchette, prend une grande gorgée de vin et reste silencieux pendant de longues secondes.

— C'est beaucoup mieux comme ça. Pour elle, pour moi. Et pour toi.

— Comment ça, pour moi? C'est mon amie, ça fait pas mon affaire pantoute.

— T'es certaine? Ça paraît que tu t'es pas vue au bureau, toi!

— Qu'est-ce que tu veux dire?

— T'étais tellement stressée quand tu me parlais, ç'avait pas de bon sens. T'avais toujours peur qu'elle arrive, qu'elle soit fâchée. C'était lourd pas à peu près.

— Ben voyons donc, c'était pas si pire que ça!

— Insoutenable, je te dis.

Je réfléchis aux paroles de P-O et je réalise qu'elles sont vraies en grande partie. Pendant toute la saison, j'étais sur le qui-vive au bureau et je me sentais terriblement coupable de bien m'entendre avec mon partenaire. Et de prendre plaisir à travailler avec lui.

Oui, j'en ai terriblement voulu à P-O. Tout d'abord de ce qui s'est passé entre lui et moi il y a maintenant deux ans. Ensuite d'avoir trompé mon amie. Mais je lui ai pardonné. Parce qu'il faut bien passer par-dessus un jour et que tout n'est jamais ni tout à fait noir, ni tout à fait blanc. Il existe toujours des zones grises dans nos histoires de vie.

Et aussi parce que je sens une certaine complicité entre nous deux. Beaucoup de choses nous réunissent. L'amour de la bouffe, la passion pour la télévision et maintenant… Mini-Charlotte. Oui, l'amitié avec P-O, j'y tiens.

— T'as peut-être raison, finalement, P-O.

— C'est sûr que j'ai raison. L'ambiance va être bien meilleure, tu vas voir.

— J'imagine.

— C'est tout ? Tu voulais juste me parler de ça ?

Je décide à l'instant de ne pas aborder le sujet du titre de l'émission et de réfléchir à trouver une solution pour inclure nos deux noms.

— Oui, oui. Mais il va falloir trouver une autre styliste.

— Yep !

— Ça te dérange pas si je m'en occupe ?

— Mais non, je te fais confiance, Charlotte.

Tous les deux, on termine notre repas en silence. Difficile de l'avouer, mais je ne peux pas m'empêcher de ressentir un sentiment de soulagement. Oui, tout ira mieux maintenant.

Je me lève pour quitter le restaurant. P-O me suit pour me raccompagner jusqu'à la porte. Je me tourne vers lui pour le saluer.

— Et tu sais quoi, Charlotte, dit-il en s'approchant pour me faire la bise, maintenant, ça va peut-être être possible de former une véritable équipe, toi et moi.

P-O me lance un regard intense que j'ai peine à décoder, se rapproche encore plus et pose une main dans le bas de mon dos. Je sens un frisson parcourir tout mon corps. Il me donne deux longs bisous sur les joues, m'offre de revenir manger à son resto quand je veux et s'éloigne pour retourner en cuisine.

J'ouvre la porte et je sors prendre l'air pour chasser toutes les images coquines qui viennent de me passer par la tête.

16

L'hyperdécantation est une technique innovatrice
permettant de réveiller les arômes du vin
en moins de soixante secondes.

— *N*on, mais vous n'allez pas me coller un putain
de p.-v. ! Vos panneaux, on n'y comprend
que dalle !

Debout derrière Boris, j'observe la scène avec beaucoup d'amusement. Tellement typique ! J'aurais voulu
inventer cette scène-là que je n'aurais pas fait mieux.
Trop occupé à engueuler l'agente qui remplit un constat
d'infraction à son intention parce qu'il a stationné dans
une zone interdite, mon ami français ne m'a pas vue.

J'ai donné rendez-vous à Boris pour l'apéro dans
un petit bar sympa du quartier latin. C'est en arrivant
à destination que je suis tombé sur lui.

— Les explications sont très claires, monsieur,
mentionne l'agente.

— Claires ? C'est ce que vous appelez « claires » ?
ajoute Boris en se retournant pour montrer du doigt
trois panneaux de signalisation affichant des informations différentes.

C'est à ce moment-là qu'il m'aperçoit, et le sourire lui revient immédiatement.

— Charlotte! s'écrie-t-il en se précipitant vers moi.

— Salut, Boris!

Il me serre dans ses bras et m'embrasse sur les deux joues, pendant que l'agente en profite pour filer après avoir glissé le billet d'infraction sous les essuie-glaces de la voiture de Boris.

— Ça me fait vraiment plaisir de te revoir, dit-il en reculant pour mieux m'observer.

Sans aucune gêne, il me détaille des pieds à la tête.

— Dis donc, t'es encore plus belle qu'avant, toi.

— Flatteur!

C'est vrai qu'aujourd'hui je suis assez fière de mon image. Tout d'abord, je sors de chez mon coiffeur adoré, ce qui est toujours un plus pour mon allure et mon moral. Ensuite, je porte une tenue neuve. Finalement, j'ai sorti mes sandales noires à talons hauts, avec une attache scintillante à la cheville.

Pour jouer le jeu, je tourne sur moi-même, faisant virevolter la jupe de ma robe rétro. Cet après-midi, je suis tombée amoureuse de cette robe *charcoal*, tirée tout droit du placard de Betty dans *Mad Men*.

— Le look *vintage* te va à ravir!

— Merci… t'es fin!

Boris se retourne pour vérifier si l'agente est toujours là. Il aperçoit la contravention sur le pare-brise de sa voiture et s'en empare brusquement.

— Bordel! Je stationne, je m'assois à la terrasse du café et qu'est-ce que je vois, cinq minutes plus tard? Les pervenches. Bel accueil!

— Mais Boris, veux-tu bien me dire ce que tu fais avec une auto à Montréal? T'aurais dû te déplacer en métro ou en taxi, ç'aurait été beaucoup plus simple.

— Je sais bien! J'ai dû louer une bagnole pour la journée. Un ami m'avait invité dans son spa au bord de la rivière, tu vois.

— Quelle rivière?

— Richelieu, je crois.

— Ah, c'est chouette.

Boris me fait l'air typique du Parisien blasé. Pendant un instant, mon cœur se serre… Il me rappelle tellement Maxou.

— C'est qui, cet ami-là ? Je le connais ?

— Je crois pas, non. C'est un Français qui a tout plaqué il y a trois ou quatre ans. Il s'est installé au Canada pour lancer son *business*. Du coup, il a acheté une auberge à laquelle il a ajouté un spa.

— Ah oui, il y en a de plus en plus, des Français, dans l'hôtellerie au Québec.

— Et tu vois, j'ai voulu y aller en train. Mais quel bordel, vos transports !

— Bon, bon. Assez bitché contre mon pays. On va s'asseoir ? dis-je en prenant le billet pour le remettre sous les essuie-glaces. On ne souhaite quand même pas en avoir un deuxième, non ?

— Ouais, je suis installé là-bas, au fond, dit Boris.

Il me laisse passer devant lui et met une main dans mon dos pour me guider. Exactement comme le faisait Maxou. Nouveau pincement au cœur. J'espère que je ne passerai pas la soirée à me morfondre en pensant à celui qui est toujours théoriquement mon mari. Petit à petit, j'en suis venue ces derniers mois à ne plus songer à lui constamment. Mais la blessure est encore bien sensible, je viens de le constater.

— Et c'était bien, le spa, au moins ? dis-je en m'asseyant sur la petite chaise bistro que Boris vient de tirer pour moi.

— Bof… si seulement il avait invité des nanas.

— Pff… macho. T'es venu ici pour faire un reportage ou pour te trouver une blonde ?

Ou un mec, plutôt, me dis-je.

— Mais c'est quoi, cette putain de question ? Pour le boulot, bien sûr. Moi, les relations à distance, tu vois…

Un léger malaise s'installe entre nous. J'ai tout à coup très envie de lui demander si Maxou va bien. Le problème, c'est que je ne suis pas certaine de pouvoir vivre avec une réponse positive.

— Qu'est-ce que tu veux boire, Charlotte ?

— Un pichet de sangria, ça te tente ?

— Sangria ? Moi, tu sais, noyer le vin dans le jus de fruits…

— Bon, bon, très bien. Un verre de rosé.

Boris commande un verre de vin pour moi et un pastis pour lui. De vraies boissons d'été. Décidément, j'adore les printemps chauds. Nous ne sommes qu'à la Journée des patriotes et on se croirait en juillet. Je sais, je ne devrais pas me réjouir du réchauffement de la planète, mais la vie est tellement plus facile quand on n'a pas à se camoufler sous d'épais vêtements pas toujours avantageux.

Boris me parle avec enthousiasme de son nouveau travail qui l'amènera à faire des reportages partout dans le monde. Wow ! *La* job de rêve qu'il a dénichée là ! Je ne savais pas que Boris était photographe professionnel, encore moins qu'il était doué au point de se faire engager par le plus renommé des magazines de plein air.

Mon ami français a des yeux noirs d'une profondeur peu commune. Je pense que c'est ce qui m'a intimidée au départ. Ce regard perçant qui scrute le fond de votre âme. Et cet air hautain qu'il affiche pour se donner de l'assurance.

— Et toi, Charlotte ? T'es heureuse d'être de retour chez toi ?

— Oui, oui, ça s'est vraiment bien passé, mon émission à la télé.

Boris prend ma main droite dans la sienne et l'examine sous toutes les coutures en la caressant tranquillement. Perplexe, je le laisse faire.

— Eh bien… on ne croirait pas que tu as subi des brûlures au deuxième degré.

Je retire ma main pour la regarder à mon tour. En effet, les petites rougeurs qui témoignaient encore de mon accident ont maintenant complètement disparu.

— Comment tu sais ça, toi, pour l'explosion? C'est Max qui t'a raconté ça?

— On l'a appris en même temps.

— Comment ça?

— Ouais, on dînait tranquille chez L'Ami Jean, tu connais?

— Oui, oui, on y allait souvent. Mais attends, il m'a raconté que c'est Camille qui le lui a dit. C'est pas vrai?

— Si, si, c'est elle. Elle dînait avec nous.

Tout à coup, je n'y comprends plus rien. Qu'est-ce que faisait Boris avec Maxou et sa collègue? Quelque chose m'échappe. Devant mon air interrogatif, mon ami s'explique.

— Max nous avait invités à les rejoindre, mon frère et moi.

— Je savais pas que t'avais un frère.

— Ouais, en fait, c'est mon demi-frère. Et comme il a l'âge de Camille, Max espérait bien que, tu vois...

— Il voulait matcher Camille?

— Euh... matcher?

— Matcher, tu vois? dis-je en collant mes deux index ensemble.

— Voilà. Et c'est ce qui s'est produit.

— Ben voyons donc, j'en reviens pas!

Surpris par ma réaction et mon ton légèrement explosif, Boris sursaute.

— Et pourquoi donc? me demande-t-il.

— Parce que j'étais certaine que Max couchait avec Camille.

— Je pense, Charlotte, que tu te fais des films. Pour Max, Camille est comme une petite sœur.

— Tu crois?

— J'en suis convaincu. D'autant plus qu'elle a un polichinelle dans le tiroir.

— Un quoi?

— Elle est enceinte.

— Ahhhh, c'est donc bien *cute* comme expression, dis-je en souriant.

Je m'empresse de sortir mon iPhone pour noter cette façon si mignonne d'annoncer qu'on attend un bébé. Je veux juste être certaine de m'en souvenir le jour où j'en aurai besoin pour moi-même.

— Bon, excuse-moi, dis-je en reposant mon téléphone sur la table, devant un Boris dubitatif.

— T'es pas enceinte, toi aussi?

— Mais non, qu'est-ce que tu vas chercher là? Je notais pour m'en rappeler, c'est tout.

— Ah bon.

— De toute façon, je vois pas trop comment je pourrais tomber enceinte avec le désert qu'est ma vie sexuelle en ce moment.

Oups! Je n'avais pas l'intention de faire des confidences intimes à Boris, mais c'est sorti tout seul. Et puisque j'ai commencé, pourquoi ne pas me laisser aller et sortir toute ma frustration?

— Depuis mon retour, il n'y a eu personne. À part cet imbécile de médecin qui m'a caché qu'il était marié.

— Oh, c'est pas du joli.

De repenser à Antoine me met dans tous mes états. Je n'ai pas encore digéré la façon dont il m'a traitée. Je continue en haussant le ton.

— Non, mais tu te rends compte, Boris? Tu couches avec quelqu'un pendant des semaines, il t'emmène au resto, te fait des cadeaux. Il t'invite même dans ce que tu crois être son appartement. Puis paf, du jour au lendemain, t'apprends qu'il est marié et qu'il a des enfants.

— Ouais, c'est dur.

Boris semble légèrement gêné tout à coup. Il regarde autour de lui pour voir si les autres clients assis à la terrasse nous observent. Moi, je m'en fous complètement. Ce ne sont pas eux qui ont été trompés et blessés dans leurs âmes.

Il tente de me calmer en posant une main sur mon épaule. Je me dégage immédiatement de son étreinte.

— Non, mais comment tu veux que je fasse confiance aux hommes, maintenant ? C'est toujours eux qui ont le beau rôle. Comme Max. Pendant que moi, je me morfonds ici, lui, là-bas, je suis convaincue qu'il se tape des nouvelles filles toutes les semaines.

Boris se lève subitement et m'incite à faire de même.

— Allez, hop. On y va.

— C'est ça, hein ? Il fait la grosse vie, mais tu veux pas me le dire !

— Charlotte, s'il te plaît, allons dîner.

— On a même pas fini nos verres.

— On s'en fout !

Je me lève à regret, consciente que j'ai mis Boris dans l'embarras avec ma minicrise. Parce que c'était une toute petite scène de rien du tout. Pas de quoi en faire un plat. Imaginez ce qui serait arrivé si j'avais fait une vraie crise… Il n'est pas fait fort, le Boris.

Je me dirige vers la sortie quand j'entends une voix de femme m'interpeller.

— Charlotte… Charlotte Lavigne ?

Je me retourne et j'aperçois une dame de l'âge de maman, qui me sourit. Elle est assise seule à une table, un Bloody Ceasar devant elle.

— Euh… oui ?

— Bonjour.

— Bonjour.

— J'aime beaucoup votre émission. Vous êtes très bonne.

— Merci, madame.

Je m'apprête à repartir quand elle me fait signe de m'approcher. Je me penche pour entendre ce qu'elle veut me dire.

— Vous savez, faut pas vous inquiéter avec les hommes. Moi aussi, j'en ai connu, des salauds, avant de rencontrer mon mari. Et là, on est ensemble depuis vingt-trois ans.

— Félicitations, dis-je en me redressant.

— Moi, à votre place, je lui ferais payer cher, à votre médecin.

Je souris, mais je ne suis pas certaine de trouver la situation très agréable. Me faire donner des conseils par une dame que je n'ai jamais vue de ma vie me met très mal à l'aise. D'autant plus que je suis convaincue qu'elle va décrocher le téléphone en entrant chez elle pour tout raconter à ses amies.

— Excusez-moi, on m'attend.

Pour bien appuyer mes propos, je regarde du côté de Boris, qui se tient debout un peu en retrait, affichant un air impatient. Ce dont la dame semble se ficher royalement. Elle me prend la main pour m'inciter à me pencher de nouveau vers elle.

— Mais pourquoi vous ne sortez pas avec le chef ? Il me semble que vous feriez un beau petit couple, tous les deux.

Non, mais de quoi je me mêle ? En quoi ça la regarde, mes amours ? Si j'accepte facilement les critiques des téléspectatrices sur mon look à la télé, il en va autrement de ma vie privée.

Oui, je lis religieusement les courriels qu'elles m'envoient pour me dire que ma robe était trop sexy, mon maquillage trop voyant, mes cheveux trop « Barbie »... Tout ça, c'est du domaine public. J'estime que ça vient avec le statut, mais quand elles me disent qui fréquenter, je décroche.

Mais je garde tout ça pour moi et je continue de sourire hypocritement.

— D'ailleurs, poursuit la dame, j'étais certaine que vous étiez avec lui.

— Non, non, pas du tout. Pierre-Olivier est un bon ami, c'est tout.

— En tout cas, avec lui, vous auriez des bons soupers tous les soirs. Pensez-y.

— Charlotte, tu viens ? me souffle Boris, que je n'avais pas senti approcher.

Sauvée par mon ami, je salue la dame, qui ne manque pas de me rappeler de bien réfléchir à sa proposition.

Une fois sur le trottoir, je pousse un soupir d'exaspération. Boris, lui, me regarde d'un air amusé.

— Tu la connais ?

— Non, pantoute ! C'est une téléspectatrice. Et parce qu'elle m'a vue à la télé, elle pense que ça lui donne le droit d'agir comme ma mère.

— Charmant…

— Ouais, elle a entendu notre conversation et elle a cru bon de me donner des conseils sur ma vie amoureuse.

Boris déverrouille les portières de sa banale intermédiaire, m'ouvre la porte pour que je monte à bord, en la refermant doucement derrière moi. Il attrape la contravention sur son pare-brise, s'installe au volant et se tourne vers moi.

— Eh bien, moi, si j'étais toi, j'apprendrais tout de suite à fermer ma gueule.

Je sais que Boris a raison, mais j'ignore si de mon côté je suis capable d'être aussi sage. Et si j'en ai vraiment envie.

— Un jour, poursuit-il, tu vas te mettre dans le pétrin. Et solidement, si tu veux mon avis.

Et sans plus de façon, Boris démarre en pestant contre cette putain de voiture américaine qui est lente comme un escargot.

***

— Bon, il doit être assez froid, maintenant.

Au grand dam de Boris, j'ai mis au congélateur la bouteille de Ruinart qu'il m'a offerte quand nous sommes arrivés à l'appartement.

— On ne met pas un champagne au congélo, mais sur la glace, a-t-il clamé.

Le problème, c'est que mon bac à glaçons était vide et qu'il était hors de question d'attendre des heures que la bouteille refroidisse au réfrigérateur pour la boire. Ici et maintenant, telle est ma devise en matière de champagne.

D'autant plus que, si j'avais écouté Boris, je n'aurais pas bu le délicieux nectar avant une semaine, question de respecter son temps de repos après son voyage en avion. Eh bien, moi, je considère que deux jours de repos c'est suffisant.

Je sors la bouteille et la tends à Boris pour qu'il l'ouvre. J'apporte deux verres et une assiette de petites bouchées : rillettes de truite au basilic sur des croûtons à l'huile d'olive ; salade de pommes, raisins muscats et noix de pin grillées, servie dans de petites cuillères asiatiques ; et pailles au parmesan et thym.

Pendant quelques instants, on savoure nos bulles en silence. Je ne connais pas meilleur moment de détente que celui de l'apéro. Surtout quand on est chez soi et qu'on peut envoyer valser nos sandales à talons hauts dans un coin, comme je le fais à l'instant.

Dans ma vie de rêve, je bois du champagne et je mange des amuse-gueule différents tous les soirs avec mes amis. La soirée commence tout en douceur et l'apéro s'éternise pour laisser place à un souper qu'on cuisine tous ensemble – sous ma supervision et mes ordres, bien entendu. Ou bien à une sortie au resto. Et elle se termine dans les bras de mon amoureux-futur-père-de-mes-enfants.

Je soupire d'envie, ce qui n'échappe pas à Boris.

— Tout va bien ?

— Tout va trèèèèès bien !

Je reprends une autre gorgée, que j'accompagne d'une petite bouchée de salade. Divin, le mariage !

— Mais j'y pense, Boris. Avec tout ça, t'as pas répondu à ma question.

— Laquelle ?

— Celle sur Max.

— Ah, écoute, je sais pas, moi, ce qu'il fait, Max, dans sa vie privée.

— Ben voyons donc!

— Je t'assure.

— Tu dois bien avoir une idée, non?

Il hausse les épaules comme s'il ne savait pas vraiment, mais j'insiste.

— Oui, mais tu dois bien l'avoir vu avec une autre femme?

Boris réfléchit quelques secondes en se grattant la mâchoire. Ce qui me plaît moins chez mon ami français, c'est sa pilosité. Il semble assez poilu, merci. Et moi, j'ai toujours détesté les poils. D'ailleurs, il faut que je parle à Sylvie, mon esthéticienne, pour les traitements au laser.

Mais si je commence l'épilation maintenant, ça signifie que je n'aurai pas les moyens de m'offrir le cours que Sylvie m'a proposé de suivre. Celui pour atténuer les rides d'expression. Il me faudra choisir.

Ma gentille esthéticienne, qui est aussi celle de maman, a piqué ma curiosité en me disant que j'avais beaucoup de rides d'expression, mais que je pouvais apprendre à «les contrôler».

J'ai tout d'abord été très surprise d'apprendre que j'étais ridée. À trente-quatre ans! Mais en y regardant bien, je me suis aperçue que, tout autour de mes lèvres, on voyait des mini-minirides.

«C'est parce que vous souriez beaucoup», m'a informée mon esthéticienne. Jusque-là, rien de bien grave, ai-je pensé. Je ne m'empêcherai pas d'être joyeuse pour autant! Pas question de suivre ce cours bidon qui coûte 140 dollars.

Mais c'est quand elle m'a montré une photo de ce dont je pourrais avoir l'air dans dix ans que j'ai reconsidéré ma position. L'image montrait le bas du visage d'une fille avec d'énormes rides tout autour de la bouche.

«Je ne peux pas vous dire qui elle est, mais elle faisait la météo à la télé, donc elle souriait beaucoup. Et c'est ce qui lui est arrivé.»

J'ai fixé la photo en silence pendant de longues secondes, complètement catastrophée. Sylvie m'a ensuite expliqué que le but du cours était d'apprendre à être expressive avec son regard. « On appelle ça sourire par les yeux », a-t-elle précisé avant de me faire une démonstration.

Elle m'a jeté un de ces regards intenses, tout en gardant le visage complètement figé. J'avoue que cela ne m'a pas vraiment convaincue.

C'est pourquoi j'hésite à me livrer à de telles pratiques. Ah, si seulement je pouvais en parler à une amie… Bon, je pourrais toujours appeler Aïsha, mais elle doit être dans les boîtes par-dessus la tête, elle qui a emménagé dans son nouvel appartement de Québec hier.

Son départ a été si rapide que j'ai encore peine à y croire. D'autant plus qu'elle a refusé que je l'aide à déménager.

Elle m'a affirmé que ce n'était pas nécessaire puisqu'elle avait engagé des gars qui viennent de fonder une nouvelle compagnie de déménagement : les Costauds gentlemen. Et qu'elle comptait sur eux pour faire tout le travail. Oui, mais j'aurais pu l'aider quand même ! « Mais non, tu vas être dans leurs jambes », m'a-t-elle répondu.

Tout ça m'a rendue un peu triste, et Aïsha est partie sans même qu'on se dise vraiment au revoir. Une autre déception dans ma vie !

— Eh bien, non.

La voix de Boris me ramène au moment présent.

— Non, quoi ?

— Non, je n'ai pas vu Max avec une autre femme. Pas au sens où tu l'entends. C'est ce que tu voulais savoir, non ?

— Euh, oui, oui… Mais je te crois pas, Boris. Tu le protèges, c'est correct, je comprends. Je ferais pareil avec une amie.

— Et pourquoi je le protégerais ? Vous êtes séparés, non ? Il peut bien faire ce qui lui plaît.

Là, j'avoue qu'il vient de marquer un point. Mais Maxou, sans aucune femme dans sa vie depuis des mois, je ne peux pas y croire.

— Ouin, mais c'est peut-être parce que tu l'as pas vu beaucoup ces derniers temps ?

— Au contraire, on va boire un verre quelques fois par semaine.

— Juste tous les deux ?

— Pas forcément, non. Parfois, d'autres potes se joignent à nous.

— Que des mecs ?

— Mais pourquoi toutes ces questions, Charlotte ? Ça sert à quoi de te faire du souci comme ça ?

— Je veux savoir, c'est tout.

Boris soupire avant de me répondre qu'il arrive que, oui, des amies soient au rendez-vous.

— Bon, ben, c'est ça que je disais. Il sort avec plein de femmes.

— Mais non ! Tu mélanges tout. On prend un pot entre amis, mais je ne crois pas qu'il ait une femme dans sa vie. Et puis t'as qu'à lui téléphoner et lui demander toi-même, bordel !

Son ton exaspéré ne me surprend pas. Qu'est-ce qu'ils peuvent être bêtes, ces Parisiens, quand ils s'y mettent ! Bêtes, mais pas méchants. Il faut juste savoir les prendre.

— OK, OK, je lâche prise ! Excuse-moi.

— Non, c'est moi. Je suis encore un peu *jet-lagged*.

— Sur le décalage horaire, tu veux dire.

Là, je n'ai pas pu m'en empêcher. Boris ne relève pas ma remarque et entame une paille au parmesan. Je poursuis :

— Et toi, ta vie amoureuse, t'as eu une nouvelle copine depuis Béatrice ?

Boris, qui s'apprêtait à mordre à nouveau dans son hors-d'œuvre, suspend son geste.

— Tu veux bien ne plus jamais prononcer ce prénom-là devant moi, s'il te plaît ?

Et le voilà qui engouffre d'un coup le reste de sa paille au parmesan. Béatrice est cette chipie parisienne qui a été la première blonde de Maxou quand il était tout jeune. Vingt ans plus tard, elle est devenue la copine de Boris. Le problème, c'est qu'elle a fréquenté Boris dans l'unique but de se rapprocher de Maxou et de briser mon mariage. Je ne le lui ai jamais pardonné. Boris non plus, visiblement.

— Excuse-moi, je ne savais pas que c'était encore un sujet délicat. Mais sinon t'es toujours célibataire ?

— Oui et c'est parfait comme ça. J'en ai rien à foutre, d'une nana qui ne veut que contrôler ma vie.

— Ben voyons donc ! On n'est pas toutes comme ça !

— Un jour ou l'autre, si, forcément.

— Et selon toi, les gars, vous êtes mieux ?

J'adore ces joutes verbales. Uniquement sur des sujets que je maîtrise, dois-je préciser. Ne me parlez pas de participer à un débat sur les prochaines élections présidentielles en Égypte. Mais quand on parle des vraies affaires, comme les relations homme-femme, j'aime bien mettre mon grain de sel. Et avec Boris, les discussions ont toujours été enflammées.

— Nous ne vous surveillons pas nuit et jour.

— Nous non plus.

— Mais si. Vous êtes des *control freak*, ça fait partie de votre nature, c'est comme ça.

— Pff, pas vrai pantoute !

— Allez, Charlotte, sois franche, toi-même, tu…

Bon, j'ai été assez patiente avec mon interlocuteur. Il est temps de lui montrer de quel bois je me chauffe. Je me lève pour me donner plus de prestance. Toutefois, sans mes chaussures, je trouve l'effet beaucoup moins réussi.

— Parce que tu penses que je suis comme ça ?

— Non.

— Bon, voilà une parole sensée.

— Je ne le pense pas, je le sais.

— Eille! Tu sais rien du tout! J'ignore ce que Max t'a raconté, mais il exagère. Je suis pas une *control freak*, OK?

Je me sens maintenant attaquée personnellement et je sais que je dois surveiller mes paroles, question de ne pas déraper. Après tout, Boris est mon invité.

— D'accord, te fâche pas. J'arrête, je ne dis plus rien...

Il détourne le regard et je l'entends ensuite murmurer: «... si tu refuses de l'admettre.» Là, c'en est vraiment trop! Les Parisiens m'ont fait la morale tout le long de mon séjour chez eux, ils ne me la feront pas ici, parole de Charlotte Lavigne!

— Tu sais, Boris, si tu nous trouves trop contrôlantes, nous les filles, t'as juste à sortir avec un gars!

Un lourd silence s'installe dans la pièce. Même le nouveau CD de Mes Aïeux, que j'avais fait jouer pour initier Boris à notre musique, s'arrête à ce moment-là. Mais penser que Boris va rester dans l'embarras longtemps, c'est bien mal le connaître.

— Non, mais tu déconnes! Tu me vois, moi, avec un mec? Jamais! Tu t'enlèves ça de la tête tout de suite.

Il se lève en me demandant où est la salle de bain. Je lui indique du doigt la deuxième porte à gauche. Il s'y rend et je l'entends dire: «Non, mais c'est quoi, ce délire?»

Je souris intérieurement en pensant qu'il en fait beaucoup trop. Et comme dit l'adage, trop, c'est comme pas assez.

***

— Charlotte, c'est moi! Je t'apporte ton gigot!
— Ah, génial! Merci!

Ugo entre dans l'appartement en coup de vent, avec une belle pièce de viande emballée dans du papier de boucherie. Dommage pour lui, mais Boris et moi, on vient tout juste de terminer le champagne.

Je l'embrasse sur les deux joues après lui avoir arraché le gigot des mains et l'avoir rapidement détaillé des pieds à la tête. Ugo est depuis toujours un très bel homme. Mais ce soir, il est spectaculaire.

Jeans noir Parasuco à jambe étroite, t-shirt de la même couleur avec une légère encolure en V et dont les manches encerclent parfaitement ses biceps fermes, ceinture en cuir au look vintage, et tennis design Hugo Boss en cuir noir. À son poignet, il porte la nouvelle montre suisse de luxe que j'ai moi-même aperçue tout à fait par hasard sur eBay, il y a dix jours.

Une véritable aubaine! Impossible de passer à côté. J'ai donc fait disparaître en douce la vieille montre que portait Ugo depuis que je le connais. Avouez qu'il était grand temps qu'il la change!

Quand il m'a annoncé la nouvelle de la perte de son bijou, je lui ai suggéré innocemment de magasiner pour lui. Et je lui ai trouvé la montre parfaite. Une pure merveille avec son boîtier en acier, son cadran bleu nuit et son bracelet en cuir.

Mais comme je savais qu'il ne voudrait jamais acheter un accessoire à 2 000 dollars, je lui ai dit qu'elle coûtait 1 000 dollars. Et même là, j'ai eu toute la misère du monde à le convaincre de me donner sa carte de crédit pour que je puisse conclure la transaction.

Je lui ai servi tous les arguments possibles. Tout d'abord, il a cet argent à la banque. Ensuite, c'est un bon investissement pour la vie. Finalement, il le mérite après tout ce que lui a fait subir Justin. Exaspéré par mon insistance, Ugo a fini par céder.

Et je suis très fière de moi, puisque la montre lui va à ravir et qu'il l'adore. Bon, reste le léger problème du coût, mais je lui dirai que c'est une erreur de PayPal et qu'il est impossible de récupérer la somme.

— Tu te souviens de Boris? dis-je à Ugo.

— Oui, bien sûr. Comment vas-tu?

Ugo se tourne vers Boris, qui se lève pour aller lui serrer la main. J'observe sa réaction, mais son visage est plutôt neutre. Les gars échangent des banalités pendant que je m'éclipse dans la cuisine pour aller préparer mon plat principal.

Je déballe avec soin la viande, qui arrive directement d'un producteur charlevoisien. Magnifique! Je vais servir mon agneau au romarin avec des têtes de violon sautées au beurre et une purée de légumes-racines, soit des navets, des patates douces et du panais.

En première entrée, ce sera de belles asperges du printemps, accompagnées de fines roulades de saumon fumé au fromage de chèvre frais aux fines herbes. En deuxième entrée, j'ai préparé un gaspacho de tomates jaunes, avec une garniture de crevettes nordiques.

Et pour dessert, j'ai cuisiné des petits pots de crème à l'érable avec un croustillant aux pommes. Un menu entièrement québécois, tel que je l'ai promis à Boris. Tout est prêt, sauf le gigot et les têtes de violon. Et, bien entendu, il y en a pour trois!

— Ugo, tu soupes avec nous? dis-je en retournant au salon, où mes deux amis se tiennent encore debout.

— Euh, ben, je veux pas déranger.

— Mais non, c'est une chouette idée, renchérit Boris.

— Ben oui, reste donc, Boris a apporté un super bordeaux qui va très bien s'harmoniser avec l'agneau.

— Charlotte, je t'ai expliqué qu'on ne peut pas boire immédiatement un vin qui a voyagé en avion.

— Ben oui, je sais ça depuis longtemps. Mais ça fait deux jours que tu es arrivé. Il va être correct, j'en suis certaine.

Boris pousse un soupir de découragement avant de jeter un œil à Ugo, qui hausse les épaules en signe de reddition. Boris comprend qu'il n'a pas d'autre choix que de céder, mais il me supplie de bien le carafer. Deux fois plutôt qu'une.

Toute contente, je retourne à mes chaudrons, non sans avoir demandé à Ugo de venir ouvrir une bouteille de blanc qu'on boira avec les entrées. Il s'exécute et en verse trois verres. On trinque tous les deux et je le renvoie subito presto au salon avec Boris et la bouteille.

Je fouille dans mes armoires à la recherche d'une carafe à vin. En théorie, elle devrait être rangée avec les verres, mais je ne la trouve pas. Pourtant, il me semble bien en avoir acheté une, l'autre matin, quand j'ai fait une razzia à La Passion du vin pour garnir ma verrerie. Ahhh non… Je me souviens, maintenant, je l'ai enlevée de mes achats quand la vendeuse m'a annoncé le montant de la transaction : 275 dollars.

C'est que, le matin même, j'avais vérifié le solde disponible sur ma Visa et il s'élevait à 237 dollars. Et comme la carafe coûtait 45 dollars...

J'ai préféré garder ce dont je ne pouvais pas me passer : douze verres à vin blanc, douze autres pour le rouge et douze verres à *shooter*. Tout ça en prévision de mon *mégaparty* d'anniversaire.

Bon, me voilà mal prise. Qu'est-ce que je pourrais bien faire pour éviter que Boris me chicane ? Dommage que j'aie cassé celle d'Ugo la semaine dernière, j'aurais pu simplement descendre chez lui la chercher.

Et si j'essayais ce truc que j'ai entendu récemment à la radio ? Comment ça s'appelait, déjà ? Ah oui, l'hyperdécantation. Humm, je ne suis pas certaine. Ça m'a semblé un peu grotesque. Pourtant, le scientifique avait l'air bien certain de sa théorie, et l'émission que j'écoutais était diffusée à une chaîne on ne peut plus sérieuse. Je décide de faire un petit essai et de vérifier après coup.

Je me penche pour aller récupérer l'accessoire de cuisine qui pourra m'aider à aérer le bordeaux de Boris. Je déplace les appareils qui encombrent mon armoire du bas : autocuiseur, moulin à épices, robot culinaire, balance de cuisine, et je tombe finalement sur l'objet convoité. Mon mélangeur !

Eh oui, semble-t-il que la meilleure façon d'aérer un vin, c'est de lui faire faire un petit tour dans un bon vieux *blender*. Ça lui permet de développer tous ses arômes et d'aller chercher le maximum de saveurs. D'un seul coup! Enfin, c'est de cette façon que l'expliquait le scientifique.

Je dépose mon outil sur le comptoir de la cuisine et je le nettoie avec un chiffon propre. Mon mélangeur est tout ce qui me reste de mon ancienne vie de cuisinière. Le seul accessoire dont je n'ai jamais voulu me départir. Il me rappelle trop de bons souvenirs.

«Tiens, ma princesse, c'est pour toi. Ton premier accessoire de cuisine.»

J'avais treize ans quand papa m'a offert ce mélangeur pour moi toute seule. «Maintenant que c'est toi, la cuisinière de la maison, tu mérites d'avoir les meilleurs outils», m'avait-il dit.

La veille, le vieux mélangeur de maman avait rendu l'âme pendant la préparation de mon potage au brocoli. Trop orgueilleuse pour servir une soupe pleine de mottons, je l'avais remplacée par une conserve de crème de champignons. Et je m'en étais excusée mille fois auprès de papa.

Mon mélangeur est peut-être beige, vieux et poussiéreux, mais je ne m'en séparerais pas pour tout l'or du monde. Même s'il lui arrive de faire de drôles de bruits et de s'emballer. L'important, c'est de le surveiller.

Je débouche la bouteille de vin et j'en verse tranquillement la moitié dans mon petit électroménager. J'enfonce le bouton indiquant la vitesse 1 et je reste plantée devant le mélangeur qui fait son travail. Je le laisse s'activer trente secondes. J'arrête le tout et je vérifie le résultat. Si je me souviens bien, une légère mousse doit s'être formée et on n'a qu'à attendre quelques minutes pour qu'elle se dissipe.

Humm… Il n'y a guère de mousse sur mon vin rouge. Pas très efficace, tout ça. Je réessaie, mais cette fois, à la vitesse maximale. Ce qui, je me rappelle maintenant, faisait partie des indications.

J'observe attentivement le travail quelques instants, et tout semble aller pour le mieux dans le meilleur des mondes. J'en profite donc pour sortir mon assiette d'asperges déjà cuites du frigo, afin qu'elles ne soient pas trop froides au moment du service.

En refermant la porte du réfrigérateur, j'entends le bruit caractéristique de mon mélangeur qui commence à s'emballer. Bon, il est temps de l'arrêter. Je m'approche rapidement de l'outil de cuisine qui vibre de plus en plus d'une drôle de façon. Je m'apprête à l'arrêter quand, tout à coup, je vois le couvercle de plastique se soulever légèrement sous l'effet de la pression. Noooooooooon !

D'une main, j'appuie sur la fonction arrêt et, de l'autre, je maintiens en place ce fichu couvercle qui menace de sauter. Je retiens mon souffle quelques instants jusqu'à ce que j'entende le bruit du moteur mourir lentement. Fiou ! Je l'ai échappé belle.

Je soulève le couvercle et je regarde à l'intérieur du bocal. Ahhh… Voilà la belle mousse que je cherchais ! Satisfaite, je replace grossièrement le couvercle sur le dessus du mélangeur et je cherche mon verre de vin des yeux.

J'ai besoin d'une bonne dose d'alcool pour chasser toute ma tension. Je vide d'un trait ce qui reste de Menetou-Salon dans ma coupe. Et je vais ensuite la remplir au salon.

Mes deux amis discutent du nouvel emploi de Boris. Ugo, qui n'a pas beaucoup voyagé dans sa vie, semble l'envier. Je les écoute en m'affaissant lourdement dans mon vieux canapé rose et gris.

— Avec un commerce, et deux maintenant, j'ai pas eu beaucoup de temps pour voir du pays.

— Il n'est pas trop tard, non ?

— Non, en effet. C'est certain qu'un jour je vais partir faire le tour de l'Asie. Ça, je me le promets.

— Ça fait tellement longtemps que t'en rêves, dis-je d'un ton plutôt pâteux.

Le champagne et le vin m'ont monté légèrement à la tête, et toute cette histoire de mélangeur m'a stressée. Et je sens que, dans très peu de temps, je vais avoir la nausée.

— Ça va, Charlotte ? me demande Ugo, un peu inquiet.

— Oui, oui, tout est beau. Peut-être un peu trop de champagne, c'est tout.

— Tu veux un peu d'eau ? s'enquiert à son tour Boris.

— Bonne idée, dis-je en faisant mine de me lever.

— Non, tu restes là. J'y vais.

— Ah, t'es fin. Merci.

Boris s'éloigne vers la cuisine et j'en profite pour jeter un regard complice à Ugo. Il hoche légèrement la tête, l'air de dire que tout va bien, et ça me fait chaud au cœur.

— Les verres sont dans l'armoire à droite de l'évier, Boris.

— Très bien. Hé, t'as un machin identique à celui qu'on avait à la maison quand j'étais gosse, me dit-il depuis la cuisine.

— Quel machin ?

— Ton truc, là, le mélangeur.

— Ouais, c'est un cadeau mon père.

— C'est du solide, hein ? Comment il fonctionne déjà ? Ah oui, ici.

Mes sens sont soudainement en alerte. J'oublie mon état, je me lève d'un bond et je m'écrie :

— Touches-y pas !

Et c'est là que j'entends le bruit du mélangeur qu'on enclenche, suivi de tous les jurons français imaginables.

***

Une heure plus tard, on déguste tranquillement notre entrée d'asperges et de saumon fumé au chèvre, que j'ai servie sur des mini-ardoises. Un peu de calme après la tempête. Après avoir subi une engueulade en bonne et due forme pour avoir commis ce que Boris a appelé « un sacrilège », j'ai couru à la SAQ acheter un bordeaux hors de prix. Boris, en fait, était beaucoup plus fâché que j'aie « gaspillé » son vin que d'avoir été éclaboussé.

Pendant ce temps, Ugo a emmené Boris chez lui pour lui prêter un t-shirt et faire tremper sa chemise, heureusement noire.

À bien y penser, ce petit épisode n'aura pas été inutile, si j'en juge par le début de complicité que je sens entre mes deux amis. Depuis qu'ils sont remontés, Boris ne cesse de dire à quel point il rêve d'avoir un appartement aussi grand et aussi design que celui d'Ugo.

— Moi, je le trouve un peu froid, son appart ! Et pas très convivial pour les enfants.

Ugo me lance un regard à la fois interrogateur et anxieux. Je profite du fait qu'il ne peut pas parler parce qu'il a la bouche pleine pour continuer sur ma lancée.

— Même que je trouve que c'est dangereux. Ta table de salon en verre, par exemple, des plans pour qu'un enfant qui marche à quatre pattes se crève un œil. Les bouts sont tellement pointus.

— Est-ce que t'as des enfants dans ton entourage ? demande Boris à Ugo.

— Mais pas du tout, je sais pas pourquoi elle parle de ça.

— Parce que, moi, je vais en avoir un jour !

— Et alors ?

— Ben, c'est évident ! Si t'as le même genre d'appart, ils pourront pas aller chez leur oncle Ugo.

— T'exagères un peu. Et puis, à ce que je sache, t'es pas rendue là.

— Ouais, renchérit Boris, faudrait peut-être que tu te trouves un mec avant.

En silence, j'avale une gorgée de vin et je réfléchis à tout ce qui me passe par la tête depuis quelques jours.

Au début, je croyais que mon idée était farfelue, voire complètement insensée. Mais plus j'y pense, plus je crois qu'au contraire elle est pleine de bon sens.

Je prends une seconde gorgée de vin et je me lance. Je regarde Ugo droit dans les yeux.

— Si tu gardes les mêmes meubles, ça voudrait dire qu'il ne pourra pas aller chez… chez… chez papa Ugo.

Mon ami laisse échapper sa fourchette dans son assiette avec fracas. Il reste silencieux de longues secondes, les yeux posés sur la table. Je m'en veux, maintenant, de lui avoir balancé ça, sans aucune préparation et devant un invité en plus, mais il était temps que je lui en parle.

À cause de tous mes échecs amoureux, j'ai envisagé un plan B si je voulais avoir des enfants un jour. Et c'est là que j'ai eu un éclair de génie. Le papa idéal, je l'ai devant moi tous les jours. Et c'est mon ami Ugo. Après tout, nous nous entendons si bien. Je suis convaincue qu'on ferait des parents formidables, tous les deux.

Et puis on conserverait chacun notre liberté. Nous pourrions avoir une garde partagée et assumer chacun notre part financière. En fonction de nos revenus respectifs, cela va de soi. Et avouez que c'est pratique, des parents qui vivent dans le même duplex.

Mais au-delà de toutes ces considérations terre à terre, je suis persuadée que cet enfant-là serait aimé inconditionnellement. Et que ses parents, bien qu'atypiques, lui donneraient toutes les chances d'avoir la meilleure vie possible.

Ugo n'a toujours pas levé les yeux de son assiette. À ma gauche, Boris ne souffle mot, lui non plus. Visiblement mal à l'aise, il fixe un cadre sur le mur, faisant semblant d'être fasciné par la photo d'un chat qui lit assis à un pupitre.

— Pis? Qu'est-ce que t'en penses?

— Euh, je vais vous laisser quelques minutes, annonce Boris.

— Tu veux aller vérifier ta chemise? propose Ugo en lui offrant ses clés. Ce sera pas long.

— Prends ton temps, répond Boris.

Je suis de plus en plus sur le qui-vive. Ça veut dire quoi: ce sera pas long? J'y entrevois une réponse autant positive que négative.

La porte de l'appartement se referme derrière Boris. Ugo se lève et me demande de le suivre au salon. Il s'assoit sur le sofa, et moi en face de lui. Il m'indique de venir le rejoindre. Bon ou mauvais signe? Je ne sais trop.

Il m'enlace tendrement et j'enfouis ma tête dans le creux de son épaule. C'est quand il commence tout doucement à me caresser les cheveux que je comprends que la partie est perdue d'avance.

— Je savais que tu allais me demander ça un jour… mais c'est non, Charlotte.

— Pourquoi? Me semble que ce serait parfait.

— Tu sais bien que les enfants, ça me branche pas.

— Oui mais ce serait pas pareil avec le tien.

— Regarde, je sais que ça te fait de la peine, mais c'est pas possible. Faut que t'oublies ça.

Non, je ne veux pas oublier ça! Même si je m'attendais un peu à sa réaction, il faut que j'essaie encore, que je sorte toutes les cartes de mon jeu, tous les arguments possibles. Je me lève la tête pour le regarder dans les yeux.

— Oui, mais tu serais tellement un bon papa.

— Je crois pas, non.

— Oui, je te dis. T'as tout ce qu'il faut. T'es sensible, humain, compréhensif, patient. Et t'es pas égocentrique pour deux sous.

— Insiste pas, Charlotte, ça sert à rien.

Faisant totalement fi de ses commentaires, je me lève pour poursuivre ma tirade.

— En plus t'es super organisé, tu t'arranges bien financièrement, pis t'as plein de REER.

— C'est pas une raison.

— Mais oui! Toi, tu lui apporterais la stabilité, le côté raisonnable. Pis avec moi, il développerait son côté créatif, émotif. On se compléterait super bien!

— Non, Charlotte.

— Penses-y deux minutes. Peut-être qu'on aurait un petit garçon avec des beaux grands yeux comme les tiens, des cils fournis, pis…

— Charlotte, arrête!

Ugo se lève à son tour et fait quelques pas vers la porte d'entrée. Je l'attrape par le poignet et l'implore du regard.

— S'il te plaît. Tu le regretteras pas, je te le jure.

— Ahhh… Je savais que ça se passerait comme ça, dit-il en perdant un peu patience. Depuis que t'es revenue de Paris que j'appréhende ce moment-là.

— Ben voyons… Comment ça?

— T'es pas la seule fille à vouloir un bébé avec son meilleur ami, Charlotte. Je connais ben des gars à qui c'est arrivé.

— Tu vois? C'est parce que c'est une bonne idée.

— Non, c'est pas une bonne idée, Charlotte, pas du tout. Pis si ça continue, ça va bousiller toute notre amitié.

— Non, non, je veux pas ça.

— Dans ce cas-là, tu parles plus jamais d'avoir un enfant ensemble.

— Ouin…

— Tu me le promets?

— …

— Charlotte?

— OK, OK. Promis.

Je retourne m'asseoir sur le canapé. J'attrape un coussin que je presse contre mon ventre en me berçant doucement. Je sens les larmes me monter aux yeux. Ugo me regarde, l'air attristé.

— Je suis désolé.

— Ben non, c'est correct. Va rejoindre Boris maintenant, j'aimerais ça être toute seule.

— T'es sûre ? Tu veux pas qu'on remonte ? Ton agneau, lui ?

— Bof. Demain, OK ?

— OK. Je vais lui dire.

Avant de partir, mon ami me serre tendrement dans ses bras. Ça me console un peu, mais je ressens quand même un grand vide. Je m'efforce de lui sourire.

— Vas-y, là !

— T'es certaine, hein ?

— Hum, hum. Profites-en, je pense qu'il est prêt.

— Veux-tu que je te dise ? Il est plus que prêt.

J'éclate d'un rire un peu triste et je le regarde partir avec envie. J'imagine *la* baise du siècle qu'il va se taper avec Boris. Tout oublier dans les bras d'un homme, c'est exactement ce dont j'aurais besoin ce soir.

Je tourne en rond de longues minutes dans mon appartement, en réfléchissant aux conséquences du geste que je m'apprête à faire. Ah ! Et puis merde ! Si on ne peut plus s'amuser dans la vie…

Je prends mon iPhone et je compose un numéro que je connais désormais par cœur. F&%$! Le répondeur. Je laisse un message.

— Salut, c'est Charlotte, rappelle-moi s'il te plaît, j'ai quelque chose à te demander.

Je raccroche et je reste les yeux fixés sur mon cellulaire, à me demander si je souhaite réellement que P-O me rappelle.

***

— Ugo, c'est moi ! Réveille-toi, je veux tout savoir sur ta soirée d'hier ! C'était-tu aussi bon que tu l'imaginais ?

Je viens à peine de mettre les pieds dans l'appartement de mon ami que je le vois sortir en trombe de sa chambre, en finissant de nouer sa robe de chambre.

— Chut ! m'ordonne-t-il en refermant doucement la porte derrière lui.

— *Oh my God !* Il a dormi ici ?

— Oui, répond-il tout bas en m'entraînant vers la cuisine.

— Ouin… Ça s'est bien passé à ce que je vois ?

Ugo ignore ma question. J'en profite pour prendre sa cafetière italienne dans l'armoire et la remplir d'eau.

— Charlotte, je pense pas que Boris serait très content de tomber sur toi en se levant. Tu veux bien revenir plus tard ?

— Non.

— *Come on.*

— Ben non. Va le voir, dis-lui que je suis là et demande-lui de rester couché jusqu'à ce que je parte, après mon café. Comme ça, il va penser que je sais pas qu'il est ici. Tu vois, c'est facile.

Ugo soupire, mais s'exécute aussitôt. Pratique, un ami qui se sent coupable parce qu'il a refusé de vous faire un bébé il y a moins de douze heures !

Aussitôt qu'il revient, maintenant vêtu d'un jeans et d'un t-shirt bleu délavé, je verse du café dans deux tasses noires étincelantes de propreté.

— Pis ? dis-je en chuchotant.

— Il sortira pas de la chambre, c'est certain, dit-il tout aussi bas. Et il m'a fait promettre de ne rien te dire. Il ne veut surtout pas que Max l'apprenne.

— Hum, hum.

— T'as compris, Charlotte ?

— Ben oui, je suis pas sourde. De toute façon, ça fait un bail que je ne lui ai pas parlé, à mon mari.

— Et toi, hier ? T'as pas trouvé la soirée trop longue ?

— Change pas de sujet, Ugo Saint-Amand ! C'est de toi que je veux parler.

— Pas si fort !

Ugo détourne le regard pour le poser sur le *Globe and Mail* auquel il est abonné. Je n'ai jamais compris pourquoi mon ami lisait un journal torontois

– ouache! –, mais il m'a expliqué que les nouvelles économiques y sont plus complètes. Double ouache!

Ugo a beau essayer de ne rien laisser paraître, mais tout son corps le trahit. Ses épaules plus détendues, son sourire en coin, ses yeux pétillants… C'est clair qu'ils ont eu beaucoup de plaisir.

— C'était-tu la première fois qu'il couchait avec un gars?

— C'est pas de tes affaires.

— Ahhhhh, je le savais! Tu l'as dépucelé!

— De quoi tu parles? Boris était pas vierge.

— Bah, tu sais ce que je veux dire… dépucelé avec un gars. En tout cas, c'est comme ça qu'ils appelaient ça dans l'article que j'ai lu.

Ugo me regarde avec un air interrogateur.

— Ben oui, ils disaient que c'était un des dix fantasmes gais.

— N'importe quoi!

— Me semble, oui!

— Tu veux des toasts? me propose Ugo en s'éloignant pour sortir son grille-pain hyper design en inox.

Je le suis à la trace, tout en continuant de parler derrière son dos.

— Vous avez fait ça où? Ici? Est-ce qu'il était nerveux? Ç'a duré longtemps? Est-ce que vous avez fait la totale?

Ugo se retourne subitement.

— La totale? Est-ce que j'ai bien compris ce que tu me demandes?

Son ton autoritaire, auquel je ne suis pas habituée, m'intimide légèrement.

— Euh… Je veux juste savoir. C'est tout. Juste comme ça, pour parler.

Ugo roule des yeux avant de placer deux tranches de pain de seigle dans son toasteur. À la fois vexée et déçue, je termine mon café sans poser plus de questions.

— Et toi, qu'est-ce que t'as fait de bon? me demande-t-il.

— Moi? Pas grand-chose. Mais j'ai failli faire une méchante gaffe.

— Comment ça?

Je lui avoue avoir appelé P-O en espérant obtenir un peu de réconfort.

— Du sexe, tu veux dire?

— Bon d'accord, du sexe. Mais heureusement, quand il a rappelé une heure plus tard, j'avais retrouvé toute ma raison. Et je n'ai pas répondu.

— Bravo!

— C'est que je venais de passer une heure avec Roger, ça m'a aidée.

— Roger? C'est qui, lui?

— Mon vibrateur.

17

Liste d'épicerie
Fête du 2 juin

*C*hez Ugo :
   boudin blanc au foie gras
   2 cuisses de canard confites
   médaillon de cerf pour tartare
   os à moelle
   sel casher
   moutarde au cassis
   olives au curry

À la poissonnerie :
   morue noire
   caviar de mujol
   tobiko
   ⚹ 4 homards vivants

À la charcuterie italienne :
   bresaola
   mascarpone

farine 00
fromage asiago
lupins
vinaigre balsamique blanc
huile d'olive sicilienne
pâtes cuoricini 6 couleurs
levure Bertolini
Note : m'enfiler un espresso pour le reste des courses

À l'épicerie espagnole :
chorizo
jambon serrano
safran
sobressada
Note : prennent pas Visa, s'en tenir à cette liste

À la fruiterie :
fraises de l'île d'Orléans
mini-aubergines blanches
poires cactus
grenadilles jaunes
marrons
coings
cantaloup
roquette
citrons bio
cèpes frais
asperges blanches
tomates sur vigne
betteraves rayées
pousses de daïkon

Au supermarché :
haricots blancs en boîte
eau pétillante Eska
fromage de chèvre
noisettes
liquide à vaisselle bio

À la SAQ :
~~3~~ ~~3~~ 3 bouteilles de Veuve Clicquot
6 bouteilles de vin rouge
6 bouteilles de vin blanc
1 bouteille de grappa

Autres trucs à acheter :
1 carafe à vin
10 petits plats à tapas en *terra cotta* comme ceux
du studio
serviettes de table : *What a nice girl like me doing
without a drink in her hand?*
glaçons en forme d'escarpins rouges
identificateurs à vin *Queen of everything*
chandelles « océan » pour la salle de bain
lampions rose et blanc
chandelles non parfumées pour le salon
confettis brillants en étoile
cuillères à salade en forme de cœur
gougounes « Jelly » en caoutchouc rose Michael
Kors pour la fin de la soirée

À la pharmacie :
vernis à ongles (même rose que les gougounes)
Advil extrafort

Invités :
Ugo
Papa
Maman
Marianne
Sa coloc ?
Martine
Son mari
P-O
Fille qui accompagne P-O (à confirmer)

Voilà ! Je viens de terminer la liste de mes invités ainsi que des achats que je dois faire pour la soirée de mes trente-cinq ans, qui aura lieu demain. Nous serons une dizaine dans mon petit appartement. J'aurais bien souhaité que Boris participe à la fête, mais il est parti faire son photoreportage.

Les thèmes de ma soirée d'anniversaire sont : l'Espagne et ses tapas, l'Italie et ses antipasti, et Charlotte et ses créations. Le plan de match : je fais les courses cet après-midi et je cuisine demain. Mais tout d'abord, je dîne avec maman, que je n'ai pas vue depuis des lustres.

Il y a maintenant une semaine qu'elle est revenue de New York, après avoir suivi une formation qui lui permettra de réorienter sa carrière. Ce que je ne comprends pas très bien, puisque la vie professionnelle de maman ne s'est jamais aussi bien portée. Mais elle a justifié son choix par un besoin criant de changement. Vraiment ? Si vous voulez mon avis, je soupçonne un homme de se cacher derrière tout ça.

***

Assise à un petit café de la rue Fleury, dans le nord de la ville, j'attends maman depuis vingt minutes. Non seulement elle me donne rendez-vous à mille lieues de chez moi, mais elle est en retard.

« Charlotte, il existe une vie en dehors du Plateau », m'a-t-elle sermonnée tout à l'heure au téléphone quand j'ai maugréé contre son choix d'endroit. Quelle remarque blessante !

Je sais bien que Montréal ne se limite pas à mon quartier, même si celui-ci me satisfait pleinement. Je dois toutefois avouer que j'ai bien aimé marcher dans les rues d'Ahuntsic tout à l'heure. Je me suis même surprise à rêver d'y avoir une belle grande maison un jour pour élever ma famille. Et un terrain au bord de l'eau, avec d'immenses arbres fruitiers.

Je feuillette distraitement le quotidien gratuit qu'on m'a donné tout à l'heure dans le métro. Je tombe sur la section «Emplois» et je pousse un soupir de découragement. Je dois absolument trouver un contrat pour les prochains mois, je n'ai plus le choix. Promis, je m'y mets dès lundi. Après le *party*. Quand j'aurai trente-cinq ans.

— Bonjour, ma chérie.

Je lève les yeux et j'aperçois maman. Je sursaute devant son allure pour le moins étrange en ce vendredi plutôt gris. Tout d'abord, elle porte un chapeau de paille aux larges rebords. D'un rose laqué avec un ruban rouge. Ensuite, ses yeux sont dissimulés derrière des lunettes fumées à monture blanche. Et elle est vêtue d'une robe lilas, agrémentée d'un foulard bariolé qui lui serre le cou. Un véritable arc-en-ciel ambulant. Je cligne des yeux pour chasser toutes ces couleurs éblouissantes.

— Bonjour, maman.

Je me lève pour l'embrasser et la serrer dans mes bras, mais son accueil est plutôt froid. C'est à peine si elle ose effleurer ma joue.

— Coudonc, t'es pas contente de me voir?

— Si, si, ma chérie.

Depuis quand maman utilise-t-elle cette tournure française? Ça y est, elle est tombée en amour avec un Européen! Et je suppose que ça va lui faire drôlement plaisir de me l'annoncer.

— Pourquoi t'es distante, alors?

— Je suis pas distante, Charlotte.

— Me semble, oui.

Toutes les deux, on s'assoit l'une en face de l'autre. Et contre toute attente, maman ne retire ni son chapeau ni ses verres fumés.

— Euh, maman, c'est parce qu'on est en dedans, là. Je pense que tu peux enlever tout ça.

Maman me regarde avec un sourire énigmatique. Elle est vraiment bizarre aujourd'hui! Son comportement m'énerve au plus haut point.

Dans un geste totalement théâtral, qui rappelle vaguement un *strip-tease*, elle dénoue tranquillement son foulard, soulève tout aussi doucement son chapeau pour finalement laisser glisser ses lunettes sur le bout de son nez avant de les déposer sur la table.

Oh. My. God ! Je suis sous le choc !

J'ai devant moi une Mado… dix ans plus jeune. Non, quinze ans plus jeune ! Ma mère n'a plus soixante-deux ans, mais quelque chose comme quarante-sept, quarante-huit. Elle a le visage parfaitement lisse, les pommettes saillantes, le regard plus grand, plus ouvert. Où sont passées ses paupières légèrement tombantes, ses rides sur le front et ses joues naturellement un peu flasques ?

— Puis ? Qu'est-ce que t'en penses ? me demande-t-elle tout en replaçant ses cheveux blond platine bouclés qu'elle a fait couper et qu'elle coiffe maintenant à la Marilyn.

— Ben, euh… C'est tout un changement. T'as eu quoi, exactement, comme chirurgie ?

— Bah, des petites retouches, toutes petites. Mais ça valait la peine, hein ?

Je dois avouer que les « retouches », comme elle les appelle, sont plutôt réussies. Pour qui ne connaît pas son âge véritable et ne l'a jamais vue avant aujourd'hui.

— Euh, si tu le dis.

— Ça fait partie d'une démarche que j'ai entreprise, Charlotte.

— Mais attends un peu, là. Donc t'étais pas pantoute en formation à New York ?

— Non, j'étais en Suisse pour mes… traitements.

— Tout ce temps-là ? Pendant plus de deux mois ? Ç'a donc ben été long ! T'as dû en subir, des opérations ?

— Bah, pas tant que ça, Charlotte, franchement. Et j'ai pas envie d'entrer dans les détails avec toi. Tu vas répéter ça à tout le monde.

— J'aurai pas besoin de le dire à personne. Excuse-moi d'être aussi directe, mais c'est évident que tu viens de passer sous le bistouri.

— Ben voyons donc, c'est super naturel.

— Bon, c'est vrai que ça fait pas trop figé, mais t'es plus la même personne, maman.

— Ah oui, à propos... dorénavant, Charlotte, tu m'appelleras Mado. Je veux pas que les gens sachent que j'ai une fille de trente-cinq ans.

Je me sens tout à coup terriblement triste, mais maman, elle, ne semble pas s'en rendre compte du tout et continue de jacasser. Non seulement j'ai une mère qui ressemble à une poupée Barbie, mais voilà qu'elle a honte de moi...

— D'ailleurs, joyeux anniversaire, ma chérie. Quand je pense qu'à cette heure-ci, il y a trente-cinq ans, je souffrais le martyre.

Je suis trop stupéfaite pour prononcer un mot, mais je n'en pense pas moins : « souffrir le martyre » ? Faut pas exagérer, quand même ! Donner la vie, c'est ce qu'il y a de plus beau, non ?

— Toi, poursuit-elle, tu peux pas savoir, t'as jamais accouché. Mais c'est loin d'être drôle, je te jure. Et puis ça prend des mois à perdre tous les kilos que t'as pris. D'ailleurs, je n'ai jamais complètement retrouvé ma taille.

Bon, voilà qu'elle va me tenir responsable de ses petits bourrelets. Tout ça est complètement injuste ! Qu'est-ce que j'ai fait au Bon Dieu pour mériter une mère pareille ?

Pourquoi n'ai-je pas eu une mère normale, avec les cheveux bruns courts, rondelette et vêtue sobrement ? Une maman qui m'aurait aimée inconditionnellement, comme moi je vais aimer mes enfants ? Hein ? Pourquoi ? Pourquoi ?

— Et puis, comme tu vas m'appeler Mado, je vais passer pour ton amie de fille !

Ah non, pas question ! Je passe subitement de la tristesse à la colère. Elle ne peut pas prendre ses responsabilités de mère une fois pour toutes ? Elle a une fille, une seule et unique fille, et elle veut la renier ! Je me lève subitement de ma chaise et j'empoigne mon parapluie aux couleurs du Québec, prête à partir.

— J'en ai, des amies de filles. Ce dont j'ai besoin, c'est une mère. Une vraie. Tu me feras signe quand tu seras prête à remplir ce rôle-là !

Je lui tourne le dos et je la laisse en plan avec le menu déjeuner qu'elle s'apprêtait à ouvrir. Juste avant de sortir du restaurant, je la regarde une dernière fois, les larmes aux yeux.

— Et puis tu sauras que c'est demain, mon anniversaire. Pas aujourd'hui !

Je poursuis mon chemin, retenant difficilement des larmes de rage ! Je marche en direction du métro quand j'entends des pas derrière moi.

— Charlotte, c'est quoi, ce comportement enfantin ? Je t'ai pas élevée comme ça, il me semble !

Je n'ai qu'une envie : me retourner et lui lancer en pleine face qu'elle a raison, puisqu'elle ne m'a jamais élevée. Mais je continue d'avancer en silence parce que je n'ai pas envie de commencer ma journée par une chicane. Et que je sais qu'une telle affirmation serait un peu injuste. J'ai parfois tendance à oublier que maman a été très présente les dix premières années de ma vie. Mais une fille a besoin de sa mère toute sa vie, n'est-ce pas ? Même à trente-quatre ans et trois cent soixante-quatre jours.

— Ahhhh, je suis désolée, j'étais certaine qu'on était le 2 aujourd'hui.

En plus, elle s'excuse pour la chose qui m'a le moins dérangée ! Se faire souhaiter bon anniversaire à l'avance, ce n'est pas la fin du monde, mais se faire désavouer comme fille, ça l'est ! Je continue de m'éloigner.

— Dommage, j'avais un cadeau pour toi.

Ne fléchis pas, Charlotte ! Elle ne veut que se faire pardonner avec une stupide babiole à 3 dollars !

— J'en veux pas.

— Ça m'étonnerait que tu dises ça quand tu vas l'avoir vu. Tu passeras plus inaperçue quand tu te promèneras dans la rue.

Oups! Là, j'avoue qu'elle vient de piquer ma curiosité. Je m'arrête d'un coup sec et je me retourne. Maman n'a rien d'autre dans les mains que son affreux sac à main Bodhi argent en accordéon. Bon, encore une attrape!

— Regarde de l'autre côté de la rue, me demande-t-elle.

Intriguée, je m'exécute, mais je n'y vois rien d'autre que la façade d'une petite boutique d'articles culinaires.

— Je vois rien.

— Regarde plus à gauche, Charlotte.

J'obéis et je vois des bacs à récupération au bord de la rue, une fourgonnette bourgogne et une autre banale voiture familiale. Puis je l'aperçois. Mon cœur cesse de battre. Pendant quelques secondes, je vacille tellement je suis stupéfaite. Puis je ressens une immense joie. Je me tourne vers maman, dans un état d'excitation totale.

— T'as pas fait ça?

Maman sourit, plonge la main dans son sac et en ressort une clé, accrochée à un porte-clés en forme de fouet de cuisine.

— Joyeux anniversaire, ma chérie!

Tout émue, je prends la clé des mains de maman. La clé du bonheur, la clé de l'aventure, la clé de ma nouvelle voiture. Une Coccinelle décapotable… rose. Comme celle que possédait ma Barbie quand j'étais enfant. Oh, que je vais faire fureur dans les rues de Montréal!

18

Les gais ont de ces idées, parfois…

*B*on, ce n'était pas un cadeau à 100 %. Maman m'a bien précisé qu'elle assumait les paiements mensuels sur ma voiture pour l'été. Après ce sera à moi de m'en occuper puisque, selon elle, je vais « finalement gagner ma vie honorablement ». Je suis encore surprise de ce cadeau. Elle est difficile à suivre, ma mère. Pendant des années, elle m'a offert des ensembles de savon et de bain moussant achetés à la pharmacie et, l'an dernier, ô surprise, elle a payé mon mariage. Pour mes trente-cinq ans, c'est un char rose. *WTF !*

Quoi qu'il en soit, je suis aux anges ! Ma nouvelle amie est géniale. J'ai roulé tout l'après-midi et une partie de la soirée, un grand sourire aux lèvres. Je suis allée d'un magasin à l'autre pour faire les achats prévus sur ma liste et, chaque fois que je garais mon auto, je sentais des regards se poser sur elle… et sur moi. J'ai même demandé à un client qui sortait de l'épicerie espagnole de me prendre en photo devant ma Coccinelle. Je l'ai ensuite envoyée à mon journaliste à potins préféré, respectant ainsi mon engagement de lui raconter ce qu'il y a de neuf dans ma vie.

Maintenant que j'arrive à la maison, j'ai trop hâte de montrer mon auto à Ugo, ce que je n'ai pas pu faire aujourd'hui quand je suis passée à la boucherie, puisqu'il était chez un fournisseur. Ensuite, je souperai d'un *lobster roll* acheté à la poissonnerie, un des rares mets préparés auxquels je ne peux résister. Et je me coucherai tôt pour être en forme demain.

Je gare mon petit bijou devant le duplex de mon ami et j'entre en coup de vent chez lui.

— Ugo! Viens voir ce que maman m'a donné.

Je cours dans l'appartement en me disant que je vais en profiter pour lui demander de monter mes mille et un sacs chez moi. J'entre dans le salon. Personne. Ni dans la cuisine.

— Ugo, t'es où?

Je retourne sur mes pas et je constate que la porte de sa chambre est fermée. Bizarre. Est-ce qu'il serait déjà couché, à 20 h 30? Si c'est le cas, il est sûrement malade. Je cogne doucement.

— Ugo, t'es là?

— Non, il n'est pas là.

Surprise par cette voix d'homme que je ne connais pas, je m'éloigne de la porte. Comme si l'individu en question allait me sauter dessus. Mais je me ressaisis rapidement. Je cogne à nouveau, avec plus de force cette fois-ci.

— Qui êtes-vous? Que faites-vous chez mon ami?

— Pas de tes affaires, dit l'homme à la voix chaude, avec un léger accent que je n'arrive pas à reconnaître.

— Comment ça, pas de mes affaires? Ugo ne laisse jamais personne seul chez lui, à part moi. Fait que habillez-vous si vous l'êtes pas, mais moi j'entre dans la chambre.

— Charlotte, va-t'en!

Hein? L'homme n'est pas seul. Et la voix que je viens d'entendre, c'est bien celle de celui que je ne pensais plus voir ici de toute ma vie.

— Justin! Qu'est-ce que tu fais là? Il est où, Ugo?

Aucune réponse. Tout à coup, je suis terriblement inquiète. Qu'est-ce que Justin fait avec un autre homme dans le lit d'Ugo? Est-ce qu'ils ont repris sans que je le sache? Et Justin s'est déjà remis à le tromper? C'en est trop, je dois savoir.

Je tourne la poignée et je m'aperçois que la porte est verrouillée de l'intérieur. Eh merde! Je regrette maintenant toutes les fois où je suis entrée dans la chambre de mon ami sans cogner, ce qui l'a poussé à installer un crochet.

— Justin, laisse-moi entrer.

— Non. Va-t'en! Tu vas gâcher la surprise.

— Ah bon, parce qu'il ne sait pas que tu es ici?

— …

— Dans ce cas-là, je vais l'appeler pour le lui dire.

Je sors mon téléphone de mon sac et, juste au moment où je m'apprête à composer le numéro d'Ugo, la porte s'ouvre sur un Justin légèrement paniqué. Et vêtu d'une simple serviette qu'il finit de nouer autour de sa taille. Il se tient devant la porte qu'il a refermée, me bloquant l'accès à la chambre.

— Fais pas ça, Charlotte, s'il te plaît!

— Pourquoi je me gênerais? T'as rien à faire ici. J'avais dit aussi à Ugo de changer sa serrure.

Je retourne à mon cellulaire quand Justin pose sa main sur la mienne.

— Écoute-moi au moins, m'implore-t-il.

— Bon, OK. C'est qui, ce gars-là?

— Un ami.

— Je comprends rien à ton histoire, Justin. Tu t'amènes ici avec un amant dans quel but exactement?

Justin soupire et me regarde d'un air découragé.

— C'est pas mon amant. C'est pour Ugo.

— Hein?

— Regarde, je veux juste lui faire plaisir, OK?

— Eille, tu me prends pour une conne ou quoi? Qu'est-ce que tu fais tout nu?

— Taba%&#$, Charlotte! Faut-tu que je t'explique tout de long en large?

— Oui. Parce que je te crois pas! T'es rien qu'un menteur, pis tu vas encore me dire que c'est à cause de ta maladie, l'autodestruction.

— Ç'a rien à voir.

— Contente de te l'entendre dire. Alors je répète ma question: pourquoi t'es tout nu chez Ugo?

— Bon, tu veux le savoir, tu vas le savoir. Le gars, c'est un Latino sur qui Ugo fantasme depuis longtemps. C'est mon cadeau pour lui. Et moi, je vais me contenter de les regarder en...

— OK, OK, *time out*! Je veux pas en savoir plus.

— Pis après ça, j'espère juste qu'Ugo va me pardonner et comprendre que je l'aime vraiment.

Je mets quelques secondes à bien saisir le plan de Justin.

— Ayoye! C'est tordu, ton affaire!

Tordu ou désespéré? Je ne sais trop quoi en penser. Quoi qu'il en soit, il ne me viendrait jamais à l'esprit d'offrir une fille sur un plateau d'argent à un ex-amoureux avec qui je veux me réconcilier! Les gais ont de ces idées, parfois...

— Ben non, je suis certain qu'il va être content. Depuis le temps qu'il en rêve. Si tu l'avais vu, un soir qu'on est sorti dans le village tous les deux et qu'Alejandro était là, il se...

— Arrête de me donner des détails.

— Ben là, branche-toi. Tu veux savoir ou tu veux pas savoir?

— Je veux pas TOUT savoir. Me semble que c'est clair.

— Non, c'est pas très clair.

C'est toujours le même problème quand vient le temps de parler de la sexualité de mon ami. Je suis partagée entre l'image intacte que je veux garder de lui – celle d'un frère – et ma curiosité.

— Le Latino, il est si beau que ça?

Justin me lance un regard qui veut tout dire.

— Je pourrais peut-être le saluer? Ce serait plus poli, tu trouves pas?

— OK, répond Justin en poussant un soupir, mais après tu dégages. Ugo ferme la boucherie dans vingt minutes.

Justin demande à Alejandro de se vêtir convenablement. Je lui souffle : « Pas trop, quand même. » Il ouvre ensuite la porte et me voilà devant un des plus beaux hommes que j'aie vus de toute ma vie.

Alejandro est debout, devant le lit, vêtu uniquement d'un jeans noir. La moue boudeuse, les lèvres pulpeuses, le regard ténébreux et les cheveux ébène, légèrement bouclés. Ça, c'est pour le visage. Le corps maintenant : la peau lisse et brillante, des pecs comme je les aime, fermes et légèrement musclés, des bras tout aussi invitants et un petit tatouage celtique sur le bras, identique à celui d'Ugo. Wow ! Ah oui, j'oubliais : une délicate chaîne en argent au cou avec une petite croix. Trop sexy…

Pourquoi est-ce que personne ne m'offre un cadeau comme celui-là? Je le mérite, non? Intimidée et troublée, je fais un signe de tête à Alejandro, qui me sourit gentiment. Et je me repose la question : pourquoi ça ne m'arrive pas, à moi, hein? Je reste ensuite les yeux fixés de longues secondes sur l'objet de mon désir. Gai ou pas, je m'en fous.

— Charlotte? C'est beau, là? me demande Justin, me tirant de ma rêverie.

— Euh, oui, oui. Bonne soirée, dis-je à Alejandro.

Justin referme tout doucement la porte, pendant que je profite au maximum de l'image que j'ai sous les yeux. Il me guide ensuite vers la sortie de l'appartement. Encore sous le charme du bel étalon, je ne proteste même pas.

— Tu laisseras pas Ugo manquer ça, hein, Charlotte?

La question de Justin me ramène directement sur terre. C'est bien beau de s'envoyer en l'air avec le fantasme de sa vie, mais si c'est pour retomber dans les bras d'une personne malveillante comme Justin, alors là, pas question!

— Écoute Justin, je pense pas…

J'entends la porte de l'appartement s'ouvrir. Non, non, non… mais c'est bien ce que je craignais. Ugo entre et me jette un coup d'œil surpris.

— Ugo? T'as fermé plus tôt?

Mon ami ignore ma question et pose son regard sur Justin, et surtout sur la serviette blanche qu'il porte à la taille. Je peux lire tout le mépris du monde dans ses yeux.

— Je sais pas ce que tu fais ici, mais habille-toi, pis va-t'en.

— Laisse-moi t'expliquer, supplie Justin.

— Y a rien à expliquer, dit Ugo en passant à côté de son ancien amoureux comme s'il ne le voyait pas.

Justin me foudroie du regard avant de pourchasser Ugo dans l'appartement. Celui-ci fait comme toujours quand il arrive du boulot, il se rend directement à sa chambre avant d'aller prendre sa douche.

— Attends, dit Justin au moment où Ugo met la main sur la poignée.

Il ne l'écoute pas et ouvre tout grand la porte.

— Salut, Ugo.

Mon ami écarquille les yeux devant ce qu'il voit. Mais l'étonnement fait vite place à une sourde colère.

— Eille, t'es pas gêné, Justin Brodeur! J'en reviens pas!

— C'est pas ce que tu crois. C'est pas pour moi… c'est pour toi. Je te le jure, Ugo, je voulais te faire une surprise.

J'écoute la conversation et je suis stupéfaite. Justin parle d'Alejandro comme s'il était de la marchandise.

C'est à croire qu'il l'a payé… Ah ben oui, ça doit être ça…

Ugo semble encore sous le choc des paroles de Justin. Il se tourne vers moi, visiblement mal à l'aise.

— Charlotte, tu veux bien nous laisser, s'il te plaît?

Bon, c'est ça! Je vais manquer la meilleure partie de l'histoire. Je m'apprête à répliquer, mais le regard de mon ami m'en décourage. Efface-toi, Charlotte, tu ne gagneras pas, cette fois-ci! Je soupire et je pousse la porte extérieure. Puis je fais une dernière tentative.

— Oui, mais j'avais quelque chose à te montrer.

— Plus tard.

Déçue de ne pas avoir le plaisir de lui en mettre plein la vue avec ma nouvelle Coccinelle, je lui renvoie un air boudeur.

— En tout cas, oublie pas que c'est ma fête demain. Et j'aimerais ça que tu sois en forme.

C'est le mieux que j'ai pu trouver pour lui servir un genre d'avertissement. À contrecœur, je retourne à ma voiture pour prendre mes sacs d'épicerie et monter chez moi. Je répète le manège à trois reprises. Chaque fois, je m'approche de la porte d'entrée d'Ugo dans l'espoir d'y entendre quelque chose. Rien. Pas un bruit. Merde!

Une fois toutes mes provisions montées, j'attrape mon *lobster roll* et je l'engloutis debout, en regardant par la fenêtre qui donne sur la rue. Mon espoir, c'est d'y voir Justin et son «escorte» sortir de chez mon ami. Tout à coup, j'entends une porte se refermer. Bon, ça bouge! À mon avis, ils s'en vont. Bravo, Ugo!

Je m'approche encore plus de la fenêtre, j'ai trop envie de voir leurs airs piteux. Mais à ma grande surprise, un seul gars sort de chez Ugo. Et la bonne nouvelle, c'est que cet homme est Justin. Et, oui, il a l'air piteux. Bien fait pour lui!

J'observe mon ex-collègue qui traîne le pas sur le trottoir et les paroles d'Antoine me reviennent en tête: «Quand une personne nous parle de comportements autodestructeurs, on ne doit jamais prendre ça à la légère. » Et si Justin commettait une gaffe irréparable ? Je m'en voudrais toute ma vie.

Je tortille nerveusement une mèche de cheveux, tout en gardant les yeux fixés sur le vieux calorifère à eau chaude en fonte. Et en me disant qu'il faudrait bien que je fasse le ménage dans les factures et les vieux papiers qui traînent dessus. Tout à coup, j'aperçois un document qui, je crois, pourrait être fort utile à Justin.

Je m'en empare et je sors précipitamment de mon logement, à la poursuite de mon ex-collègue.

— Justin, attends !

Il se retourne et je sens que, s'il pouvait m'assassiner, il le ferait tout de go.

— Toi, là, t'es contente ? T'as eu ce que tu voulais.

— Eille ! C'est pas ma faute si Ugo a pas voulu que tu restes.

— Qu'est-ce que tu veux ?

— Te remettre ça.

Je lui tends le feuillet, il le regarde et lit tout haut :

— « Et si l'Académie internationale de l'âme changeait votre vie ? » C'est quoi, ces conneries-là ?

— C'est pas des conneries, je te jure. C'est notre réalisatrice qui m'a donné ça.

— Ta réalisatrice, tu veux dire.

— Ah oui, ils te l'ont dit ?

— Ouin, j'ai su ça que j'étais pas renouvelé. C'est l'*fun* en os&%# !

— Écoute, c'est pas ma faute. C'est juste que le *show* va être plus axé sur la cuisine, dorénavant.

— Vous gardez ben Martine ?

— Ouin, mais elle, c'est…

— Pis tu sais quoi, Charlotte ? Je m'en fous dans le fond. J'avais pas le goût pantoute de continuer à faire des chroniques sur les plantes.

— Bon, ben, tant mieux… Mais qu'est-ce que tu vas faire ?

— Je vais voir. Là, ils m'ont offert une chronique culturelle pour l'été à l'émission du matin.

— Ah, c'est chouette, ça. Je suis contente pour toi.

— Ouin, me semble.

Je ne réponds pas et je montre du doigt le feuillet qu'il tient à la main.

— En tout cas, Denise m'a dit que ça avait changé sa vie, ce truc-là. Tu devrais l'essayer.

— Eille, madame-je-sais-tout-mieux-que-tout-le-monde, laisse-moi donc tranquille.

Sans me saluer, Justin tourne les talons et je le vois avec satisfaction glisser le feuillet dans la poche de sa veste. Je retourne à mon appartement en m'interrogeant sur le sens des paroles de mon ex-collègue. Madame-je-sais-tout-mieux-que-tout-le-monde… Franchement, pour qui il se prend, cet imbécile ?

19

« Boire de l'alcool dans un spa n'est pas sécuritaire.
Le bain chaud a un effet déshydratant qui, conjugué
à l'alcool et au sentiment de détente, peut vous endormir.
Vous pourriez alors glisser et vous retrouver sous l'eau. Bref,
ne buvez pas d'alcool lorsque vous allez dans votre spa. »
Extrait du mode d'emploi du nouveau spa d'Ugo.

Je ne serai jamais capable ! C'est au-dessus de mes
forces. Carrément. Pauvres petits homards, je ne
peux pas leur faire ça !

Je dépose mon couteau de chef sur le plan de travail
et je me sers un verre d'eau, que j'avale d'un trait pour
reprendre mes esprits. Je regarde mes quatre crustacés bouger les pattes pour tenter de se replacer sur
le ventre. Ils sont encore bien vivants et je m'apprête
à les charcuter, à leur enfoncer un pieu en plein cœur.
Quel ignoble personnage suis-je donc ?

C'est pourtant bien indiqué dans la recette de
homard grillé : « Procédez à la découpe des homards
pendant qu'ils sont encore vivants. On coupe le
homard dans le sens de la longueur. »

Facile à dire quand les petites bêtes vous implorent
de les laisser en vie. Bon, vous allez croire que c'est
encore mon imagination, mais, moi, je les vois bien,
les signes de détresse chez les homards.

Je reporte l'opération à plus tard. Mieux, je n'aurai qu'à demander à P-O quand il arrivera tout à l'heure. En attendant, je vais faire prendre un bon bain à mes amis à pinces. Je remplis la baignoire d'eau fraîche et j'y plonge les crustacés. Voilà, c'est comme s'ils étaient dans la mer. Totalement libres pour quelques heures, avant le grand coup!

Je tire le rideau de douche blanc avec des petits poissons turquoise et vert lime. Satisfaite, je retourne en cuisine.

Il reste moins de deux heures avant l'arrivée de mes invités et je suis moi-même épatée par ma discipline. Presque tout est prêt! Même moi! À part griller les homards et quelques autres petits trucs, je n'ai plus rien à préparer. C'est formidable!

Je dois avouer que je me suis levée aux aurores, après n'avoir pratiquement pas dormi de la nuit. De un, j'étais beaucoup trop excitée par le *party* de ce soir. Et de deux, j'ai tenté d'écouter ce qui se passait chez Ugo jusqu'à tard. Mais pas un son, ce qui est tout à fait anormal. Je le soupçonne d'avoir effectué des travaux d'insonorisation dans sa chambre sans m'en parler.

Je jette un coup d'œil à mon gâteau blanc qui cuit au four. J'en ferai un délicieux *shortcake* aux fraises du Québec. Tout est sous contrôle de ce côté-là aussi. Je n'ai cuisiné qu'un dessert puisque P-O m'a promis d'apporter LE dessert le plus cochon qui existe. Plus cochon que mon *shortcake*? J'en doute! J'ai très hâte de voir de quoi il s'agit. Et puis je ne sais toujours pas s'il sera accompagné ou non. Mystère…

Je sens que ça va être une soirée torride! Tout d'abord à cause de la température qui, même si nous sommes encore au printemps, affiche 30 degrés Celsius. Ensuite parce que je suis en feu!

J'ouvre mon ordinateur portable qui traîne sur le comptoir et je consulte de nouveau mes messages sur les réseaux sociaux. Depuis le début de la journée, les vœux de bon anniversaire ne cessent de s'accumuler sur mon mur Facebook et sur mon fil Twitter. De vieux amis d'enfance, des connaissances du secondaire ou de l'université, ainsi que des téléspectatrices m'ont écrit. Parfois, je ne suis plus trop certaine de la catégorie à laquelle ils appartiennent. Un peu confondant, tout ça, mais tellement valorisant.

Quelques nouveaux messages sont inscrits sur mon mur Facebook. Je prends la peine de remercier sommairement mais chaleureusement chacun des expéditeurs. J'ai rapidement compris que, pour survivre dans la jungle de la télé, il me fallait être généreuse avec mes admirateurs. Et que ça se passait en premier lieu dans les médias sociaux. C'est pourquoi j'essaie d'être le plus active possible sur Facebook et Twitter. J'y livre juste assez d'infos perso pour que le public me trouve attachante sans que je dise tout de ma vie privée.

De Facebook, je passe à Twitter, où j'ai la surprise de découvrir un message d'Aïsha: «Bonne fête, Charlotte. Je te souhaite de trouver l'amour pour tes 35 ans. Moi rien de neuf, que le boulot, que j'adore toutefois. Bisous.»

Un message bref, comme l'exige Twitter. Une amitié maintenant vécue à cent quarante caractères, c'est ce qu'est devenue ma relation avec Aïsha, j'en ai bien peur. Je pousse un soupir, sans trop savoir si c'est de la tristesse que j'éprouve ou plutôt une sorte de résignation. Quoi qu'il en soit, je dois bien avouer qu'Aïsha me manque moins que je l'aurais cru. Son départ a certes créé un certain vide, mais sans plus. Et puis Ugo est là. Lui, le voir partir, je ne le supporterais pas.

Je referme mon ordi sans répondre à Aïsha et je le range sur le frigo. Bon, qu'est-ce que je fais de mes dix doigts maintenant? Impossible de tenir en place, je suis beaucoup trop énervée. Il faut que je me détende, sinon je ne survivrai pas à la soirée. Si seulement j'avais un homme pour me faire un bon massage de la nuque, ça réglerait tout.

Je sors sur mon petit balcon arrière quand, tout à coup, la solution est là, devant moi, dans la petite cour d'Ugo. Son nouveau spa. Bien sûr ! Pourquoi n'y ai-je pas pensé avant ? C'est vrai que le temps est chaud et plutôt lourd aujourd'hui, mais ça me détendra.

Je cours dans ma chambre et j'ouvre le tiroir qui contient mes maillots de bain, mais un doute traverse mon esprit. Et mes cheveux, ils vont avoir l'air de quoi, hein ? L'humidité va massacrer ma mise en plis, c'est certain ! Ah, quelle déception ! Et si j'enfilais un de ces bonnets de plastique qu'on utilise pour la douche ? D'accord, c'est affreux, mais je serai seule, *anyway* ! Ugo est encore à la boucherie.

Et mon maquillage, lui ? Je n'ai pas envie de tout recommencer, il me faut le protéger, lui aussi. Humm… Pas évident. Ah, ça y est ! Je sais. Je n'ai qu'à utiliser la grosse paire de lunettes noires qui se trouve dans le deuxième tiroir de ma cuisine. Mes *goggles* pour éplucher les oignons. Ça va être parfait !

Bon, allons-y ! Je choisis volontairement mon vieux bikini rose usé, dont les bretelles tiennent à moitié. Il n'est plus digne d'être porté en public, mais ça reste mon préféré. Et puis, avec celui-là, je pourrai détacher la bretelle licou pour bronzer sans marques. J'attrape au passage le bonnet de douche et les *goggles*. Me voilà prête.

Juste avant de quitter mon appart, je jette un coup d'œil du côté du réfrigérateur. À l'intérieur, je suis convaincue qu'une des trois bouteilles de champagne me fait de l'œil.

— Allez, prends-moi, Charlotte, c'est ton anniversaire, après tout ! Et tu vas voir, je suis délicieuse dans un spa !

— Non, je te réserve pour la visite tout à l'heure.

— Oh, allez, mes deux autres amies s'occuperont de ta visite. Laisse-moi t'étourdir. Je vais t'aider à te relaxer, à te griser, comme tu aimes tant.

— Bon, d'accord, tu gagnes ! Mais je prends seulement un verre. Un verre, pas plus.

— Si tu le dis…

J'ouvre la porte du frigo, j'empoigne une des trois bouteilles de Veuve Clicquot. Je la plonge dans un bac à glace et je glisse une flûte sous mon bras. Après m'être emmitouflée dans une serviette de plage aux couleurs de la mer, je descends pour aller inaugurer le nouveau spa de mon ami. Pour ce faire, je dois passer par l'avant et traverser l'appartement d'Ugo, car mon petit balcon arrière ne me permet pas d'accéder à la cour. Il n'est qu'un lieu d'observation de ce qui s'y déroule.

***

— Charlotte? Youhou?

Des voix me parviennent de très loin. Comme si un épais nuage me séparait d'elles.

— On est là!

J'ouvre les yeux et je n'y vois qu'un épais brouillard. La tête m'élance et j'éprouve une sensation de chaleur insupportable. Le spa… Je me suis endormie dans le spa d'Ugo après avoir bu le verre de champagne que je méritais. LE verre? Humm, pas certaine que j'aie tenu ma promesse de ne boire qu'une coupe. J'ai un vague souvenir d'avoir plongé la bouteille dans le seau à glace… le goulot en premier. Comme on le fait quand elle est vide. *OMG!* Je sens que je vais me taper une de ces migraines.

— Charlotte, ça va?

Encore ces voix dans ma tête… Laissez-moi tranquille! J'ai tout à coup un besoin pressant de sortir du spa bouillant. Vite! Une bonne douche froide pour me remettre les idées en place. Je me lève péniblement et je m'appuie sur le rebord, les jambes encore dans l'eau. Ouf, c'est déjà mieux.

— Charlotte?

Les voix sont maintenant plus réelles, moins lointaines. Et s'il y avait vraiment des gens dans la cour?

Il est temps d'y voir plus clair. J'enlève mes lunettes de cuisine et j'essuie la sueur sous mes yeux. Ouache, c'est tout noir! Beau travail de remaquillage en perspective!

J'aperçois soudainement une tache rose au milieu de l'eau. Je la fixe quelques secondes avant de comprendre de quoi il s'agit. Le haut de mon maillot de bain!

— T'es certaine que ça va?

D'un geste sec, je réplie mes bras sur ma poitrine dénudée. Du regard, je cherche d'où viennent les voix. Et je les aperçois. Sur mon petit balcon. Mes invités me regardent, à moitié nue, un bonnet de douche sur la tête et les yeux noirs comme un raton laveur.

20

« Une alcoolo ?
Seigneur, où est-ce que t'es allée chercher
des trucs pareils…
Une alcoolo ? »
CLÉMENTINE (KATE WINSLET)
dans *Du soleil plein la tête*, 2004.

— *N*on, j'y vais pas !
— Ben voyons donc, Charlotte, c'est ton *party* de fête. Tu vas pas rester ici toute la soirée !

Je suis enfermée dans ma chambre depuis plus d'une heure, avec mon amie Marianne qui tente de me raisonner. Mais c'est plus fort que moi. Je ne cesse de revoir le visage de mes invités sur mon balcon et j'ai honte. Tellement honte !

Je n'arriverai jamais à faire face à tous ceux qui m'ont vue dans une position aussi embarrassante : Martine, son conjoint, la coloc de Marianne, P-O et sa nouvelle conquête. J'ai l'air de quoi, moi, devant mes collègues, un artiste sculpteur qui a déjà exposé à New York et deux pétasses que je ne connais pas ? D'une belle tarte, Charlotte ! D'une belle tarte !

Heureusement, papa et maman n'étaient pas encore arrivés. Là, je serais morte, c'est certain. Si seulement Ugo était rentré chez lui avant que les autres montent chez moi ! Il m'aurait découverte dans ce piteux état avant mes invités. Et j'aurais eu l'honneur sauf.

— C'est pas grave, ma belle, tente de me rassurer Marianne en me suggérant de finir le verre d'eau que je tiens à la main.

Mon amie est d'une patience exemplaire. Moi, à sa place, je me serais envoyée promener depuis long-temps et j'aurais rejoint les autres qui célèbrent mes trente-cinq ans... sans moi. D'autant plus que, depuis une heure, Marianne joue au *bodyguard*. Elle suit mes directives et interdit à quiconque d'entrer dans ma chambre sous peine de représailles sévères. Il n'y a qu'Ugo qui a échappé à cette règle et dans les bras de qui j'ai trouvé un peu de réconfort. Je lui ai toute-fois demandé de retourner rapidement au *party* pour veiller aux besoins de chacun.

Marianne s'assoit sur le lit à mes côtés. Ça faisait plus d'un an que nous ne nous étions pas vues et je dois avouer qu'elle est encore plus belle qu'avant. De subtiles mèches rousses illuminent ses cheveux châ-tain clair, qu'elle porte maintenant au carré, avec un léger dégradé.

J'aime aussi beaucoup sa tenue. Elle semble avoir délaissé le gris pour oser la couleur, comme en témoigne son chemisier ample, rouge cerise, avec de petits motifs bleus qui ressemblent à des gouttes d'eau. Avec un short noir et des ballerines de la même couleur, elle est *cool* et classe en même temps. Si seu-lement j'avais son élégance, son raffinement. Je suis convaincue que Marianne ne met jamais les pieds dans le plat comme je viens de le faire.

— Charlotte, je peux te poser une question ?

— Oui, oui.

— C'est un peu délicat, mais...

Marianne s'interrompt tout à coup. Elle semble chercher les bons mots.

— Quoi ? Qu'est-ce que tu veux me demander ?

— Bof, c'est peut-être pas mes affaires, finalement.

— Ben voyons, Marianne. On est amies, on se connaît depuis longtemps. Tu peux me poser toutes les questions que tu veux.

— En fait, ça m'inquiète un peu.

— Quoi donc?

— Ta consommation d'alcool.

Je me lève d'un bond et je lui tourne le dos. Elle a bien raison. Ce ne sont pas ses affaires!

— J'ai pas de problème d'alcool.

— J'ai pas dit que t'avais un problème, Charlotte. Je me demande juste pourquoi t'as besoin de boire une bouteille de champagne au complet.

— Je l'ai pas bue au complet!

— Ah non? Pourtant, elle était vide.

— Oui, mais… j'ai, j'ai… j'en ai renversé la moitié dans le spa par accident.

— OK, si tu le dis… Excuse-moi, c'est juste que…

— Que quoi? dis-je en me retournant.

— Ben, j'ai pensé que c'est peut-être parce que tu t'ennuies un peu que tu bois comme ça. Tu sais, pas de travail, célibataire, beaucoup de temps libre.

— Moi? M'ennuyer? Ben voyons donc!

Je suis à la fois troublée et surprise par les paroles de mon amie. Comment peut-elle affirmer que je bois trop, alors que ça fait une éternité que nous ne nous sommes pas vues? Il est vrai que nous avons clavardé plusieurs fois sur Facebook dernièrement, mais je ne me souviens pas de lui avoir spécifié le nombre de verres de vin que je bois chaque soir. J'ai peut-être évoqué mes soupers des dernières semaines. Et il est peut-être vrai qu'ils ont été plus arrosés que d'habitude. Mais je suis en congé. C'est normal, non?

Et puis comment peut-elle prétendre que je m'ennuie dans la vie? Je suis bien entourée de mes amis, j'animerai enfin mon émission de télé, je suis de retour dans la ville que j'aime le plus au monde, je conduis la voiture de mes rêves et j'ai retrouvé mon papa. Pourquoi est-ce que je m'ennuierais, hein? Pourquoi?

Parce que je n'ai pas d'homme dans ma vie ? Parce que le seul que j'ai réussi à attirer dans mes bras en cinq mois m'a trompée sur toute la ligne ? Parce que l'échec de mon mariage me fait craindre le pire : passer le reste de ma vie seule ? Et ne jamais avoir d'enfants ?

Je sais bien, au fond, que Marianne a visé juste. Je bois pour tuer le temps, pour ne plus toujours penser à mon avenir amoureux, pour cesser de me torturer avec des scénarios pathétiques.

Il faut que je me prenne en main et que je revienne à de meilleures habitudes de vie. Dès demain, je m'en tiendrai à la règle des deux verres par jour. Pas plus ! Fini les soirées passées à terminer la bouteille de rouge entamée au souper. Vive la pompe à vin. Et de toute façon, les choses vont rentrer dans l'ordre quand je recommencerai à travailler.

— Charlotte, je te connais comme si t'étais ma sœur. Je le sais quand quelque chose ne va pas.

Je regarde Marianne avec tendresse et je pense que je suis bien chanceuse qu'elle soit revenue dans ma vie. Je me souviens à quel point elle était une amie formidable quand nous étions petites et que nous jouions à nous inventer des rôles. Elle me laissait toujours celui de la princesse et elle acceptait d'incarner la servante.

C'est aussi Marianne qui m'a consolée de ma première peine d'amour avec mon cousin Daniel, quand j'avais cinq ans. C'est elle qui, dix ans plus tard, m'a ramassée à la petite cuillère quand le gars avec qui j'ai fait l'amour pour la première fois m'a laissée tomber le lendemain. Et qui m'a ramenée à la raison quand j'ai voulu me venger en posant de fausses affiches à l'école, sur lesquelles on aurait vu une photo du gars en question, offrant ses services sexuels aux hommes et aux femmes, moyennant la somme de 20 dollars. Elle m'avait arrêtée au moment où j'allais faire des photocopies à la pharmacie.

Nous avons été très proches pendant des années. C'est avec elle que j'ai vécu bon nombre de mes premières expériences. Ma première cuite, un soir de la fête nationale alors que j'avais treize ans. Nous avions bu un nombre impressionnant de rhum au jus d'ananas, en mangeant des jujubes dans une tente plantée dans la cour de ses parents. Rien que d'y repenser, j'ai mal au cœur. Je lui dois aussi ma première et unique expérience sensuelle avec une femme. Un soir où nous avions toutes les deux le cœur gros après avoir regardé *Mon fantôme d'amour*, nous avions trouvé un peu de tendresse dans les bras l'une de l'autre.

Je n'avais pas compris à l'époque pourquoi Marianne semblait si troublée après ce long baiser que nous avions échangé, cachées derrière le canapé du sous-sol de mes parents. De mon côté, ce baiser et ces caresses furtives m'avaient convaincue de mon orientation sexuelle. J'étais et j'allais être toute ma vie une pitoune à mecs.

— Je suis contente qu'on se retrouve, dis-je en enlaçant mon amie. Et je te promets que je vais faire plus attention à moi à l'avenir.

On reste là toutes les deux en silence pendant de longues secondes. Et je décide finalement qu'il est temps de poser à Marianne la question qui me titille depuis son arrivée.

— Ta coloc, là, c'est-tu vraiment juste ta coloc ?

Marianne éclate d'un grand rire franc.

— Cré Charlotte, va ! Toujours aussi directe.

Je rougis, un peu consciente de mon manque de subtilité.

— Ben non, c'est ma blonde. Mais garde ça pour toi, hein ?

— Promis, dis-je, toute fière de constater que mon intuition ne m'a pas trompée.

Maintenant que j'ai la confirmation que mon amie est gaie, j'aimerais bien en savoir plus. Connaître tous les détails, en réalité. Mais sans l'effaroucher pour autant.

— En tout cas, ç'a pas dû être facile… Changer de vie à trente-cinq ans. Avec deux enfants, en plus.

— Je te raconterai tout ça un de ces jours. Ç'a été l'enfer, mais aujourd'hui je sais que c'est la meilleure chose que j'ai faite dans ma vie.

— Wow, dis-je, émue par la confidence de mon amie.

Voulant clore la discussion, Marianne insiste.

— Là, Charlotte, tu t'essuies les yeux, tu remets du *gloss*, pis on sort rejoindre les autres. C'est non négociable.

21

« *Maybe we should call the police.*
Dial 911,
it's the lobster squad. »
Alvy (Woody Allen) à Annie (Diane Keaton),
dans *Annie Hall*, 1977.

— « *M*a chère Charlotte, c'est à ton tour de te laisser parler d'amour. Ma chère Charlotte… »

J'ai les larmes aux yeux tellement je suis touchée par la façon dont mes amis m'accueillent à l'instant où je mets les pieds au salon, suivie de Marianne. Leurs bons vœux me vont droit au cœur. Mais ce qui me touche le plus, c'est qu'ils font comme si rien ne s'était passé. Comme s'ils ne m'avaient pas surprise dans une position complètement grotesque tantôt.

Les visages réconfortants de papa et d'Ugo me rassurent, tandis que ceux, inconnus, de la copine de Marianne et de celle de P-O m'intimident. Pas la meilleure façon de rencontrer des gens pour la première fois. Un autre visage qui m'est étranger est celui de l'homme qui accompagne maman. En fait, je dis étranger, mais je n'en suis plus certaine, maintenant.

J'observe l'homme plus attentivement. La trentaine avancée – maman a bel et bien renoué avec ses habitudes de cougar –, les yeux bruns, les cheveux bruns et de taille moyenne. Bref, un gars ordinaire. Standard, je dirais. Ni beau ni laid. Sans rien de particulier. Et même s'il n'a rien pour se faire remarquer, je suis convaincue de l'avoir déjà rencontré. Mais où ? Voilà la question. J'aurai bien le temps de le découvrir pendant la soirée.

Tandis que mes invités continuent de chanter, je pose mon regard sur P-O et la jeune femme qui l'accompagne. Une petite brunette au regard franc et à l'allure sportive. Une fille qui m'apparaît d'une belle simplicité ; un choix un peu étonnant de la part de P-O, qui est plutôt du genre à aimer en mettre plein la vue. Je ne peux pas, malgré moi, m'empêcher de ressentir une pointe de déception. J'ignorais que mon coanimateur n'était plus célibataire.

Papa est là aussi. Seul, avec son sourire engageant qui m'inonde de joie. Martine, que j'ai invitée parce que je la sais capable de mettre de la vie dans une soirée, attire tous les regards avec sa robe taille empire d'un magnifique orangé. À ses côtés, son conjoint plus que banal ne fait pas le poids.

— « ... de te laisssser parler d'aaaaaaamour ! »

Les applaudissements fusent de toutes parts dans la pièce, pendant qu'Ugo s'approche pour m'offrir une coupe de champagne et me serrer dans ses bras.

— Ils n'arrêtent pas de parler du *show* que tu leur as fait, me murmure-t-il à l'oreille.

— Ta gueule ! Si t'avais été chez toi, aussi !

— En tout cas, c'est pas grave. Ils ont trouvé ça très drôle.

— Ouin, mettons !

Maman se pointe derrière Ugo et lui tape sur l'épaule pour qu'il lui laisse sa place. Bon joueur, il s'exécute.

— Ma chérie, je te présente Stéphane.

Je serre la main de l'inconnu-connu et j'essaie de dissimuler du mieux que je peux une petite grimace. Sa paume est à son image : moite et molle. Et ce n'est pas seulement à cause de la chaleur qui règne dans la pièce.

— Salut, Stéphane. C'est drôle, j'ai l'impression qu'on se connaît.

— Ben oui, j'assiste souvent à ton émission.

Ah, voilà ! Les souvenirs me reviennent, maintenant. Je revois Stéphane, assis dans la première rangée avec le public, un des rares gars assistant à l'émission affichant un sourire un peu béat. Et je constate qu'il a présentement ce même sourire un peu niais. *Weird !*

— Ah oui, excuse-moi. C'est juste que de te voir ici... j'avais pas fait le lien.

J'éprouve tout à coup un profond malaise. D'autres événements me reviennent en tête. Comme ces deux fois où Stéphane m'a demandé un autographe. La première fois dans un petit carnet de notes. Mais la deuxième fois, dans son agenda personnel... à la page du 14 février. J'avais signé rapidement, mais sur la page de gauche, celle du 13 février.

J'aurais vraiment préféré que maman me consulte avant d'emmener un gars que je crois être un admirateur secret. Ou peut-être que je me fais des idées et qu'il est ici seulement pour être avec maman. En tout cas, c'est ce qu'elle semble croire.

Maman se pend au bras droit de Stéphane et le fixe intensément en tortillant le nœud qu'elle a fait au bas de son chemisier et qui laisse entrevoir son nombril... et un *piercing* ! Je la regarde et je me rends compte qu'elle a non seulement subi des chirurgies plastiques au visage, mais qu'elle a aussi eu une liposuccion. Horreur ! Elle a le ventre plus plat que moi et s'est fait percer le nombril ! Maman ne semble pas s'apercevoir de mon indignation et poursuit comme si de rien n'était.

— Figure-toi donc que c'est là qu'on s'est rencontrés, Charlotte. À ton émission. Tu te souviens de la fois où tu t'es brûlé la main ? J'étais dans tous mes états quand tu es partie à l'hôpital, et Stéphane a offert de m'emmener prendre un café pour me calmer.

Ah ! Je comprends maintenant pourquoi je n'ai pas eu le plaisir d'avoir la visite de maman à l'hôpital. J'ai toujours su que je n'étais pas sa priorité, mais là, vraiment… Séduire un inconnu – si seulement on pouvait parler d'un bel inconnu – alors que sa fille se meurt peut-être à l'hôpital… Quelle égocentrique !

— C'est normal, Mado, j'étais tellement triste pour toi, intervient Stéphane.

— Ah oui, comment ça ? dis-je.

— Elle n'arrêtait pas de pleurer et de répéter qu'elle avait peur que sa fille ne se réveille jamais. Qu'elle n'avait qu'une seule enfant et qu'elle ne voulait surtout pas la perdre.

Quelle comédienne ! En tout cas, en voilà un à qui elle ne peut pas cacher nos liens familiaux.

— Et ensuite ? Vous vous êtes rappelés ?

— On s'est perdus de vue un moment, poursuit Stéphane.

— C'est moi qui l'ai rappelé la semaine dernière, précise maman. Et là, quand je lui ai parlé de ton *party* de fête, Stéphane a offert de m'accompagner. Il est gentil, hein ?

— Euh, oui, oui.

— Il était tellement content de venir. Hein, Stéphane ?

— J'aurais manqué ça pour rien au monde.

Je détourne le regard pour échapper à celui, trop intense, de Stéphane. Il faut que je me débarrasse de cet énergumène le plus tôt possible. Je ne suis vraiment pas à l'aise de le savoir chez moi, dans mes affaires. Si j'avais une mère normale, aussi, me dis-je pour la deuxième fois en deux jours !

Je quitte ce duo pour le moins étrange et je fais le tour de mes invités. Papa me serre dans ses bras de longues secondes, avant de retourner à sa conversation avec la copine de Marianne, Karen, que j'embrasse chaleureusement.

Je salue ensuite Martine et son conjoint, qui s'informent auprès d'Ugo du coût d'un spa comme le sien. Voulant à tout prix éviter le sujet du spa, je me précipite en cuisine.

Heureusement, P-O a pris les choses en main. Il a dressé les antipasti dans une belle assiette en forme de fleur, il a disposé les asperges enroulées de jambon serrano dans un plat de service turquoise et il en a profité pour mettre une dernière touche à la décoration de mon *shortcake* aux fraises. À l'heure actuelle, il vérifie le contenu de mes minicocottes, sous l'œil attentif de sa copine.

— C'est de la morue, des haricots blancs et du chorizo, lui dis-je.

Il interrompt son travail pour me faire la bise et me demande comment je veux apprêter mon boudin blanc.

— Sauté en rondelles servies avec des boules de cantaloup déjà préparées.

— OK, parfait. Si t'as du sirop d'érable, on pourrait en ajouter un soupçon au melon.

— Bonne idée.

— Moi, c'est Sarah-Jeanne, intervient tout à coup la brunette en me tendant la main.

— Ah, c'est vrai, excuse-moi, Sarah, j'étais certain que tu connaissais Charlotte, depuis le temps.

Comment ça, depuis le temps? Ce n'est pas une nouvelle relation? Ouin, monsieur a bien caché son jeu.

— Ben non, on se connaissait pas. J'aime beaucoup ton prénom, Sarah-Jeanne.

— Merci, mais tu peux m'appeler Sarah, c'est plus simple.

— Nos parents, précise P-O, aimaient beaucoup les prénoms composés.

— Vos parents?

— Ben oui, Sarah, c'est ma sœur.

— Ah! C'est ta sœur! OK!

Je me rappelle soudainement qu'Aïsha m'a déjà dit que P-O avait une sœur qui vivait en région. Mais je n'avais aucune idée de quoi elle avait l'air.

— Ça me fait vraiment, mais vraiment plaisir de te connaître, dis-je à Sarah-Jeanne qui me dévisage avec amusement pendant que P-O se tourne pour enfourner les minicocottes.

— Tu pensais quoi, au juste? me demande-t-elle.

— Ah, rien, rien, dis-je en faisant un signe de la main pour écarter la question.

— Que j'étais sa blonde? Ben non, mon frère l'a pas encore trouvée, la perle rare.

— Bon, les filles, allez parler de moi ailleurs, OK? Laissez-moi travailler.

— Ben là, P-O, t'es pas pour tout faire tout seul, dis-je.

— Mais oui, de toute façon, t'avais presque tout préparé.

P-O nous met à chacune une assiette de service dans les mains et nous pousse gentiment vers le salon.

— Il est fin, ton frère, Sarah.

— De plus en plus. J'en reviens pas comment il a changé depuis que sa fille est dans sa vie. Je le reconnais pratiquement plus.

— Vous vous voyez souvent? dis-je en déposant les sfizi sur la table à café du salon et en attrapant un baluchon de bresaola au fromage de chèvre.

— Quand je viens à Montréal, trois ou quatre fois par année.

Sarah-Jeanne m'explique qu'elle vit à Rimouski et qu'elle travaille pour le parc national du Bic, comme guide-accompagnatrice.

— Ah, le Bic, j'y suis allée juste une fois et j'y ai mangé un des meilleurs repas de ma vie.

— Chez Colombe St-Pierre?

— Oui, c'était tellement bon. *Oh my God!*

Il y a quelques années, au cours d'une expédition au Bas-Saint-Laurent avec Ugo, j'étais tombée par hasard sur le resto de cette jeune chef, situé tout juste en face de l'église. Et quelle découverte!

— Tu viendras cet été avec P-O. Il connaît bien Colombe, on ira manger là tous les trois.

— Euh… Peut-être, je sais pas trop.

J'avale ma bouchée et je prends une serviette en papier sur la table pour essuyer la sueur qui perle sur mon cou. Ma robe bandeau à fines rayures graphiques blanc et noir me colle à la peau.

— C'est lourd, ç'a pas de bon sens.

— Ah, Montréal, c'est toujours étouffant, l'été.

— Non, là, c'est quand même inhabituel… pour un 2 juin.

— En tout cas, si tu veux venir te rafraîchir à Rimouski, t'es la bienvenue. Et je suis certaine que ça ferait plaisir à P-O. Il t'aime beaucoup.

— Écoute, Sarah, je sais pas trop ce que tu penses, mais P-O et moi, on est seulement des amis.

— Ah oui? T'es certaine?

La franchise de cette femme me déstabilise. Depuis que nos regards se sont croisés, je sens qu'elle m'analyse, qu'elle me teste. Un peu comme on le ferait avec une nouvelle belle-sœur ou le nouveau chum de sa meilleure amie.

— Ben oui, je suis certaine. Je veux pas te faire de peine, Sarah, mais P-O, c'est pas le gars le plus fidèle que je connaisse.

— Tu m'aurais dit ça l'année passée, j'aurais été d'accord avec toi. Je t'aurais même avertie de te tenir loin de lui, mais, maintenant, c'est plus le même gars.

Les propos de Sarah-Jeanne me laissent songeuse. Je m'interroge sérieusement sur la capacité d'un homme à devenir fidèle. Totalement fidèle. Est-ce vraiment possible de changer comme ça, du tout au tout? Humm, j'en doute.

Un fracassant coup de tonnerre retentit soudainement. Les lumières du salon vacillent un instant, la musique s'éteint et le silence se fait dans l'appartement.

On entend la pluie qui tambourine contre les fenêtres, puis de longs soupirs de soulagement. Je crois que nous sommes tous heureux que l'électricité ait tenu le coup et que la pluie nous apporte un peu de fraîcheur.

J'en profite pour changer la musique et choisir quelque chose d'un peu plus enlevant que le jazz qu'on écoute depuis le début de la soirée. Avec Madonna et la boule disco que j'ai louée, le *party* peut vraiment commencer !

***

— Ah, j'en peux plus ! J'arrête ! lance Martine en se laissant tomber sur le canapé.

Je l'ignorais, mais ma collègue est une véritable bête de scène. Voilà trois heures qu'elle se donne en spectacle sur la piste de danse improvisée de mon salon. Tout le monde a été drôlement impressionné par son rythme endiablé. Tous les invités, sauf son « grand talent de mari », comme elle l'a qualifié quand il nous a quittés un peu plus tôt, prétextant une soudaine fatigue.

À mon avis, il s'ennuyait profondément. Quand j'en ai parlé à Martine, elle m'a dit de ne pas m'en faire, qu'il « avait juste à vivre moins dans sa tête et plus dans son corps ».

Jusqu'à présent, la soirée est vraiment réussie. Il y a bien des petites choses qui me dérangent, comme les regards langoureux que pose Martine sur mon père, la présence de Stéphane à deux mètres de moi en tout temps et la texture sèche des mini-cocottes que P-O a fait cuire trop longtemps. Mais bon, je ne peux pas lui en vouloir. Il s'est occupé de tout.

De son côté, maman a été fidèle à elle-même en voulant attirer les regards de tous les hommes présents. Et ce n'est pas seulement à cause de ses escarpins décorés avec des plumes de couleur améthyste. Son visage rajeuni n'a échappé à personne. Même si mes invités ont été polis en lui disant simplement qu'elle avait l'air très reposé, j'ai bien vu que tout le monde avait compris que son séjour à l'extérieur du pays n'était pas consacré à une formation.

Même papa lui a fait des compliments. Ce qui a eu l'heur de déplaire royalement à Martine, qui ne s'est pas gênée pour demander haut et fort à maman le nom de son chirurgien. Oups !

J'observe maintenant le trio que forment Ugo, Marianne et Karen, une fille originaire de Vancouver, qui vit maintenant à Montréal. Au premier coup d'œil, Karen m'est apparue très sympathique. Et en plus, elle porte les Dr. Martens les plus *hot* du monde. Des chaussures blanches avec de petites roses aux tiges vertes. Si Karen a conquis le cœur de mon amie d'enfance, c'est qu'elle doit être chouette, non ? Et c'est vraiment une fille chouette. Le problème, c'est qu'elle ne parle pas assez bien le français pour quelqu'un qui habite Montréal depuis deux ans. Et ça, ça me tue !

Ce que je n'apprécie pas chez les anglophones qui viennent s'installer chez moi, c'est quand ils manquent de volonté. Et c'est ce que j'ai senti chez Karen. Si une belle fille allumée et éduquée comme elle parle le français comme une vache espagnole, c'est qu'elle refuse de l'apprendre. Et que son employeur ne l'exige pas. Ce qui me rend doublement furieuse.

Je m'approche d'eux et je surprends leur conversation… en anglais. Mon sang ne fait qu'un tour !

— Il me semble que vous n'aidez pas beaucoup Karen en lui parlant en anglais, dis-je beaucoup plus poliment que j'en aurais envie.

— Faut bien lui laisser une chance, réplique Ugo. Elle vient tout juste d'arriver.

— Tout juste, tout juste, faut pas exagérer.

Ugo me regarde avec surprise. Il s'excuse auprès de Karen et Marianne, et m'attrape doucement mais fermement par le bras pour me guider vers la cuisine.

— Quoi, qu'est-ce qu'il y a ?

Nous entrons dans la cuisine et, d'un coup d'œil, Ugo s'assure que nous sommes seuls avant de répondre.

— Tu vas pas tout gâcher avec des guéguerres francos-anglos !

— Comment ça, des guéguerres ? T'es de mon bord, d'habitude.

— Oui, mais là, t'exagères. Je veux pas que tu te brouilles avec Marianne, t'as besoin d'elle comme amie.

Je m'appuie contre le comptoir et je lance un regard interrogateur à Ugo.

— Qu'est-ce que tu veux dire au juste ?

— Tu le sais, Charlotte. Avec le départ d'Aïsha pour Québec, t'es… euh… un peu plus seule, maintenant.

— Je trouve pas. T'es là, toi.

— Oui mais…

— Ah, c'est ça, dis-je en l'interrompant, légèrement vexée. T'es tanné !

— J'ai pas dit ça.

— Non, mais tu le penses.

— Charlotte, tu comprends tout de travers. Je trouve juste que Marianne, c'est une super bonne amie pour toi.

— Plus qu'Aïsha ?

— Ben oui. Tu le sais bien, dans le fond, qu'Aïsha et toi, c'était une relation toxique.

— Peut-être, mais parfois je me dis que c'est ma faute. J'ai pas le tour avec mes amies de filles. Y a juste avec toi que ça marche bien.

— Mais non. Je suis convaincu que ça va bien se passer avec Marianne.

— Je vois pas en quoi ce serait différent. Pourquoi tu penses ça ?

Ugo détourne le regard et fixe les restes du plat qu'a apporté P-O et que nous avons savouré tout à l'heure. Mon coanimateur m'a fait toute une surprise en recréant de toutes pièces le dessert que j'avais concocté le soir où nous avions organisé un *party* pour l'accueillir dans notre équipe.

Sa pièce montée de coquilles d'œufs à la mousse de chocolat noir et café était beaucoup plus réussie que la mienne, dois-je admettre. Les tuiles au caramel ont tenu le coup et son œuvre ne s'est pas écrasée lourdement au sol comme la mienne il y a plus de deux ans.

J'ai été touchée que P-O se rappelle les efforts que j'avais faits pour l'impressionner. Et j'ai été légèrement troublée quand il m'a soufflé à l'oreille que le dessert n'était pas son seul bon souvenir de cette soirée…

— Ugo ? Réponds-moi.

Mon ami soupire et pose de nouveau son regard sur moi.

— C'est évident, non ? Premièrement, elle te fera pas compétition avec les hommes.

— Ouais, ça, j'avoue que c'est *cool*. Et deuxièmement ?

— Ben, euh… Marianne a vraiment une personnalité compatible avec la tienne.

— Ah, ouin ? Comment ça ?

— C'est que… elle n'a pas un gros ego…

— Et ? dis-je, soudainement un peu sur mes gardes.

— Ben… ça va laisser plus de place au tien.

Je suis abasourdie par la révélation de mon ami. Surprise et en même temps terriblement peinée.

— Tu me prends pour un monstre d'égoïsme ou quoi ?

— Pas du tout ! T'es une fille super généreuse, mais…

— Mais ?

— Mais… assume-toi, Charlotte. Tu sais bien que t'as besoin de briller, d'être le centre de l'attention. Y a pas de mal à ça.

— On dirait que tu parles de Roxanne. Je suis pas comme elle, quand même.

— Mais non, voyons ! Roxanne, c'est le genre de fille qui a besoin d'écraser les autres pour se faire une place. Pas toi.

Je réfléchis aux propos d'Ugo. Au fond, je sais bien qu'il a raison. J'ai toujours su que, pour être heureuse, j'ai besoin d'être la première sur la scène. Comme je l'étais dans mon enfance, quand papa me traitait comme une princesse. J'ai été habituée jeune à occuper toute la place et je pense que ça m'a suivie toute ma vie.

— Ugo, tu vas me le dire si je deviens mesquine, hein ?

— Ben oui, je suis là pour te surveiller.

— Parce que je veux jamais être comme Roxanne.

— T'en fais pas, je me suis jamais gêné pour te dire ce que je pense. Et là, tu devrais laisser Karen tranquille.

— OK… N'empêche qu'elle devrait faire plus d'efforts.

— Elle en fait.

— Ben, ça paraît pas.

— Parce que tu penses que tu serais meilleure qu'elle ? Après seulement deux mois à apprendre une nouvelle langue ?

— Deux mois ? Comment ça, deux mois ?

— Ben oui, ça fait juste deux mois qu'elle est ici.

— Honnn, j'avais compris deux ans.

Ugo me fait un air découragé et hausse les épaules. Je me sens tout à coup un peu coupable.

— S'cuse.

— C'est beau, chérie. On y retourne ?

— OK. C'est une belle soirée, hein ?

— Ouais… un peu bizarre, mais sympathique.

— Comment ça bizarre ?

— Ta mère, que j'ai pratiquement pas reconnue à cause de ses chirurgies, son chum qui a l'air de rien, Martine qui arrête pas de *cruiser* ton père…

— Ouin, ça me plaît pas beaucoup.

Un nouveau coup de tonnerre résonne tout près. Encore plus fort que tous ceux qu'on a entendus jusqu'à présent. Je regarde la petite lumière au-dessus de la cuisinière. Elle s'éteint et se rallume à quelques reprises, pour finalement se fermer complètement. Dans l'appartement, c'est le noir total.

— Eh merde! Y a plus d'électricité! Attendez, tout le monde, je vais sortir des chandelles.

À tâtons, je fouille dans l'armoire à «cossins» située à gauche du frigo. Quel bordel! Bing! Bang! Tout est en train de tomber. Ugo a la bonne idée de me fournir un peu de lumière avec son téléphone. Je lui demande d'éclairer le sol et je constate avec soulagement que tout semble intact.

Ma râpe à fromage en forme de poupée, mes emporte-pièces pour faire des biscuits en forme d'animaux de zoo et mes petits entonnoirs mauve et rose sont éparpillés sur le plancher. Je continue à chercher des bougies quand un grand cri de mort retentit dans l'appartement.

— Ahhhhhhhhhhh!

— Qu'est-ce qui se passe? C'est qui, ça? dis-je, inquiète.

— *Caltor!*

— C'est Martine!

Je me rue hors de la cuisine, Ugo à mes côtés me servant d'éclaireur. Les cris continuent de plus belle. Je suis maintenant complètement paniquée.

— Je pense que ça vient de la salle de bain, dit Ugo.

J'essaie d'ouvrir la porte de la salle de bain. C'est verrouillé. J'entends la voix de Martine, qui a l'air dans tous ses états.

— Enlève-moi ça tout de suite!

À qui parle-t-elle?

— Calme-toi, Martine, faut que je trouve de la lumière, dit une voix masculine.

— Papa? Qu'est-ce qui se passe?

La porte s'ouvre sur mon père, la chemise à moitié déboutonnée et le visage angoissé. Trop préoccupée pour me choquer contre lui parce que je viens de comprendre ce qu'il faisait avec Martine dans ma salle de bain, j'entre dans la pièce, toujours suivie par Ugo et son cellulaire-lampe de poche.

Il éclaire le fond de la pièce et c'est là que je vois Martine, assise sur le bord du bain, un homard pendu au bout de son majeur, la pince solidement accrochée. Le rideau de douche est maintenant à moitié tiré vers la gauche.

— Ah non !

— Vite, je vais perdre connaissance, dit Martine en émettant ensuite une longue plainte.

— Comment on enlève ça ?

— Je sais pas, répondent en chœur Ugo et papa.

— P-O ! VIENS ICI ! VITE !

Je crie comme une demeurée. Cinq secondes plus tard, P-O est à mes côtés. En deux temps, trois mouvements, il s'empare d'un porte-savon en céramique, ordonne à Martine de mettre sa main sur le bord du bain et, d'un coup sec, il assomme le homard. La bestiole lâche prise doucement et retombe dans le bain.

La pression tombe d'un cran dans la pièce. Martine cesse de gémir et pousse un énorme soupir de soulagement. P-O s'agenouille devant elle pour examiner son doigt ensanglanté. Au même moment, la lumière revient dans l'appartement. Martine est blanche comme un drap.

— Donne-moi une débarbouillette, Charlotte.

Je m'exécute rapidement, tout en me demandant comment un homard a bien pu se débarrasser de ses élastiques. Et comment Martine s'est retrouvée la main dans l'eau du bain.

P-O enroule le doigt de Martine dans la débarbouillette en la rassurant. Ma collègue reprend peu à peu des couleurs et, de sa main gauche valide, remet en place la bretelle de sa robe sur son épaule.

— Ça va être correct, Martine. C'est surtout le bout de ton doigt qui a été touché. Viens, on s'en va à l'urgence.

— Je peux y aller avec elle, intervient papa.

P-O interroge Martine des yeux, qui acquiesce d'un signe de tête. Elle se tourne ensuite vers moi et je sens son bouillant caractère revenir.

— Veux-tu bien me dire, chère, pourquoi il y a des homards dans ton bain ? Et pourquoi certains d'entre eux avaient plus leurs élastiques ? Tu les as enlevés ?

— Jamais de la vie ! Excuse-moi, Martine, je sais vraiment pas comment c'est arrivé.

Je me sens tout à coup complètement incompétente. Quelle hôtesse suis-je donc pour laisser mon invitée se faire mordre jusqu'au sang par une bête à pinces ?

— Bon, on a plus de temps à perdre, dit papa, qui quitte la pièce avec Martine, laquelle me lance un dernier regard furibond.

Ugo et P-O sortent de la salle de bain, pendant que je tente de comprendre ce qui s'est passé. Tout d'abord, papa et Martine ont dû tirer le rideau de douche pour que Martine puisse s'asseoir sur le bord de la baignoire et que papa puisse… Enfin, je n'ai surtout pas envie de m'imaginer ce que mon père fabriquait.

Je m'assois au même endroit que Martine et je pose mes mains sur le rebord de la baignoire, vers l'intérieur. Je sens l'eau qui chatouille mes doigts. Suffit de se pencher un peu plus vers l'arrière pour que mes doigts trempent carrément dans l'eau et deviennent une proie pour les homards. Voilà, c'est comme ça que l'accident a dû se produire. Je retire rapidement mes mains avant de devenir la nouvelle victime des crustacés.

Je m'agenouille maintenant devant la baignoire et j'observe attentivement les homards. Je constate que deux d'entre eux ont perdu chacun un élastique.

— P-OOOOOO ?

Mon coanimateur revient dans la pièce et se penche pour regarder dans la baignoire. Je le vois sursauter.

— T'es certaine qu'ils avaient tous leurs élastiques ?

— Ben oui, sinon j'aurais jamais été capable de les sortir du sac pour les déposer dans le bain.

— C'est bizarre… T'as vu ? Y a des élastiques dans le fond de la baignoire. On dirait qu'ils ont été coupés.

— J'espère que c'est pas quelqu'un qui a voulu nous jouer un tour.

— Ça m'étonnerait, franchement.

Tout en expliquant à P-O la raison de la présence de crustacés dans ma salle de bain, je continue l'analyse de la situation. Rien à faire, je ne trouve aucune explication. P-O en profite pour me mentionner que les homards n'aiment pas l'eau douce et qu'il aurait été beaucoup plus simple de les laisser au frigo. Comme si j'avais besoin de ça en plus !

L'épuisement me gagne et les larmes me montent aux yeux. Quelle soirée abracadabrante ! Vivement qu'elle se termine bientôt. Toujours agenouillée, je croise les bras sur le bord de la baignoire et j'y appuie la tête. Je sens la main de P-O sur mon épaule, qui caresse ma peau nue.

— C'est pas très grave, Charlotte. Martine est quand même pas morte.

— Non, mais son doigt, il va avoir l'air de quoi, tu penses ? dis-je, la tête toujours cachée entre les bras.

— Je sais pas trop, mais je pense pas que ça va être si pire que ça.

Les caresses de P-O se font plus insistantes, sa main monte lentement le long de ma nuque, écartant habilement mes cheveux trempés de sueur. Pour l'instant, je n'ai qu'une envie : me perdre dans les douces sensations que me procurent les mains d'un homme sur ma peau chaude. Je veux simplement arrêter de penser quelques minutes et profiter du moment. En silence.

— Imbécile ! Je veux plus jamais te voir de ma vie !

La voix enragée de maman vient gâcher mon moment de volupté. Je me redresse rapidement et je me retourne juste à temps pour la voir passer en trombe devant la salle de bain, Stéphane à ses trousses. Je lance un regard interrogateur à P-O et nous sortons tous les deux de la pièce.

— Maman?

Maman continue à se diriger vers la porte de l'appartement. Stéphane la suit comme un petit chien, et je ferme la marche avec P-O.

— Qu'est-ce qui se passe, maman?

— Laisse-moi tranquille, Charlotte. Et toi aussi! ajoute-t-elle en se tournant vers Stéphane, qu'elle fusille du regard.

Celui-ci s'arrête illico et laisse maman franchir la porte d'entrée qu'elle claque bien fort. Je suis estomaquée par la fureur de maman. Je l'ai rarement vue aussi en colère et je suis bien curieuse de savoir pourquoi.

Mais à bien y penser, je préfère ne pas être mêlée à leur histoire. Voilà une bonne occasion de me débarrasser de Stéphane, qui n'a pas bougé d'un iota.

Je sais toutefois que je dois le faire poliment et même de façon stratégique, si je ne veux pas m'attirer des problèmes. Je baisse les yeux pour réfléchir quand j'aperçois un bout de tissu rouge qui sort de la poche arrière du jeans de Stéphane. En réalité, c'est de la dentelle qui ressemble étrangement à celle qui décore… mon *string* rouge!

Oh my God! Oh my God! Oh my God! Ce n'est pas vrai! Ne me dites pas que ce malade-là a fouillé dans mes sous-vêtements! Pendant un instant, je ne sais plus comment réagir. Est-ce que je le laisse partir comme si de rien n'était? Ou est-ce que je le confronte? Ou bien j'appelle carrément la police?

La première option n'est pas envisageable. Pas question de lui donner la chance de vivre ses fantasmes en le laissant partir avec mon *string*. Pas question non plus d'appeler la police et de risquer que le tout se retrouve dans les journaux. Reste la confrontation. Ce qui me tente autant que de me faire arracher une dent à froid chez le dentiste.

Dans un geste totalement impulsif, j'arrache le *string* de la poche de Stéphane et le jette par terre. De toute façon, il s'en va tout droit à la poubelle. Stéphane se retourne précipitamment. J'évite son regard et je m'adresse à P-O qui ne semble rien comprendre à la situation.

— Lui, tu t'assures qu'il disparaît, dis-je avec un ton digne de Tony Soprano commandant une exécution.

Et je me dirige d'un pas rapide vers ma chambre pour constater les dégâts causés par cet énergumène.

***

Une demi-heure plus tard, j'ai devant moi un sac d'épicerie rempli de *strings* et de petites culottes à jeter. Quand je suis entrée dans ma chambre un peu plus tôt, mon « tiroir à bobettes » était ouvert tout grand et dans un fouillis indescriptible. Tellement pas envie d'enfiler des sous-vêtements touchés par un pervers… Mieux vaut les mettre à la poubelle.

De plus, j'ai appris de la bouche de Karen que Stéphane avait passé une partie de la soirée à demander à un tout un chacun s'il avait vu la scène des homards dans *Annie Hall*, un film de Woody Allen. Ce qui m'a fait comprendre que c'était lui qui avait libéré les crustacés de leurs élastiques. Dans quel but exactement ? Semer la pagaille en les dispersant sur le sol ? Jouer au téméraire en les attrapant un à un ? Je pense que je ne le saurai jamais. Parfois, il ne faut pas chercher à comprendre les *fuckés*. Il faut juste passer à autre chose, ce que j'essaie de faire maintenant.

Heureusement, le calme est revenu dans l'appartement après le départ précipité de mes invités. L'accident de Martine et le comportement malsain de Stéphane ont mis fin au *party* plus tôt que je l'avais prévu. Il reste encore une quinzaine de minutes à la journée de mes trente-cinq ans. Journée qui ne passera pas à l'histoire, on s'entend.

Sauf en ce qui concerne mes cadeaux d'anniversaire. Je pense que je n'ai jamais été aussi gâtée de ma vie. Tout le monde a contribué à remplir mes armoires de cuisine. À commencer par papa, qui m'a surprise en m'offrant un magnifique ensemble de vaisselle Gordon Ramsay. Comment a-t-il su que c'est de celui-là même, le bleu pâle, que je rêvais ?

Tout ce à quoi j'aspire maintenant, c'est un peu de tranquillité et de repos. Je me laisse tomber lourdement sur le canapé du salon, à côté de P-O, à qui j'ai demandé de rester pour faire cuire les fichus homards dans l'eau bouillante. Plus question de voir ces bestioles vivantes. Elles sont maintenant inoffensives, dans un plat au frigo.

P-O a ensuite insisté pour m'aider à tout nettoyer, mais j'ai manqué de courage. Après avoir lavé deux ou trois verres, j'ai décrété que c'était assez pour ce soir. Je ferai le reste demain.

— Ah ! Je suis crevée !

— Ça paraît que tu travailles pas en restauration. Petite nature, va ! lance P-O sur le ton de la badinerie.

— Eille, m'as t'en faire ! Je suis debout depuis l'aube et j'ai pas arrêté une minute.

— Ouin, sauf pour aller dans le spa, hein ? On a vu ça.

— Ah, ta gueule ! dis-je en le frappant amicalement sur la cuisse avec un petit coussin fleuri.

— Sais-tu que... une chance que le malade est arrivé un peu plus tard. T'imagines s'il avait assisté à la même scène que nous autres ?

Je frissonne d'effroi juste à cette idée. Et je suis d'autant moins rassurée, maintenant qu'il connaît mon adresse.

— Tu penses qu'il peut revenir ? Me rendre une petite visite nocturne, par exemple ?

P-O réfléchit quelques secondes avant de répondre.

— On peut pas être certains de rien, Charlotte. Mais j'aurais tendance à penser que non, qu'il n'est pas vraiment dangereux.

— J'espère.

— Et puis si t'acceptes ma proposition, tu seras pas souvent ici cet été.

— Hein ? Quelle proposition ?

Je suis soudainement tout émoustillée. J'adore quand on me fait des surprises comme ça !

— Tu sais, les cantines de rues…

— Oui, oui, je connais.

— J'en ouvre une pour l'été.

— Pour vrai ? C'est donc bien le *fun* !

— Mets-en ! Ça fait tellement longtemps que le monde m'en parle.

— C'est vrai que c'est *hot*.

— J'ai d'ailleurs l'intention de faire le tour de plusieurs festivals avec ma cantine. À Montréal, mais aussi ailleurs en région.

— Un *road trip* au Québec… c'est génial !

— Et comme je peux pas faire ça tout seul, j'ai pensé que tu pourrais me donner un coup de main. Et qu'on pourrait partir sur la route ensemble.

— Ensemble ? dis-je soudainement, un peu inquiète.

— C'est sûr que je pourrais pas être là tout le temps, faut quand même que je m'occupe des restos. Et quand je serais pas là, c'est toi qui t'en occuperais.

— Moi ?

— Ben oui, toi. Tu vas voir, c'est pas compliqué.

— Et on cuisinerait quoi ?

— Des hot-dogs.

— Des hot-dogs ? Franchement !

— Oui, mais pas des hot-dogs ordinaires. Des trucs plus *fancy* avec des merguez, des Toulouse, des saucisses italiennes, des knackwursts. Et toutes sortes de pains : baguette, ciabatta, au blé, au romarin, au fromage.

— Ouiiiii !

Je me lève d'un bond, tout à coup très emballée par ce nouveau projet. J'ai déjà une foule d'idées que je partage avec mon nouveau partenaire d'affaires.

— Et on pourrait faire plein de condiments spéciaux. Des moutardes aromatisées à l'orange, à l'ail confit, à l'aneth. Et des salsas avec de la coriandre, des tomates, des piments cerises.

— Une garniture de chou rouge au cumin, une autre de fenouil et des laitues. Différentes laitues coupées très finement.

— On pourrait servir ça avec des chips cuites dans le gras de canard.

— Mets-en ! C'est tellement cochon, c'est ça que je veux. Faut que ce soit festif, précise P-O.

— Ça va l'être, inquiète-toi pas ! Et puis on peut être tellement créatifs.

— Oui, mais on a pas une minute à perdre. Faut tout organiser, trouver le véhicule, se procurer les permis, magasiner l'équipement de cuisine. J'ai rien de fait et je suis pas en avance. Vraiment pas.

— Je vais t'aider. Je voulais justement me chercher une job à partir de lundi. Je peux mettre tout mon temps là-dedans, si tu veux.

— Ah, j'avoue que ça me soulagerait beaucoup. J'ai pas une minute à moi, ces temps-ci.

Quel bel été je vais passer ! Cuisiner et rencontrer des tas de gens. Wow ! Je ne pouvais pas demander mieux. Je me rassois aux côtés de P-O, que j'embrasse sur la joue en le remerciant d'avoir pensé à moi.

— C'est rien, voyons, répond-il en posant sa main sur ma cuisse.

Je n'ose plus bouger ni respirer. Je sens que je suis à la croisée des chemins avec P-O. Soit je plonge, soit je mets un terme à cette tension sexuelle qui existe entre nous deux depuis quelques semaines.

Pendant que sa main remonte lentement le long de ma cuisse, se glissant sous ma robe, mon corps me dit de me laisser aller, de profiter du moment qui passe. Mais ma tête, elle, m'ordonne le contraire.

— P-O, je sais pas si…

— T'es tellement belle, Charlotte.

— Tu trouves ?

P-O continue de caresser l'intérieur de ma cuisse, sans un mot.

— J'aimerais ça que tu me le répètes en italien.

— *Sei così bella, Charlotta.*

— J'aime tellement ça quand tu parles italien, c'est comme…

— Chut ! Laisse-toi aller…

Il se rapproche doucement et m'embrasse tendrement dans le cou. J'hésite encore entre mon corps et ma raison, mais je sens que mon corps est en train de gagner la partie. Et je décide de m'abandonner. Juste cette fois-ci, cette seule et unique fois.

J'approche mes lèvres de celles de P-O quand la sonnette de l'entrée retentit. À cette heure-ci ? À regret, je me dégage de l'étreinte de P-O, qui me lance un air de chien battu.

— Reste avec moi… s'il te plaît.

— Je vais juste aller voir c'est qui, au cas où ce serait urgent. Mais je reviens, ce sera pas long, dis-je en lui faisant un sourire plein de promesses.

Juste avant de quitter le salon, je me retourne et je lui lance :

— Profites-en pour te mettre à ton aise.

Son regard s'illumine et je le vois poser une main sur sa ceinture pour la déboucler.

Je me rends à l'entrée de l'appartement, légèrement inquiète de cette arrivée tardive. J'ouvre la porte et j'ai la surprise de ma vie.

— Bonsoir, Charlotte.

Je suis incapable de prononcer un seul mot. Totalement sous le choc.

— Quelques minutes de plus et j'arrivais trop tard pour souhaiter un joyeux anniversaire à... mon épouse.

— Mais, mais, mais... Maxou! Qu'est-ce que tu fais là?

— Comment, qu'est-ce que je fais là? Je suis venu t'embrasser pour ton anniversaire, ça se voit, non? On croirait que tu n'es pas heureuse de me voir.

— Mais non, je suis super contente, je suis juste surprise, c'est tout.

Surprise et légèrement paniquée par la présence d'un autre homme dans mon salon. Je sors sur le palier, je referme la porte derrière moi et je me jette à son cou. Je retrouve avec un plaisir insoupçonné l'odeur de son parfum Chanel, la chaleur de ses bras, la douceur de sa peau. Pendant quelques secondes, j'éprouve l'agréable sensation de rentrer à la maison.

— Quelle belle surprise, dis-je en gardant Maxou collé contre moi, ma tête enfouie dans son épaule.

— J'avais envie de te voir.

Combien de fois, au cours des derniers mois, me suis-je imaginé des retrouvailles avec Maxou? Mais plus le temps passait, moins j'étais certaine de le revoir un jour. Il commençait tout doucement à devenir un souvenir. De moins en moins tangible. Depuis peu, je m'étais même dit que j'allais finir par l'oublier, par cesser de l'aimer. Mais maintenant qu'il est là, dans mes bras, je sais que je me trompais. Cet homme-là, je vais l'aimer toute ma vie. Même si un océan nous sépare.

Maxou me serre très fort contre lui, puis, très doucement, il écarte ma tête de son épaule, prend mon visage entre ses deux mains et m'embrasse passionnément. Je pense que je vais fondre comme neige au soleil. Puis l'image de P-O, assis sur mon canapé dans le salon, possiblement en sous-vêtements, me revient.

Maxou s'écarte pour me murmurer: «On poursuit ça à l'intérieur?» Bon, je fais quoi, maintenant? Je l'envoie se balader quelques minutes? Des plans pour qu'il retourne illico à l'aéroport. Je ne trouve vraiment rien d'intelligent à dire et je mise sur un hypothétique mystère.

— Tu sais, je t'attendais pas… Et il y a juste un petit quelque chose que je dois ranger en dedans. Je ne voudrais pas gâcher une surprise que j'avais l'intention de te faire un jour. Reste ici deux minutes, je reviens.

Et sans attendre ses protestations, je rentre et je me dirige tout droit au salon. Je constate malheureusement que mes prédictions étaient bonnes. P-O est étendu sur le sofa et il ne porte qu'un boxer Kaporal *charcoal*. De plus, il affiche un énorme sourire et me tend la main pour que je le rejoigne.

— Euh, petit changement de programme, P-O, je suis désolée.

— Ah non, se lamente P-O. Pourquoi?

— Écoute, on va se reprendre, OK?

P-O pousse un long soupir de déception et se rhabille. Il lève ses grands yeux noisette vers moi et je lis de l'incompréhension dans son regard.

— Pourtant, t'avais l'air d'en avoir envie, toi aussi. Je pensais que je te plaisais.

La remarque de P-O me déboussole quelques instants. Je le pensais beaucoup plus confiant en ses moyens, beaucoup plus sûr de lui. Qu'il doute tout à coup de mon désir pour lui et qu'il semble véritablement peiné par mon attitude me touchent profondément.

— Mais non, c'est pas ça… c'est juste que… Maxou vient d'arriver.

— Ton Français? Qu'est-ce qu'il veut? Te ramener à Paris?

— Ben non… De toute façon, c'est fini, pour moi, la France. C'est juste une petite visite-surprise pour ma fête.

P-O hausse les épaules en signe de reddition, avant d'enfiler son t-shirt noir à encolure en V qui lui colle au corps.

— Bon, OK. Je m'en vais.

— Euh… Le problème, c'est que tu peux pas passer par l'avant. Je veux pas qu'il te voie, tu comprends ?

— Sacr*»&/% ! Tu veux toujours ben pas que je reste caché dans la garde-robe, pis que je t'entende baiser avec lui toute la nuit !

— Ben voyons donc ! Je ne te demanderais jamais ça, dis-je en décelant une pointe de jalousie dans son ton.

Ouf ! Les relations ne seront pas simples avec mon coanimateur, je crois. Coanimateur et… nouvel associé d'affaires. *My God !* Dans quoi suis-je en train de m'embarquer ?

— Ah, excuse-moi, P-O, c'est complètement nul, mon affaire.

— Ben non, c'est correct, Charlotte, dit-il en se radoucissant tout à coup. Tu pouvais pas savoir. Sauf que là, y a pas d'autre sortie.

— À moins que tu passes par le balcon arrière.

— Ben là, y a pas d'escalier. Je sauterai pas en bas certain.

Je regarde ma montre. Le temps presse, je ne peux quand même pas faire attendre Maxou des heures. Et il est hors de question que les deux hommes se croisent. Mon mari n'a jamais aimé P-O, et je crois maintenant que l'inverse est également vrai.

Je dois trouver une idée le plus rapidement possible. Comment P-O pourrait-il s'évader de mon appartement sans faire de bruit ni attirer l'attention ? S'évader… c'est peut-être ça la clé !

— Et si tu faisais comme les prisonniers, hein ?

— Qu'est-ce que tu veux dire ?

— Avec des draps ! On va faire une corde avec des draps. Ça marche dans les films.

— Ç'a pas de bon sens ! Tu peux pas juste lui dire qu'on jasait ? T'as donc ben peur de lui.

— J'ai pas peur, je veux juste pas compromettre mes chances de…

— OK, c'est beau. J'ai compris. Je suis pas con. Donne-les-moi, tes cal%&$% de draps !

— Ah… merci ! T'es fin.

Je me retourne pour courir vers ma chambre quand P-O attrape mon poignet, m'obligeant à lui faire face à nouveau.

— Tu sais, Charlotte, c'est pas le genre de truc que j'ai fait souvent dans ma vie pour une fille.

— J'imagine, oui. Je t'en dois une.

— J'ai pas dit ça. Je veux juste que t'en sois consciente.

— Hum, hum.

Je baisse les yeux au sol, légèrement honteuse.

P-O me laisse partir et je me dépêche d'aller retirer les draps fleuris qui sont sur mon lit. Je lui apporte le tout sur le petit balcon extérieur, en le remerciant une nouvelle fois.

— Une chance que c'est pas trop haut, dis-je pour me déculpabiliser.

— Ouin.

— Ça va tenir, hein ? Tu tomberas pas ?

— Non, non. Ça va faire la job.

— OK. Je peux te laisser, maintenant ? Je vais rester avec Maxou à l'autre bout de l'appart, comme ça il risque pas de t'entendre.

— Oui, oui, vas-y, répond P-O d'un ton las.

Je ne trouve rien d'autre à ajouter. Reconnaissante, je lui souris une dernière fois avant de fermer la porte du balcon et de tirer le rideau de la petite fenêtre. Je replace mes cheveux rapidement et je me précipite à la porte d'entrée, en espérant que Maxou n'a pas déguerpi comme un voleur.

22

« Zou bisou bisou
Zou bisou bisou
Zou bisou bisou zou bisou zou bisou
Mon Dieu qu'ils sont doux. »
Megan (Jessica Paré) qui chante *Zou bisou bisou* pour
l'anniversaire de Don (Jon Hamm) dans *Mad Men*, saison 5.

Je suis étendue sur ma douillette fleurie, sur laquelle nous venons de faire l'amour, Maxou et moi, faute de draps. Je regarde tendrement mon mari, qui s'est endormi tout de suite après l'amour. Comme un bébé. Alors que moi, je suis là, avec mille et une questions qui me traversent l'esprit mais personne à qui les poser.

Comment se fait-il que deux personnes qui ne se sont pas vues depuis plus de cinq mois puissent se retrouver comme si tout ce temps-là ne s'était pas écoulé ? Comme si elles s'étaient quittées la veille ? Comme si des adieux déchirants n'avaient jamais eu lieu ?

Pourquoi Maxou a-t-il fait un voyage éclair au Québec ? Est-ce vraiment dans l'unique but de passer un peu de temps avec moi ? Et même si je flotte de joie à l'idée de lui consacrer tout mon dimanche, je suis déjà inquiète de l'état dans lequel je serai lundi, après son départ. Nous ne serons pas plus avancés qu'avant.

Je me lève sans bruit, j'enfile ma nuisette blanche en coton et je me rends sur le balcon arrière. La corde de draps est toujours en place, sur le côté du balcon. Tout semble s'être bien passé.

Je m'assois sur le petit tapis gris et j'essaie d'imaginer la scène. P-O, les mains solidement agrippées aux draps, qui descend le long de la corde, se donnant des élans en appuyant les pieds contre le mur. Faut le faire, quand même! Je commence à dénouer les draps, un vague sourire aux lèvres.

— Qu'est-ce que tu fous, Charlotte?

La voix tout ensommeillée de Maxou me tire de ma rêverie. Je me retourne. Il est là, devant moi, ses beaux cheveux faussement blonds ébouriffés et son boxer en nylon noir hyper ajusté sur son ventre mince.

Tout à coup, des tas de souvenirs me reviennent en tête.

C'est ce type de sous-vêtements qu'il portait le premier soir où nous avons fait l'amour, ici même. Dans cet appartement. C'est aussi un boxer comme celui-là que je lui ai acheté le soir où je l'ai reçu à souper pour la première fois. Un cadeau en guise de petit baise-en-ville improvisé. C'était le soir où j'ai tout gâché en mettant le feu à mon chaudron d'huile végétale. Le fameux repas japonais... Celui à la fin duquel j'étais certaine de l'avoir perdu. C'est aussi un boxer identique à celui-ci que j'ai dérobé en douce de son chiffonnier à Paris pour le cacher dans mes bagages, le jour de mon départ pour Montréal. Un sous-vêtement que j'ai pressé contre mon corps ces longues nuits d'hiver où mon mari me manquait trop. Mais dont j'ai eu de moins en moins besoin, ces derniers mois. Je soupire en pensant que je devrai peut-être le sortir de sa cachette quand Maxou repartira vers l'Hexagone.

— Pourquoi t'es venu, exactement? lui dis-je sans préambule, en me levant.

Habitué à ma franchise, Maxou ne semble pas surpris par ma question. Un peu agacé peut-être, mais pas étonné le moins du monde.

— Je te l'ai dit, j'avais envie de te voir.

— Oui, mais ça sert à quoi?

— Oh là là, Charlotte. Tu me soûles avec tes questions. On ne peut pas simplement profiter du moment qui passe?

Je hausse les épaules, ne sachant pas trop quoi répondre. Oui, j'ai envie de me laisser aller, de ne pas trop penser à la suite des événements, mais c'est plus fort que moi. Je suis faite comme ça.

— En réalité, poursuit Maxou, je voulais arriver à temps pour ta soirée d'anniversaire, mais figure-toi que j'ai attendu sept heures à Charles-de-Gaulle.

— Comment ça? Il n'y avait pas d'avion?

— Si, si, l'avion était en piste. Mais votre putain de compagnie canadienne avait mal planifié son équipage. Il n'y avait pas de pilote! Il a dû venir depuis Montréal, tu te rends compte?

Intérieurement, je pousse un soupir de soulagement et je remercie la compagnie aérienne. Je n'aurais tellement pas voulu que Maxou participe à cette soirée pour le moins baroque. Et surtout pas qu'il me découvre à moitié nue, complètement ivre, dans le spa d'Ugo.

— Pauvre chou. Toute la journée à l'aéroport. Mais comment tu savais que j'organisais une soirée ici?

— Tu en as parlé à Boris quand il est venu te voir.

— Ah oui, ce cher Boris, dis-je, un léger sourire aux lèvres.

Je vois Maxou se raidir soudainement. Il me lance un regard interrogatif, suivi d'un air mécontent. Ce qui me fait drôlement plaisir. Je le laisse imaginer les pires scénarios pendant quelques secondes, puis j'éclate d'un grand rire.

— Mais non, c'est pas ce que tu penses.

— J'avoue, bien honnêtement, que ça m'aurait déplu.

Je l'enlace tendrement et il me berce dans ses bras quelques instants. Soudainement, il se penche au-dessus du balcon.

— Putain, Charlotte, qu'est-ce qu'ils font là, tes draps ? Vous avez joué aux gendarmes ou quoi ?

— Euh, non, non. Je sais pas trop qui a fait ça. Je viens juste de les voir. Je me demandais où ils étaient passés, aussi.

Maxou ne semble pas convaincu. La meilleure façon de lui faire oublier ses soupçons est de lui changer les idées. Et avec Maxou, j'ai toujours su exactement comment m'y prendre.

***

— Je peux te poser une question ?

Je suis au salon, étendue sur le canapé avec Maxou. L'arrière de ma tête appuyée contre sa poitrine, mes jambes allongées entre les siennes, un mimosa dans les mains. Nous sommes dimanche midi et ça fait à peine une heure que nous sommes réveillés, après une nuit d'amour torride. De celles dont je me rappellerai longtemps.

— Je crois, Charlotte, que tu n'as jamais eu besoin de ma permission pour ça, répond-il en caressant mon poignet gauche, auquel j'ai enfilé le délicat bracelet en argent qu'il m'a offert pour mon anniversaire.

Avec une petite breloque en forme d'escarpins : c'est trop moi !

Maxou a raison. Du moins, c'était comme ça du temps où il était officiellement mon chum et ensuite mon mari. Mais maintenant que notre situation conjugale n'est plus très claire, je ne me sens plus dans mon droit de le questionner au sujet de ce qui me brûle les lèvres depuis son arrivée.

Depuis une douzaine d'heures, pendant lesquelles j'ai à peine dormi, j'éprouve une curieuse impression. Celle de faire partie d'un étrange couple qui mène une vie parallèle.

— Alors? Cette question?

— Est-ce que tu as eu beaucoup d'aventures depuis notre séparation?

— Et toi?

— Maxou, je te l'ai demandé avant.

Il soupire, prend ma main gauche dans la sienne. Ses doigts s'attardent sur mon annulaire.

— Et toi, ça fait longtemps que tu ne portes plus ton alliance?

— Euh… je sais pas trop. Quelques semaines, je pense.

En réalité, ça fait déjà plusieurs mois que j'ai retiré mon alliance et ma bague de fiançailles pour les jeter au bout de mes bras. Et comme je ne voulais plus les voir, mais que je refusais de m'en départir, j'ai demandé à Ugo de les garder.

Maxou, lui, ne semble pas avoir la même relation que moi avec ce symbole. Le jonc que je lui ai enfilé devant témoins, il y a un peu plus d'un an, orne toujours son annulaire gauche.

— Toi, tu la portes tout le temps?

— Tu veux la vérité?

— Ben oui.

— Seulement ce week-end.

— Ah… parce que c'est tout ce que ce sera? Un week-end?

— Forcément. Qu'est-ce que tu veux que ce soit d'autre?

— Je sais bien, dis-je, résignée.

Je dépose ma coupe de mimosa, je me relève pour m'appuyer sur mes genoux et je me retourne pour lui faire face. Bien décidée à profiter des derniers moments avec lui, je m'assois directement sur son sexe.

— Eh bien, si c'est comme ça, on a pas une minute à perdre.

Je l'embrasse tout doucement dans le cou, en effleurant à peine sa peau. Je descends ma main lentement sur sa poitrine, puis je dénoue sa robe de chambre, avant de m'aventurer sur son ventre. Je laisse errer ma main quelques instants, juste pour le plaisir de sentir monter le désir.

— J'aurais un autre cadeau d'anniversaire à te demander, lui dis-je dans un murmure.

— Quoi donc?

— Tu me laisses faire, d'accord?

Et pour être certain d'obtenir une réponse positive, je glisse les doigts sous l'élastique de son boxer et je suspends ensuite mon geste.

— Tout ce que tu veux.

— C'est ce que je voulais entendre.

Je retire ma main pour tirer sur la ceinture de sa robe de chambre afin de la dégager complètement. Maxou me regarde faire, intrigué. Mais il n'a guère le temps d'en savoir plus, puisque je lui bande les yeux avec la ceinture.

Tout doucement, je le prends par la main pour l'emmener ailleurs. Au sens propre, comme au sens figuré. Au passage, je programme mon iPod pour faire jouer le disque que j'ai acheté récemment pour accompagner mes soirées avec Roger, mon ami à piles, *Erotic Lounge*.

En entendant la musique électro-sensuelle, un sourire se forme sur les lèvres de Maxou. Je reprends sa main et, tous les deux, on se dirige vers la cuisine. Dans ma tête, je repasse en revue ce que contient mon frigo : du homard frais, des framboises juteuses, de la crème fouettée, du sirop d'érable, de la tartinade de poires, vanille et pamplemousse et… la bouteille de champagne qu'il m'a apportée hier et que nous venons d'entamer. J'ouvre la porte du frigo, je demande à Maxou de s'asseoir au sol et je réalise finalement un de mes plus grands fantasmes. Jouer la scène culte du frigo dans *Neuf semaines et demie*. Mais en menant le jeu. Pas l'inverse.

23

« C'est une histoire d'amour impossible ;
lorsqu'une histoire d'amour n'est pas impossible,
ce n'est pas une histoire d'amour. »
MARJANE SATRAPI, interviewée dans le cadre
de la sortie de son film *Poulet aux prunes*,
dans *Voir*, édition de Montréal, 31 mai 2012.

— *A*ttendez-moi !

Que je déteste faire du vélo quand je suis la plus lente du groupe. Ce qui est malheureusement presque toujours le cas. Ugo s'est réveillé en ce beau dimanche matin ensoleillé avec l'idée de faire de l'exercice et de prendre l'air. J'ai tout d'abord refusé de l'accompagner, puis, après deux cafés, j'ai changé d'idée. Je lui ai même suggéré que Marianne se joigne à nous. Ce qu'elle a accepté avec grand plaisir, ses jumelles étant avec leur père, et sa copine, en session intensive de yoga pour la journée.

Ugo nous a proposé une balade sur la Rive-Sud, en empruntant la navette fluviale dans le Vieux-Port. Au début, j'ai un peu ronchonné, mais quand mon ami a suggéré que nous dînions dans la cour intérieure d'un petit bijou de restaurant provençal à Longueuil, le sourire m'est tout de suite revenu. Une salade niçoise et un verre de rosé en bonne compagnie, c'est

tout ce qu'il me faut pour que mon dimanche soit
parfait.

— Ugo, Marianne, attendez-moi, j'ai dit!

Nous venons justement de descendre de la navette,
à la marina de Longueuil et, déjà, Ugo et Marianne
ont pris beaucoup d'avance sur moi. C'est pourquoi je
m'époumone depuis tantôt, mais ils ne semblent pas
entendre mes cris. Pas envie de les perdre de vue et de
me perdre dans le 450, moi!

— UGO!

Mon ami freine subitement et se range sur le côté
de la piste cyclable, dans l'herbe haute. Marianne fait
de même. Bon, enfin! Je les rejoins et je m'arrête aussi.
Je reste toutefois sur la piste, puisque je n'ai pas envie
de salir mes nouvelles espadrilles roses dans l'herbe
trempée par la rosée matinale.

J'en profite pour enlever mon casque et refaire
ma queue de cheval avec mon élastique orange. Mes
deux amis m'observent comme si j'étais une enfant
capricieuse.

— Je te signale que tu bloques le passage, Charlotte,
dit Ugo.

— Hum, hum, ça sera pas long, dis-je en achevant
de nouer mes cheveux et en replaçant sur ma tête
l'accessoire que m'impose Ugo.

— Bon, on peut y aller, là? demande Marianne.

— Oui, mais arrêtez de vous enfuir.

— On s'enfuit pas, voyons! lance Ugo d'un ton
excédé.

— Tu penses vraiment qu'on se sauve de toi? ajoute
Marianne, visiblement étonnée.

— Ben… non, non, c'est juste que…

Honteuse, je fixe les indications de direction au
sol, lesquelles auraient tout intérêt à être repeintes.
Je sais trop bien que mon comportement est complètement enfantin. Et je sais exactement à quoi
l'attribuer. J'ai souffert de mon manque d'apti-
tude aux activités sportives une bonne partie de

ma vie. En fait, pendant toute mon enfance et mon adolescence.

Je me souviens trop bien de tous ces moments pénibles. Ceux où j'étais choisie la dernière quand venait le temps de former les équipes de soccer, de volleyball ou de basketball, pendant les cours d'éducation physique. J'ai toujours vécu et je vis encore ce que j'appelle du «rejet sportif». Heureusement, c'était le seul cours où je n'étais pas désirée. Dans les autres matières, tout le monde voulait travailler avec moi.

— Mais non, Marianne, intervient Ugo, t'inquiète pas avec Charlotte. Elle aime ça, jouer les victimes, quand on fait du sport. C'est toujours pareil.

— Eille, Ugo Saint-Amand, je joue pas les victimes! J'aime juste pas ça quand vous m'attendez pas! On est trois où on l'est pas!

Moins habituée qu'Ugo à mes minicrises, Marianne me regarde d'un air compatissant. Elle lance ensuite un regard légèrement accusateur à mon ami, qui se radoucit aussitôt.

— Excuse-moi, chérie, on va t'attendre. Promis.

— Viens, ma belle, on va aller en avant, toutes les deux, ajoute Marianne. Ugo, tu restes derrière nous, OK?

Je vois Ugo faire une moue mécontente. Tant pis pour lui! Ça lui apprendra à me traiter de victime. Je pédale derrière Marianne quelques instants et, dès que le champ est libre, je vais sur l'autre voie pour rouler à côté de mon amie, en lui faisant un brin de jasette.

— Comment vont tes jumelles?

— Elles s'adaptent tranquillement, mais c'est pas toujours facile.

— J'imagine… Est-ce qu'elles ont rencontré Karen?

— Non, non, pas tout de suite. Je veux pas les mêler plus qu'elles le sont déjà.

— Ça doit être compliqué quand c'est ta semaine de garde. Tu vis avec elle, non ?

— Oui, mais c'est moi qui me déplace. Je retourne à la maison pour la semaine. On a pas voulu changer les filles d'environnement tout de suite.

— Wow ! Quelle bonne idée ! Et Benoît, il va où ?

— À l'hôtel.

— Ah bon. Est-ce qu'il accepte un peu mieux votre séparation, là ?

— Non. Pas du tout. Il comprend rien.

Marianne semble se perdre dans une certaine tristesse quelques instants. Nous continuons notre randonnée en silence quand, tout à coup, Ugo se fait entendre derrière nous. La voix haut perchée et le ton faussement indigné.

— Eille, les filles, attendez-moi ! Vous êtes pas fines, là !

J'éclate de rire devant cette pâle imitation de moi-même. D'accord, je l'ai mérité ! Je me tourne vers Marianne et, à mon grand bonheur, je vois le sourire revenir sur ses lèvres.

***

— Et pour boire ? demande le sympathique serveur du Lou Nissart, le resto niçois du Vieux-Longueuil où nous sommes attablés.

— Un verre de rosé, s'il vous plaît, dis-je.

— Pour moi, ce sera un pastis, ajoute Marianne.

— Et pour moi, une Griffon, termine Ugo.

Après deux heures et demie de vélo, nous profitons d'une pause bien méritée. Je suis heureuse d'avoir un moment de tranquillité avec mes amis, après la semaine de fous que je viens de passer.

Lundi, tout de suite après que Maxou est parti en taxi pour l'aéroport – il a refusé de monter à bord de ma voiture, « trop fille, trop rose » –, j'ai sauté à pieds joints dans le projet cuisine de rue. Ça m'a permis de m'occuper l'esprit et de chasser le vide laissé par le départ de mon mari. J'ai été tellement occupée que je n'ai pratiquement pas vu Ugo de la semaine. Il est toutefois au courant de la visite éclair de Maxou, ainsi que de l'imbroglio dans lequel je me suis retrouvée quand ce dernier a sonné à ma porte.

— Marianne, est-ce que Charlotte t'a dit qu'elle s'était retrouvée prise entre deux hommes?

— Non, mais ça m'étonne pas beaucoup.

— Comment ça? dis-je.

— Tu le sais, Charlotte.

Marianne s'adresse ensuite à Ugo pour lui raconter des bribes de notre adolescence.

— À la polyvalente, Charlotte était la petite star. Elle avait beaucoup de succès auprès des garçons.

— Ouin, mais j'ai eu des méchants chums poches aussi.

— Oui, mais au moins t'en avais. Si je me souviens bien, t'en avais pratiquement toujours un.

— Peut-être, mais, parfois, c'était juste pour me consoler de l'autre.

— Sauf que, intervient Ugo, ça créait de la jalousie chez les autres filles, j'imagine.

— T'as tout compris, approuve Marianne. Moi, ça me dérangeait pas, je devais déjà sentir que les garçons… Enfin. Et puis j'ai toujours été au-dessus de ça, la jalousie.

Ugo me lance un regard discret et je saisis tout de suite le message. Oui, je vais tout faire pour garder mon ancienne-nouvelle amie. Notre échange n'échappe pas à Marianne.

— Quoi? Qu'est-ce qui se passe?

— J'ai simplement dit à Charlotte que t'étais une très bonne amie pour elle. Bien différente de toutes celles qu'elle a eues à ce jour. Plus généreuse, moins portée sur elle-même, plus ouverte aux autres.

J'approuve d'un hochement de tête en regardant Marianne avec tendresse.

— Vous êtes drôles, vous autres. Je suis pas mère Teresa...

— On pense pas ça, non plus, répond Ugo en éclatant de rire.

Je pose la main sur l'avant-bras de Marianne pour bien lui faire comprendre l'importance de ce que je m'apprête à lui confier.

— C'est juste que c'est vraiment chouette d'avoir quelqu'un comme toi dans ma vie en ce moment. Je le réalisais pas, mais je pense que tu m'as manqué pendant toutes ces années où on s'est perdues de vue.

Marianne semble touchée par mes paroles. On reste silencieux tous les trois pendant que le serveur dépose nos apéritifs sur la table. Je retire ma main doucement et Marianne lève son verre de pastis. Elle me regarde droit dans les yeux.

— Tu sais, Charlotte, moi aussi, je trouve ça super d'avoir une amie comme toi.

— Trop *sweet*!

— Avec toi, c'est comme s'il n'y avait plus de barrières à rien. Comme si on pouvait se permettre de tout faire, de tout vivre. Je sais pas trop comment expliquer ça, Charlotte, mais tu m'as donné le petit coup de pouce dont j'avais besoin pour être vraiment moi.

Je sens mon cœur se gonfler d'amour et de reconnaissance. Moi qui estime si souvent que je suis une mauvaise amie...

— Arrête, tu vas me faire pleurer.

— Trop tard, s'exclame Ugo en essuyant une larme qui coule sur ma joue. C'est vrai, ce que dit Marianne, il y a quelque chose de profondément authentique chez toi, Charlotte.

— Ben là, mettez-en pas trop.

Pour chasser le trop-plein d'émotion, je secoue la tête et j'adopte volontairement un ton plus léger. Je m'adresse à mon amie :

— Est-ce que ça t'intéresse toujours de savoir comment je me suis retrouvée prise entre deux hommes?

— Bien sûr !

Je raconte ce qui s'est passé pendant les dernières minutes de ma journée d'anniversaire. L'épisode du prisonnier en cavale fait rire Marianne aux éclats.

— Et avec Max, comment ça s'est passé ? me demande-t-elle.

Je ne réponds pas tout de suite, attendant que le serveur, qui vient de se manifester, finisse de disposer nos plats sur la table. Ma salade niçoise, généreuse en anchois, semble délicieuse. Tout comme les pizzas corses de mes amis.

— Maxou, dis-je, perdue dans mes réflexions avant de plonger dans ma salade.

— Oui, tu m'en as pas parlé beaucoup, souligne Ugo. Honnêtement, quand je vous ai croisés dimanche et qu'il m'a dit qu'il repartait le lendemain, j'étais certain que j'allais te ramasser à la petite cuillère.

— Non, pas cette fois-là.

— Tant mieux. Ça signifie que tu te détaches.

— Non, c'est pas ça.

Mes deux amis me regardent d'un air interrogateur. Je dépose ma fourchette pour tenter d'expliquer quelque chose que je ne comprends pas moi-même.

— Premièrement, c'était comme si on s'était jamais quittés. On a vécu ces deux jours-là dans un cocon, comme si le monde extérieur existait pas. On est sortis une seule fois pour aller à l'épicerie dimanche en fin de journée, et c'est là qu'on t'a rencontré, Ugo.

Je m'arrête pour prendre ma dernière gorgée de rosé et je fais signe au serveur de m'apporter un deuxième verre.

— T'oublies pas qu'on est en vélo, me rappelle doucement Marianne.

— Oui, oui, t'inquiète pas. Ça va être mon dernier.

Je replonge dans mes souvenirs de ces deux jours passés sur un nuage. Maxou et moi, nous n'avons pratiquement pas parlé du travail, de nos préoccupations, de notre avenir. Ni même de notre passé. Nous avons vécu l'instant présent, sans trop nous poser de questions.

Dire que j'ai même réussi à lui faire jouer la scène du frigo… Un moment qui restera gravé dans mon cœur toute ma vie. D'autant plus que je l'ai discrètement filmé avec mon iPhone.

Je l'ai visionné trois fois depuis le départ de Maxou. Je dois avouer que ma scène est bien meilleure que celle du film que j'ai regardée je ne sais plus combien de fois sur YouTube. J'ai été impressionnée de constater à quel point mon mari-bientôt-ex-mari s'est prêté au jeu. Lui, habituellement si coincé, s'est fait barbouiller de crème fouettée, de sirop d'érable, de framboises juteuses… tout ça sans rechigner. Et il a aussi accepté d'inverser les rôles quand je le lui ai demandé. Et il m'a réservé une petite surprise. Celle de me faire croquer dans un piment jalapeno… À ce seul souvenir, j'ai la gorge en feu.

— Charlotte, continue ton histoire, s'il te plaît, me presse Marianne.

— Ah oui, excuse-moi. Donc, quand il est parti lundi, je m'attendais à capoter. Mais non. C'est vrai que ç'a laissé un vide, mais, en même temps, c'est comme si mon cœur s'était rempli d'amour. Comme s'il avait fait des provisions et que je pouvais en vivre longtemps, vous comprenez ?

— Euh, je suis pas certain, là… Est-ce que t'es en train de nous dire que tu vas vivre un amour à distance ? me demande Ugo.

— Non, en fait, je sais même pas si on va se revoir. On s'est rien promis. Ça se passe à un autre niveau.

— Je te suis pas trop, là, ajoute-t-il.

— Moi, je pense que je sais ce qu'elle veut dire, intervient Marianne.

— Bon, enfin, une qui comprend.

— C'est simple, dans le fond. Tu as eu la confirmation que lui aussi il t'aime encore très fort. Et de savoir que l'autre nous aime autant qu'on l'aime, ça nous suffit. Même si on sait que c'est un amour impossible.

— C'est ça. C'est exactement ça.

Ugo s'éclaircit la gorge et se tourne vers moi pour me regarder droit dans les yeux.

— Pour l'instant, ça te suffit. Mais je ne t'ai jamais vue te contenter d'un amour… comment dire, d'un amour virtuel. T'as beau essayer de faire ta romantique, Charlotte, mais tu sais aussi bien que moi que ça te prend un homme dans ta vie. Et dans ton lit.

***

— Fait que depuis ce temps-là, on communique seulement par le biais de nos avocats.

Marianne nous explique maintenant comment elle a dû faire face au mépris de son ex-mari quand il a appris qu'elle était tombée en amour… avec une femme. J'ose à peine vous répéter les horreurs qu'il lui a dites et les insultes qu'il lui a balancées tellement c'était gratuit, méchant et dégradant.

Moi, à la place de Marianne, je l'aurais puni en le castrant pendant son sommeil. Mais comme mon amie est une fille plus raisonnable que moi et qu'elle a deux jumelles à protéger, elle s'est contentée d'embaucher un avocat.

— Ouin, c'est pas drôle, ça, dis-je en prenant une gorgée de mon allongé.

— Bof… l'important, c'est qu'on garde les filles en dehors de ça.

— Et que tu vives la vie que tu veux.

— Et que je vive la vie… dont j'ai toujours rêvé.

— Ah oui? T'as toujours su que tu étais gaie?

— C'est pas aussi clair que ça, Charlotte. Je le sentais plus que je le savais.

— Et comme bien d'autres, renchérit Ugo, tu te disais que c'était juste un *trip*, que ça passerait, que t'oublierais ça un jour.

— Je me suis mise en couple pour continuer d'oublier. Pour mener la vie bien rangée à laquelle mes parents m'avaient préparée.

— T'as eu des enfants, enchaîne mon ami. Tu t'es dit que tu ne pouvais pas leur faire ça, qu'elles avaient besoin de toi, que tu étais maintenant une mère. Et que tes désirs frivoles, tu devais les oublier.

Marianne hoche la tête de haut en bas, tristement. Ugo poursuit.

— Tu sentais que t'étais pas à ta place, mais tu faisais comme si tout allait bien. Après tout, tes parents étaient si fiers de toi. Le modèle parfait de la réussite. Tu pouvais pas briser leur rêve.

Je suis stupéfiée par la façon dont Ugo raconte l'histoire de Marianne. Comme si c'était la sienne… ce qui est loin d'être le cas, pourtant. Il continue.

— Tu t'es jetée corps et âme dans le travail. Mais ça te rattrapait. Tu pensais de plus en plus souvent aux femmes. Parfois, quand tu étais seule le soir, tu te risquais à regarder de la *soft porn* sur ton ordi. Celle qui met en scène des femmes avec des femmes.

Mon amie baisse les yeux et les garde fixés sur sa tasse de tisane à la framboise, pendant qu'Ugo fait défiler sa vie en pièces détachées.

— Plus le temps passait, plus t'haïssais ça, baiser avec ton conjoint. Et vers la fin, avant que tout éclate, t'étais même plus capable de jouir avec lui.

Marianne redresse la tête. Ses yeux sont inondés de larmes. Elle fait un petit signe de négation à Ugo.

— Ah, d'accord… Avec lui, t'avais jamais eu d'orgasme.

Marianne retient maintenant difficilement les larmes qui coulent sur ses joues. Je me sens profondément triste à l'idée qu'elle a souffert en silence pendant toutes ces années. Et moi, où étais-je, tout ce temps-là ? Pourquoi n'ai-je pas été capable de voir son désarroi ?

Un immense sentiment de culpabilité m'envahit. Je veux bien croire que nous nous sommes perdues de vue pendant six ans, avant de renouer à l'occasion de mon mariage, mais où était ma sensibilité pendant toutes les années où nous nous fréquentions?

Ugo caresse doucement le dos de mon amie.

— Comment ça que tu sais tout ça, toi? demande-t-elle.

— Parce que ton histoire, Marianne, c'est celle de plein d'autres filles. Et de plein d'autres gars aussi. Aujourd'hui encore, malheureusement. Et toi, Charlotte, ajoute-t-il à mon endroit, arrête de te sentir coupable. Tu pouvais pas savoir ce que Marianne vivait. Ça prenait un autre gai pour comprendre.

***

— Tu te souviens quand ton père nous emmenait à la Ronde? lance Marianne en apercevant le parc d'attractions se dresser devant nous.

Je rentre à Montréal à bord de la navette fluviale seule avec mon amie, Ugo nous ayant délaissées pour aller s'éclater en faisant quelques tours de piste sur le circuit Gilles-Villeneuve. Il devait aussi passer à sa boucherie de Longueuil, où il avait des trucs à régler avec sa gérante, Isabelle, qui, je trouve, prend de plus en plus de décisions relativement à tout ce qui concerne son deuxième commerce. À croire qu'elle en est propriétaire!

— Je me souviens surtout de la fois où j'avais fait pipi dans le Marteau, oui. J'avais assez honte.

— Ben non, c'était pas grave.

— Je voulais tellement pas que mon père le sache. Une chance que t'étais là.

Je nous revois, toutes les deux, sortant de la petite cabine du manège, après une envolée où j'avais vécu des moments de terreur. Nous devions avoir huit ou neuf ans. Paralysée par la peur et par la honte, j'étais incapable de prononcer un seul mot.

Marianne avait vu mon pantalon blanc mouillé et mon regard affolé. Elle avait tout de suite compris mon désarroi. Elle avait enlevé son chandail à capuchon pour ne garder que sa camisole. Elle me l'avait ensuite noué autour de la taille avant de m'emmener aux toilettes pour que je puisse me nettoyer et me sécher, sans que papa le sache. Grâce à elle, mon honneur était sauf.

Marianne et moi, on reste plongées dans nos souvenirs d'enfance quelques instants. Le vent du fleuve caresse mon visage et je ferme les yeux pour mieux en profiter. Quand je les ouvre, Marianne affiche un air perplexe.

— À quoi tu penses?

— À Ugo.

— Qu'est-ce qui te tracasse?

— Je me demandais… Est-ce que tu sais s'il a quelqu'un dans sa vie?

— Non, pas depuis Justin.

— T'es certaine?

— Ben oui, pourquoi?

— Une impression… J'ai le *feeling* qu'il a quelqu'un dans la peau en tout cas.

— Coudonc, ça va-tu toujours être comme ça, maintenant? Vous allez vous comprendre, parler un genre de langage gai, pis, moi, je vais être exclue!

— Ben non, c'est pas ça…

— Je te dis qu'il a personne.

— OK, OK, j'ai compris.

J'ai beau essayer de me convaincre qu'elle a tort, ses réflexions me chicotent tout de même.

— Bon, qu'est-ce qui te fait croire ça?

— Rien de concret, mais j'ai l'impression qu'il pense à quelqu'un.

— Je sais pas trop ce serait qui…

Ugo a-t-il vu un autre homme dernièrement? À part Alejandro et Boris? Je serais étonnée qu'il s'agisse de l'un d'eux, le premier étant une escorte et le deuxième vivant à Paris. Cet hiver, il est aussi allé rejoindre des amis en Floride quelques jours comme il en a l'habitude tous les ans, mais ça ne signifie pas qu'il est tombé en amour pour autant. Non, plus j'y pense, moins c'est possible. Ugo n'a personne en vue. De toute façon, il m'en aurait parlé. Entre meilleurs amis, on se dit tout, n'est-ce pas?

Et quand on essaie de se cacher des choses, ça ne fonctionne pas. On finit toujours par être démasqué. Même quand ça ne fait pas notre affaire. C'est ce qui s'est passé quand Ugo a reçu son relevé de carte de crédit cette semaine. Il a tout de suite compris que je l'avais emberlificoté avec l'achat de sa montre et, depuis, il exige que je lui rembourse les 1 000 dollars qu'il n'avait pas autorisés. De mon côté, je conteste cette réclamation, affirmant que j'ai fait ça pour son bien. Et tous les deux, on sait très bien que c'est moi qui vais l'emporter.

Bip!

Le signal de l'arrivée d'un texto se fait entendre au fond de mon petit sac à dos. Je fouille pour y trouver mon iPhone et je lis le message que P-O vient de m'envoyer: «Rendez-vous demain à 10 heures chez le fournisseur de saucisses.»

Je lui réponds: «Super! Bon dimanche.»

— C'est qui? me demande Marianne.

— Mon partenaire d'affaires.

— Ah, lui… Comment ça se passe depuis le *party*?

— C'est plutôt froid.

— Faut le comprendre, Charlotte. C'est clair qu'il trippe sur toi. Et pas à peu près.

— Bah, c'est juste sexuel.

— Je suis pas certaine de ça, moi. Je mettrais ma main au feu qu'il est amoureux.

— Tu penses?

— Ouvre-toi les yeux, Charlotte. Moi, j'ai vu plein de signes.

— Ah ouin? Lesquels?

— Des petites choses. La façon dont il te regarde, le fait qu'il s'est occupé de tout le soir du *party*, le dessert qu'il a apporté.

— C'est vrai, la pièce montée de coquilles d'œufs, le premier dessert que j'ai préparé pour lui.

— C'est clair qu'il voulait te passer un message.

— Mais non.

— Mais oui. Et en plus, il a accepté de jouer au prisonnier en se jetant en bas de chez toi avec des draps. C'est pas le comportement d'un gars qui veut juste une baise, ça.

— Eh merde! Si t'as raison, ça va être encore plus compliqué que je pensais.

Songeuse, je regarde l'île Sainte-Hélène s'éloigner tout doucement. Je m'en veux maintenant d'avoir laissé les choses se passer comme ça entre P-O et moi. Je n'aurais jamais dû jouer le jeu de la séduction avec mon coanimateur. C'était une très mauvaise idée. Maintenant, non relations professionnelles et amicales sont compromises. Tout ça parce que je me sentais seule et que j'avais besoin de plus que les caresses inoffensives d'Ugo. Maudite libido! Tu ne peux pas te tenir tranquille de temps en temps?

— Et toi, Charlotte? C'est quoi, tes sentiments par rapport à lui?

— C'est un ami. C'est ce qu'il est et c'est ce qu'il doit être. Point final.

— Je veux pas te contredire, ma belle, mais on jurerait que tu veux te convaincre.

— Pantoute. Je le répète: P-O, c'est juste un ami. Non, c'est juste un collègue. Et s'il n'est pas capable de vivre avec ça, ben…

— Tu vas faire quoi?

— Je sais pas, je verrai. De toute façon, il n'aura pas le choix. Parce que, moi, je vais le tenir à distance, désormais.

24

« *Hit the road Jack.* »
RAY CHARLES, 1961.

— *E*ille, Charlotte, t'as vu ça ? Le Madrid… Ils l'ont remplacé par des *fast food* !

— Ben oui, c'est plate, hein ?

Je suis avec papa à bord de notre nouvelle cantine de rue, en direction de la Vieille-Capitale. Festival d'été de Québec, *here we come* !

— Mets-en ! Pis t'as vu les nouveaux dinosaures ? Ils sont bien moins beaux que dans le temps, dit papa, une pointe de nostalgie dans la voix.

— C'est plus pareil, c'est sûr.

— Tu te souviens qu'on arrêtait là quand tu étais petite ? On mangeait une pointe de pizza et on continuait vers Québec.

— Oui, je me rappelle.

— Surtout à l'été 84, hein ? Je sais pas combien de fois je t'ai emmenée à Québec pour aller voir les bateaux. Québec 84, t'aimais tellement ça.

— J'avais juste sept ans, mais je m'en souviens comme si c'était hier.

Je suis contente d'avoir demandé à papa de devenir le troisième partenaire de l'aventure cuisine de rue. C'est lui qui m'accompagne sur la route et qui me sert de chauffeur quand P-O ne peut pas. Il s'est aussi beaucoup impliqué dans les préparatifs. Il a trouvé le véhicule, un immense camion carré, que j'ai fait repeindre d'un lumineux jaune soleil, avec une belle inscription rouge : *Les hot-dogs de P-O et Charlotte*.

Sur le côté, il y a une grande fenêtre qu'on peut ouvrir pour prendre les commandes et faire le service. Le menu est inscrit directement sur la carrosserie. J'A-DO-RE mon nouveau camion... Euh, *notre* nouveau camion.

D'une nature beaucoup plus patiente que la mienne, papa m'a également rendu service en s'occupant de toute la paperasse relativement au camion : assurances, immatriculation, permis de la Ville, etc. *So boring.*

Quand j'ai proposé à P-O d'engager mon père pour nous aider, j'ai senti chez lui un immense soulagement. Tout d'abord, entre ses deux restos et la garde de Mini-Charlotte tous les lundis et mardis, P-O manquait cruellement de temps pour planifier la tournée des festivals. Et ensuite, j'ai eu l'impression que de ne pas me côtoyer tous les jours lui rendait la vie plus facile.

Nous avons donc convenu que papa et moi allions nous occuper de tout préparer, mais qu'il allait devoir venir régulièrement sur le terrain, question de profiter de sa popularité de chef.

Il me rejoindra après-demain à Québec, pendant que papa, de son côté, retournera à Montréal en autobus. Nous serons ensuite cinq jours dans le Vieux-Québec, à servir des hot-dogs et à faire des relations publiques.

Cinq jours en tête à tête avec P-O dans le camion m'aurait rendue un peu nerveuse. Mais la bonne nouvelle, c'est que nous ne serons pas seuls, puisqu'il amène Mini-Charlotte avec lui. Yé! Je suis tellement heureuse à l'idée de passer de bons moments avec ma Coccinelle que je n'ai pas vue depuis quelques semaines. Elle sera un parfait bouclier entre moi et mon coanimateur.

— En tout cas, je voulais te remercier encore une fois, Charlotte, de m'avoir offert de travailler avec toi.

— De rien, papa. Voyons, c'est normal. On forme une équipe du tonnerre.

Et je dois dire que je suis beaucoup plus rassurée de voir papa travailler honorablement en préparant des hot-dogs qu'en offrant ses services à des individus peu recommandables. Je n'ai pas de détails sur la façon dont il a gagné sa vie depuis son retour au Québec, mais mon petit doigt me dit que ce n'est pas en faisant du neuf à cinq dans un bureau.

Papa m'a expliqué qu'à soixante-deux ans, avec un parcours entaché par un dossier judiciaire, il n'était pas facile de convaincre un employeur de l'engager. C'est pourquoi il fait des *jobines* ici et là. Et même s'il m'a promis dix fois de choisir ses fréquentations, de ne pas se laisser embobiner dans des histoires de fous, je ne suis pas tranquille. Le garder près de moi est une façon d'apaiser mes angoisses.

Et mes angoisses sont nombreuses ces jours-ci. Par exemple, depuis que nous avons traversé le pont Jacques-Cartier, je panique à la seule idée de rencontrer Aïsha par hasard pendant mon séjour à Québec. J'ignore si elle fréquente le festival, mais, si oui, il y a fort à parier qu'elle remarquera notre camion aux couleurs vives. Et là, j'ose à peine imaginer la colère qu'elle me ferait. Que je sois en affaires avec son ex, elle ne me le pardonnera jamais. Et elle comprendra pourquoi j'ai répondu vaguement, très vaguement, à son dernier courriel.

— Papa, ça te dérange pas si je fais un petit somme? J'ai pas très bien dormi la nuit dernière.

— Mais non, ma princesse. Profites-en, il nous reste une bonne heure et quart.

Je penche mon dossier, j'envoie valser mes gougounes bleues à fleurs jaunes au sol et je replie mes jambes sur le siège. Je me tourne sur le côté, face à la vitre, je confectionne un mini-oreiller avec mon cardigan et je ferme les yeux. Le ronronnement du camion et le bruit régulier des pneus sur l'asphalte me font vite sombrer dans un profond sommeil.

***

— … Bâtard… La police… J'ai rien fait.

La voix de papa et le camion qui ralentit me tirent des bras de Morphée. Je frotte mes yeux lourds de sommeil avant de les ouvrir et de me tourner vers papa.

— Qu'est-ce qui se passe?

— Je sais pas. La police est après nous autres.

— Hein? Comment ça? dis-je en me redressant subitement. Dis-moi pas que tu roulais trop vite?

— Ben non, répond papa en s'immobilisant complètement sur l'accotement.

— Ils t'arrêtent pas pour rien, certain.

— D'après moi, c'est une vérification de routine.

Je jette un coup d'œil furtif à ma nouvelle montre rose Guess, et mon stress augmente d'un cran.

— Eh merde! J'espère que ça prendra pas trop de temps. Déjà qu'on est pas en avance. Pis ça, c'est sans compter la circulation dans le Vieux-Québec.

— Calme-toi, Charlotte, ça va être correct, ça va aller.

Papa baisse sa fenêtre et salue l'agent à l'air bête comme ses deux pieds, qui lui demande ses papiers.

— Ouais, j'imagine que vous en voyez pas souvent, des camions comme ça sur la route, je comprends que vous voulez voir si tout est en règle, dit papa en remettant son permis de conduire à l'agent.

— Je vous arrête pour une infraction au code de la route, monsieur… monsieur Lavigne, déclare l'agent en regardant la pièce d'identité de papa.

— Ah ouin, j'allais trop vite ? Je m'en suis même pas rendu compte.

— C'est pas ça. Vous conduisiez avec des écouteurs sur les oreilles et c'est interdit.

— Ben voyons donc ! J'écoutais juste un peu de musique et je ne voulais pas réveiller ma fille.

— Quoi ! Quels écouteurs, papa ?

Honteux, papa montre du doigt l'espace situé entre les deux sièges. J'y vois une paire d'écouteurs reliée à un iPod. Pas de discrets écouteurs boutons. Non. Plutôt ceux du style cache-oreilles pour l'hiver. Il ne manque que la fourrure ! Je fusille mon père du regard et croise les bras en signe de mécontentement.

— Vous m'avez donné votre permis, monsieur Lavigne, mais il manque les documents du véhicule.

Papa fouille nerveusement dans son porte-monnaie. Il en sort un papier d'immatriculation qu'il s'empresse de remettre au policier.

— Et les assurances ? demande-t-il.

— Euh, je pense que… ah oui, c'est vrai, ils ne m'ont pas encore envoyé le papier, mais je devrais l'avoir très bientôt.

— Vous n'avez aucune preuve d'assurances pour le véhicule ?

— Euh… pas pour l'instant, non.

Je suis furibonde. Ça fait maintenant deux semaines que nous roulons dans ce véhicule et papa a négligé d'obtenir le certificat d'assurance. Et j'aimerais bien en savoir plus sur cette compagnie irresponsable qui n'envoie pas les documents à temps. Mais l'important, pour l'instant, c'est de sacrer le camp d'ici le plus rapidement possible. Pas question de se priver de la foule qui voudra se sustenter avant le spectacle populaire de ce soir.

Et puis c'est quoi, toute cette malchance avec les policiers récemment? Inquiète, je regarde aux alentours, pour m'assurer que je ne suis pas la cible d'un de ces foutus citoyens-journalistes dont il faut se méfier constamment de nos jours. Mais je ne vois personne en train de me filmer. Personne qui n'aurait l'intention de mettre une vidéo sur You-Tube. Ou de la faire parvenir à mon bon ami Paul-André.

Avec un camion aussi voyant, je risque d'être la cible d'un cinéaste amateur n'importe quand. Je le répète, il faut déguerpir au plus vite.

— Monsieur l'agent, dis-je avec un grand sourire, c'est certainement un malentendu. Je vais appeler la compagnie d'assurances tout de suite, si vous permettez.

— Je vais moi-même faire quelques vérifications et je reviens dans cinq minutes. Ne bougez pas!

Il s'éloigne du camion pour retourner à sa voiture-patrouille.

— Papa! Veux-tu bien me dire à quoi t'as pensé?

— Ah, excuse-moi, ma princesse. J'ai juste oublié.

— Mais tu me jures qu'on est assurés, hein?

— Oui, oui. Regarde, je vais appeler Martine, dit papa en sortant son vieux cellulaire de la poche de sa chemise à manches courtes en imitation denim.

Ça me rappelle qu'il est grand temps que je fasse son éducation vestimentaire.

— Martine? Pourquoi Martine? Pas question de l'appeler.

— Mais elle pourrait nous aider, Charlotte. Vu qu'elle est psychologue.

— De un, elle n'est pas psychologue, elle est psycho-thérapeute. Et de deux, veux-tu bien m'expliquer c'est quoi le rapport avec ce qui nous arrive?

— Ben, elle pourrait nous dire comment parler au policier, comment le convaincre de notre bonne foi.

Je regarde mon père d'un air peu convaincu, ce qui ne semble pas suffisant pour le faire fléchir. Alors j'insiste sur un ton qui ne laisse pas place à la discussion.

— On a pas besoin de Martine.

Il soupire et remet son cellulaire dans la poche de sa veste. Je le remercie du regard.

— Tout ce qu'il nous faut, c'est une preuve qu'on est assurés.

Je compose le numéro 1 800 de notre compagnie d'assurances et j'attends en écoutant de la musique d'ascenseur. J'active le haut-parleur de mon iPhone, que je dépose sur le tableau de bord. Puis je revois dans ma tête le geste de papa, quelques secondes plus tôt. Le doigt sur le clavier de son cellulaire, prêt à appuyer sur une touche de composition automatique.

— C'est quoi, l'affaire, avec Martine? Tu l'appelles souvent? Vous vous voyez ou quoi?

— C'est une amie, répond papa, un peu embarrassé.

— Seulement une amie? Je te gage qu'elle t'appelle par ton surnom, « Reggie » ?

— Charlotte, c'est ma vie, ça.

— Ta vie, ta vie, je veux bien… Mais Martine, c'est ma collègue. Fait que ça me concerne, moi aussi.

— Je te promets que notre amitié n'aura aucun impact sur ton émission.

Je soupire d'insatisfaction. Visiblement, je n'en saurai pas plus. Au fond de moi, je me demande ce qui me déplaît le plus dans cette histoire. Que papa fréquente Martine ou qu'il semble avoir oublié maman.

— Moi qui pensais que tu t'étais rapproché de maman.

— Ta mère? Ben voyons donc, ma princesse, elle a fait son choix il y a longtemps.

— Je suis pas sûre de ça, moi. Je pense plutôt qu'elle court après sa jeunesse comme une poule pas de tête.

— C'est pas ben fin de parler de sa mère comme ça, Charlotte.

Notre conversation est interrompue par un message enregistré qui s'élève de mon iPhone : « Votre appel est important pour nous, veuillez rester en ligne. » Mais oui, mais oui, on le sait !

— C'est peut-être pas fin, papa, mais c'est vrai. T'as vu ses chirurgies comme moi ?

— On peut pas les manquer. Mais j'avoue que ça lui va bien. Même si, à mon avis, elle avait pas besoin de ça.

— Tu la trouves encore belle ? Aussi belle qu'avant ?

Pendant quelques secondes, je crois percevoir une certaine nostalgie sur le visage de papa. Comme si des souvenirs à la fois heureux et tristes lui revenaient en mémoire. Perdu dans ses pensées, il ignore ma question. Je le relance avec une autre.

— J'ai jamais compris pourquoi vous vous étiez quittés. Pourquoi, hein ?

— Ce serait long à t'expliquer, mais si ç'avait été juste de moi, c'est pas ça qui serait arrivé.

— Ah non ? Qu'est-ce qui se serait passé ?

— Ben, je pense qu'on serait toujours ensemble.

Je regarde papa, émue de la confidence qu'il vient de me faire et triste à la pensée que lui-même a vécu une grande peine d'amour. Ce que je soupçonnais sans toutefois avoir de confirmation. J'essuie une larme que je sens couler sur ma joue.

— Ben voyons, ma princesse, c'est pas grave. Je me suis fait à l'idée, et puis ça m'a permis de vivre plein d'autres choses.

— Oui, bonjour, ici Mylène, comment puis-je vous aider ?

La voix de la préposée de la compagnie d'assurances m'oblige à me ressaisir. Je m'entretiens quelques minutes avec elle et je constate que tout est en règle. Fiou ! Quand je lui mentionne que les papiers d'assurances ne nous ont pas été envoyés, elle semble surprise.

— Pourtant, l'envoi a bel et bien été effectué. Il y a un mois maintenant.

— À quelle adresse les avez-vous postés?

Elle me cite une adresse que je connais par cœur : la mienne… Et je pense à cette pile de courrier accumulé sur le comptoir de la cuisine, entre mon nouveau grille-pain en silicone violet et mon bol à fruits jaune, avec des fleurs vertes, et que je n'ai toujours pas ouvert. La prochaine fois que je demande de la vaisselle en cadeau, je n'oublierai pas d'imposer une palette de couleurs.

« #Fail », pourrais-je écrire sur Twitter. Mais inutile de le préciser à toute la galerie, n'est-ce pas ? Je fais comme si de rien n'était et je lui demande de m'envoyer un courriel immédiatement pour confirmer le tout.

Quelques minutes plus tard, nous repartons pour la Vieille-Capitale avec en main une double contravention. Mais je m'en fiche. C'est papa qui paie et le pire a été évité. Aucun citoyen-journaliste n'a surpris notre arrestation. Du moins, je l'espère.

25

« *Daddy, daddy cool…* »
Boney M, 1976.
Une toune que P-O aurait avantage à écouter.

— **D**onne-moi une merguez dans un pain baguette, me demande un ado aux immenses lunettes miroir et vêtu d'un coton ouaté gris avec un dessin de dragon.

— Tout de suite.

J'adore mon nouveau travail. Et encore plus ici, en plein cœur de la place D'Youville, où le Festival d'été de Québec bat son plein. La musique, le soleil, la foule, l'odeur des saucisses et les bouteilles de rosé dans le petit frigo ; tout ça est complètement grisant.

— Vous voulez quoi, comme garniture ? dis-je à mon client.

— M'as te prendre du ketchup. Du ketchup ordinaire.

Mal élevé et ignorant culinaire en plus ! Si tu veux un hot-dog bon marché, va faire un tour à la patate du coin, me dis-je en souriant hypocritement à mon client.

— Désolée, j'en ai pas. Je vous suggère la moutarde de Dijon avec la merguez. Et si vous aimez ça quand il y a une petite touche sucrée, vous pouvez la prendre au miel.

— Ouin… Euh, non, laisse faire. J'vas le manger de même.

Je remets le hot-dog à mon client en échange de quelques dollars. Je le regarde s'éloigner sans me dire merci ni me laisser de pourboire. Désolant, parfois, cette jeunesse… *My God*, Charlotte, tu parles comme une vieille, maintenant ! J'éclate de rire en le réalisant.

— Qu'est-ce qui te fait rire, ma princesse ? me demande papa tout en nettoyant le comptoir en inox.

Voilà deux jours maintenant que, papa et moi, nous faisons le bonheur des festivaliers, en plus de nourrir bon nombre de musiciens affamés après avoir joué sur les différentes scènes extérieures. P-O doit venir nous rejoindre en cette fin de journée ensoleillée.

— Ta fille vieillit, papa.

— Ben voyons donc ! À trente-cinq ans, t'as la vie devant toi.

— Oui, oui, je sais, mais je pense que je m'assagis un peu.

L'air sceptique, papa lève un sourcil en me regardant.

— Je te le dis, papa, c'est vrai.

En y pensant, je m'aperçois que je suis plutôt fière de moi, ces dernières semaines. Tout d'abord, j'ai une relation moins fusionnelle avec la bouteille de vin. Même si j'en bois tous les jours, je suis plus raisonnable.

Je n'ai pas, non plus, fait de crise à Maxou quand il est reparti pour Paris. Ni traversé l'océan à la nage. Je ne l'ai même pas bombardé de courriels, de textos ni d'appels après sa visite. Non, je l'aime toujours. Mais en silence.

D'ailleurs, côté cœur, j'ai décidé d'essayer de lâcher prise et de voir ce que l'avenir pouvait me réserver. J'essaie de ne plus chercher un nouveau partenaire de vie à chaque coin de rue. Et, dernier signe de mon évolution vers une vie plus calme, j'ai compris que, même si je n'oublierai jamais Maxou, cela ne m'empêchera pas d'aimer un autre homme. Oui, je crois bien que je suis plus sage.

— En tout cas, à ton *party* de fête, on peut pas dire que t'as fait preuve de beaucoup de sagesse.

— Bon, bon, on reviendra pas là-dessus, hein?

À mon grand désarroi, papa a tout appris de ce que j'appelle le « malheureux épisode du spa ». Il a refusé de me dire qui était le délateur, mais je suppose que c'est Martine, qui a voulu se venger d'avoir été mordue par un homard.

— Est-ce que tu sais si Martine va garder des cicatrices à son doigt?

— Ça devrait pas, non. Je pense qu'elle a été plus blessée dans son orgueil qu'autre chose.

— Tant mieux, dis-je, un peu piteuse, avant de réaliser que des clients attendent.

Je m'empresse de les servir quand les pleurs d'une fillette attirent mon attention. Je regarde à droite et j'aperçois P-O qui se dirige vers le camion, Mini-Charlotte dans les bras, visiblement en pleine crise. Pauvre Coccinelle!

— Qu'est-ce qui se passe? dis-je à P-O aussitôt qu'il met les pieds dans le camion.

— Je sais pas, je pense qu'elle aime pas les foules. Elle pleure depuis qu'on a quitté l'hôtel. C'est la première fois qu'elle fait une crise comme ça.

Nous avons choisi volontairement un lieu d'hébergement situé en plein cœur de la place D'Youville. P-O vient donc d'y laisser sa voiture et ses affaires, avant de nous rejoindre à pied. Il n'a eu qu'à traverser le site bondé de festivaliers, ce que ne semble pas avoir apprécié Mini-Charlotte.

— Je sais pas comment la calmer, ajoute P-O en tenant toujours sa fille contre lui et en lui frottant doucement le dos.

Je fais signe à papa de s'occuper du service, pendant que j'essaie de trouver une solution avec P-O. Mais puisque nous sommes des parents totalement inexpérimentés, les idées ne nous viennent pas naturellement. Et on ne trouve rien de mieux à faire que de la bombarder de questions.

— Qu'est-ce qui se passe, ma Coccinelle? T'as faim?

— Ben non, on vient de manger un cornet de crème glacée, précise P-O.

— T'as soif?

— Tu veux de l'eau? Un jus?

Aucune réaction. Toujours les mêmes pleurs qui me déchirent le cœur.

— Peut-être que c'est trop bruyant pour elle ici? T'aimes pas le bruit, ma Coccinelle?

Mini-Charlotte ne répond toujours pas et sanglote de plus belle. Je suis complètement désemparée, et son père aussi.

— Peut-être qu'elle a chaud, dis-je à P-O d'un ton de plus en plus angoissé. Enlève-lui sa petite veste.

P-O tente de déboutonner le vêtement de sa fille, mais elle refuse et reste clouée à sa poitrine. J'écarte une mèche de ses beaux cheveux blonds bouclés et je touche son front.

— Eille, on dirait que c'est chaud. Touche, P-O, je pense qu'elle a de la fièvre.

P-O vérifie lui-même en appuyant sa main sur le front de sa fille.

— Je sais pas trop, je suis pas certain. C'est dur à dire.

— Je te dis que c'est chaud. Touche comme il faut.

P-O s'exécute à nouveau pendant que Mini-Charlotte continue de pleurer. Ses sanglots sont maintenant entrecoupés de hoquets.

— Ouin, t'as peut-être raison.

— Bon, ben là, on a pas le choix. Faut l'emmener à l'hôpital. Elle a peut-être quelque chose de grave, on peut pas prendre de risque.

— Tu penses?

— Ben oui, P-O. On peut pas la laisser comme ça.

J'insiste du regard, mais mon coanimateur ne semble pas convaincu. Non, mais ça lui prend quoi pour réagir? Qu'elle finisse par s'étouffer?

— Euh, si vous permettez, intervient soudainement mon père.

— Papa, c'est pas le temps, là.

— Charlotte, je pense pas que d'aller à l'hôpital soit la solution.

— Ouin, moi aussi, ça me semble extrême, renchérit P-O.

— Ben, qu'est-ce qu'on fait, d'abord? dis-je.

— Premièrement, tu te calmes, répond papa. Tu la stresses *au boutte*!

Les paroles de papa me fouettent et je reprends immédiatement le contrôle de mes émotions. Au même moment, les pleurs de la petite se font moins insistants. Papa en profite pour s'approcher et poser la main sur son front.

— Elle fait pas de fièvre, cette enfant-là. Je pense juste qu'elle est fatiguée. C'est tout.

— Ah oui, ça doit être ça, dis-je rassurée.

Très lentement, P-O réussit à éloigner Mini-Charlotte de sa poitrine et à l'asseoir sur la petite banquette de vinyle rouge, aménagée dans le camion pour nous permettre de nous reposer. P-O est d'une douceur incroyable avec sa fille. Ça paraît dans ses moindres gestes.

Une fois l'enfant assise, il s'agenouille devant elle et la regarde tendrement en essuyant les larmes qui continuent de rouler sur ses joues. Il lui parle tout bas pour la rassurer en enlevant ses chaussures bleu ciel et blanc. Elle se calme petit à petit.

Quelques minutes plus tard, Mini-Charlotte est étendue sur la banquette, avec mon pashmina roulé en guise d'oreiller. On entend maintenant le son régulier de sa respiration. P-O et moi, on pousse un énorme soupir de soulagement, et papa retourne assurer le service.

— J'aurais jamais dû l'emmener ici. Je sais pas à quoi j'ai pensé. Il y a trop de monde, il fait trop chaud, se reproche mon coanimateur.

— Tu pouvais pas savoir.

— Os%&# que je suis con!

— Mais non, voyons, dis-je, en me risquant à poser ma main sur son avant-bras pour lui offrir un peu de réconfort.

Et pour la première fois depuis des semaines, je ne sens plus tout son corps se raidir comme chaque fois que je l'approchais.

— Mais là, ça marchera pas, Charlotte. Je peux pas rester ici avec elle. Faut que je retourne à Montréal.

— Non, non, tu peux pas partir. Depuis que je suis arrivée que je dis à tes admiratrices que tu vas être ici aujourd'hui. Tu vas au moins passer une couple de jours.

Depuis que nous offrons nos hot-dogs dans les festivals, j'ai pleinement réalisé à quel point P-O était populaire. Surtout auprès de la gent féminine. L'émission de télé, ses livres de recettes, ses restos, son service de traiteur, tout ça l'a propulsé au rang de star. De grosse star.

— Comment on va faire, Charlotte?

— On va s'organiser, on va trouver une solution.

Je jette un regard à Mini-Charlotte, qui a sombré dans un profond sommeil. Mon collègue pose aussi les yeux sur elle, le visage tout attendri.

— Tu vas voir, P-O, je vais m'occuper d'elle comme si c'était ma fille. Je te le promets.

26

Lieu : Vieux-Québec pris d'assaut par les festivaliers.

Distance à parcourir : 500 mètres.

Équipement : gougounes en caoutchouc rose.

Portage : une enfant de quinze kilos dans les bras.

— Ça tou'ne ?

— Ben oui, ma Coccinelle, on est dans un restaurant qui tourne.

Attablée à L'Astral pour le lunch avec mes compagnons, je suis contente de pouvoir souffler un peu.

Depuis cinq jours, c'est un véritable feu roulant. P-O et moi, on se partage la tâche de garder Mini-Charlotte. Je m'occupe de la cuisine de rue pour le lunch et l'après-midi, tandis que P-O assure le service à compter de 18 heures jusque tard dans la soirée. Papa est un ange, puisqu'il a accepté de rester et de nous seconder au camion en tout temps.

Mais ce dimanche midi, en cette dernière journée de notre séjour à Québec, on a s'est offert une pause pour venir bruncher tranquillement au fameux restaurant rotatif de l'hôtel Le Concorde. Certes un peu touristique, mais c'était le but, justement. Se sentir en vacances pendant quelques heures.

Mon omelette aux champignons sauvages, le verre de chenin blanc qui l'accompagne, le sourire espiègle de Mini-Charlotte et la présence rassurante de papa contribuent à mon bonheur.

Mais ce qui me rend le plus heureuse, je pense, c'est le retour des relations cordiales et sincères avec P-O. Sans aucun quiproquo. Nous avons retrouvé notre complicité et, entre nous deux, c'est beaucoup moins lourd.

J'ignore pourquoi P-O a soudainement passé l'éponge. Est-ce que, comme moi, il a compris que nous faisions fausse route en voulant mélanger le travail avec le sexe… ou avec l'amour? Ou bien il a simplement rencontré une autre femme?

La sonnerie du téléphone de mon collègue me tire de mes réflexions. L'air préoccupé, il regarde l'afficheur et se lève aussitôt.

— C'est mon sous-chef. Excusez-moi, je reviens. Charlotte, tu surveilles Charlotte s'il te plaît?

— Hum, hum, t'inquiète.

P-O s'éloigne pendant que je vérifie l'assiette de Mini-Charlotte. Elle n'a pratiquement pas touché à son gruau au sirop d'érable. Sortir la petite au restaurant relève de l'expérience extrême. À cause de ses allergies, on doit surveiller tout ce qu'elle mange, poser mille et une questions au serveur et faire des choix souvent moins intéressant. Quelle enfant rêve de manger du gruau au restaurant, hein?

Dès le début du séjour, P-O m'a bien fait comprendre qu'il ne fallait jamais baisser la garde et avoir un œil en tout temps sur ce que Mini-Charlotte se met dans la bouche.

— Hé, que j'ai hâte d'être grand-père, moi!

Je souris tendrement à papa, qui ne quitte pas Mini-Charlotte des yeux. Sur son visage, je lis toute la tendresse du monde.

— En tout cas, reprend-il en s'adressant à elle, il est chanceux, ton papa, d'avoir une petite fille comme toi.

Intimidée, Mini-Charlotte baisse les yeux sur son assiette. Je l'incite à manger encore quelques bouchées, mais elle murmure qu'elle n'a plus faim. Inutile d'insister, me dis-je. On se reprendra ce soir, c'est tout.

Je pousse le plat de Mini-Charlotte au centre de la table et je sors un cahier à colorier de mon cabas, ainsi que quelques crayons de cire. Elle s'attaque immédiatement au dessin de la Schtroumpfette qu'elle choisit de rebaptiser en vert lime.

Tout en reprenant une bouchée de mon omelette, je surprends papa en train d'étouffer un bâillement.

— T'es fatigué, hein?

— Ça va, ça va, répond-il pour me rassurer.

Mais je sais bien que les quelque douze heures par jour passées dans le petit camion lui rentrent dans le corps.

— Je te remercierai jamais assez, papa, pour ton aide. Une chance que t'étais là. Sans toi, je sais pas comment on aurait fait.

— Bah, voyons, vous vous seriez débrouillés. Pis ça m'a permis de passer du temps avec toi, ma princesse.

— C'est vrai. Moi aussi, je l'ai apprécié.

— En plus, j'ai appris à mieux connaître P-O.

— Ah oui? Comment ça?

— Mettons qu'on a pas mal jasé, le soir, après le rush.

— Jasé de quoi, au juste? dis-je, pas trop certaine d'être à l'aise avec l'idée que papa et P-O ont pu se faire des confidences.

— D'un peu de tout. De la vie, des enfants… Tu sais qu'il en veut d'autres, hein?

— Ah non, je savais pas.

— Yep!

— À ce que je vois, il déteint aussi sur ta façon de parler.

— C'est *cool*, ça me tient jeune.

— Génial, dis-je en n'étant pas convaincue de le penser vraiment. Et de quoi d'autre vous avez parlé?

— De l'amour. C'est pas croyable comme il me fait penser à moi à vingt ans.

— Comment ça ?

— Avant que je rencontre ta mère, j'étais plus ou moins sérieux avec les femmes. Même que j'étais pas toujours fin. J'avais du mal à m'engager avec elles… de façon exclusive.

— Ah ouin, tu m'as jamais dit ça.

— C'est pas vraiment le genre de choses dont on se vante, tu sais. Encore moins devant sa fille.

— C'est sûr.

— Mais ç'a changé avec Mado. C'est là que j'ai compris que j'avais envie de vraiment construire quelque chose avec une femme.

— Faut croire que t'avais trouvé la bonne.

— C'est ça. Et pour elle, j'étais prêt à renoncer aux autres.

— C'est ce que t'as fait ?

— Oui. Et je l'ai jamais regretté. Y a un temps pour chaque chose dans la vie.

— Ouin, t'es philosophe, aujourd'hui…

Papa hausse les épaules.

— En tout cas, ça m'étonne pas que P-O te rappelle tes années de couraillage. La fidélité a jamais été son fort.

— Peut-être avant, mais plus maintenant. Il est rendu ailleurs.

— Pour de vrai ?

— Hum, hum. Il m'a même dit qu'il l'avait trouvée, sa Mado.

— Ah bon.

C'est bien ce que je croyais, P-O fréquente une autre femme. Ça explique son comportement des derniers jours. Et c'est mieux comme ça, finalement.

— Quand est-ce qu'il l'a rencontrée ? On la connaît-tu ?

— Ah, mais c'est pas sa blonde. Pas encore. Paraît qu'il a compris qu'il devait être patient avec elle, qu'il devait attendre que son cœur soit complètement libre.

Le regard trop insistant que pose papa sur moi me trouble. Je doute maintenant de l'existence d'une autre femme dans la vie de P-O.

— Il sait aussi qu'il a encore ses preuves à faire, poursuit papa. Et tous les jours, il essaie de lui montrer qu'il est prêt à changer pour elle.

C'est maintenant clair que papa me transmet un message. Je réalise tout doucement que la femme que P-O espère, c'est moi.

— Et toi, papa, tu le crois quand il parle comme ça?

— Pourquoi je le croirais pas? Tout le monde peut devenir meilleur, Charlotte. Tout le monde a droit à une deuxième chance.

Le silence s'installe à la table. Je suis plongée dans mes réflexions, papa dans son journal et Mini-Charlotte dans son dessin, quand P-O revient vers nous.

Il se penche au-dessus de sa fille pour admirer la Schtroumpfette, en lui caressant les cheveux. Secouée par la déclaration d'amour indirecte que P-O vient de me faire, je n'ose pas le regarder dans les yeux. Je n'ai qu'une envie. Me retrouver seule pour réfléchir tranquillement à ma relation avec lui. Et pour une fois dans ma vie, j'ai envie que ma tête fasse autant partie du processus de décision que mon cœur et mon corps.

***

Assise sur le lit de ma chambre d'hôtel quelques heures plus tard, j'ai devant moi une feuille que j'ai divisée en deux en y traçant une longue ligne verticale. D'un côté, j'y ai inscrit le mot «pour» et de l'autre, le mot «contre». Avec cet outil certes primaire, mais qui a déjà été efficace dans d'autres situations, j'essaie de déterminer si P-O est l'homme dont j'ai besoin dans ma vie.

— Tu fais un dessin ?

— Non, ma Coccinelle. Je… je… je travaille un peu.

— Moi aussi, travaille, dit Mini-Charlotte en grimpant sur le lit.

Je l'entoure de mon bras gauche et elle s'empare de ma feuille pratiquement vide. Déçue, elle la laisse de côté et joue maintenant avec les ornements roses du long collier que je porte. Chaque fois, je suis épatée par la douceur de cette enfant. Du haut de ses quatre ans, qu'elle vient de fêter la semaine dernière, elle manipule les objets avec une précaution peu commune, qu'ils soient fragiles ou pas.

— Ton émission est finie ?

— Oui.

— Tu veux regarder un autre épisode en attendant le souper ?

— Ouiiiiii !

On saute du lit toutes les deux pour se diriger à la petite table où est installé mon ordinateur. Un DVD y est déjà inséré et je n'ai qu'à appuyer sur *Jouer l'épisode suivant* pour qu'un flot de souvenirs me reviennent.

Passe-Montagne aime les papillons,
les souliers neufs et les beaux vestons.
Passe-Carreau culbute, saute et tourne en rond…

Pendant que Mini-Charlotte s'initie aux personnages qui ont meublé mon enfance, je retourne à mes devoirs.

Je soupire devant ma feuille encore vierge. Plus facile à dire qu'à faire, cet exercice. Comment peut-on évaluer une possible relation conjugale avec sa tête quand on l'a fait avec ses tripes toute sa vie ? Mais à voir où ça m'a menée, ce n'était peut-être pas la bonne façon de faire. C'est pourquoi, cette fois-ci, j'essaie de penser différemment.

J'ai deux yeux, tant mieux.
Deux oreilles, c'est pareil.
Deux épaules, c'est drôle.

— Passe-Pa'touuuuut! s'écrie Mini-Charlotte en frappant des mains.

Je me revois à son âge, assise sur le tapis beige à poils longs du salon de notre bungalow de Laval, à m'émerveiller moi aussi devant le téléviseur. Un *popsicle* bleu, blanc et rouge fond lentement dans mes mains. Papa me regarde tendrement. Et puis, tout à coup, maman arrive derrière moi et m'enlève le *popsicle*, dans un geste presque rageur. « Reggie, combien de fois j'ai dit : pas de nourriture dans le salon ? »

Je soupire de tristesse au souvenir des paroles de maman. Je me rappelle clairement qu'elle rabrouait souvent papa pour ce qu'elle qualifiait de « manque de poigne avec ta fille gâtée pourrie ».

Allez, Charlotte, assez de nostalgie, retourne à tes moutons et écris au moins un pour et un contre sur ta fameuse liste. Je réfléchis deux secondes, avant qu'un argument en la faveur de P-O me vienne à l'esprit : *veut des enfants*. Voilà. Un contre maintenant… Le premier auquel je pense pèse lourd dans la balance : *fidèle ?*

Toc, toc, toc !

— Service aux chambres.

Je repose avec soulagement ma feuille sur le lit et je m'empresse d'aller répondre. Voilà une diversion bien appréciée.

Je nous ai commandé un repas tout simple. Spaghetti sauce bolognaise pour moi et un macaroni au fromage pour ma Coccinelle. Un peu de *comfort food* après le copieux brunch de ce midi. Et même pas de verre de vin. De leur côté, papa et P-O avaleront possiblement un hot-dog plus tard, entre deux clients.

Une fois Mini-Charlotte et moi assises à la table avec nos plateaux devant nous, la petite entame immédiatement son macaroni avec appétit. Je suis heureuse de constater qu'elle a faim, contrairement à moi. C'est que je ne suis pas habituée de souper à 17 h 30. En réalité, je déteste ça. Mais qu'est-ce que je ne ferais pas pour ma Coccinelle ? Surtout qu'elle avait à peine mangé au brunch. Moi, j'ai l'estomac encore plein.

Je regarde avec plaisir Mini-Charlotte enfiler les bouchées les unes après les autres en prenant à peine le temps de respirer. Elle était vraiment affamée ! Je pose ma main sur son épaule pour l'inciter à ralentir, je ne voudrais quand même pas qu'elle s'étouffe.

— Doucement, doucement.

Mini-Charlotte obéit et ralentit. Tout à coup, elle laisse tomber sa fourchette dans son assiette et tire sur le col de son chandail.

— Chaud, j'ai chaud.

— Ah, pauvre chouette, tu mangeais trop vite, aussi. Attends, je vais aller chercher de l'eau.

Je me rends à la salle de bain et je déballe un des verres enveloppés dans du papier blanc. Je fais couler l'eau quelques secondes pour m'assurer qu'elle est bien fraîche avant de remplir le verre.

En retournant dans la chambre, j'ai la peur de ma vie. Mini-Charlotte est étendue au sol, les cheveux dans le visage. Sous le choc, je laisse échapper mon verre d'eau. Je cours m'agenouiller auprès d'elle et j'écarte les boucles blondes. La petite a les yeux mi-clos, des rougeurs au visage, et sa respiration est haletante. Elle montre tous les symptômes d'allergie que m'a longuement décrits P-O.

— Non, non, non ! Veux-tu ben me dire ce qu'il y avait dans ce macaroni-là ! dis-je, plus sur le ton de l'accusation que du questionnement.

Ce n'est pas le temps de perdre les pédales. Je dois me calmer et me rappeler exactement ce que P-O m'a dit de faire en pareille circonstance.

« J'ai mis la trousse d'urgence pour les allergies dans le tiroir de la table de chevet de droite », m'a-t-il informée le premier jour. Il m'avait auparavant expliqué comment administrer l'épinéphrine à l'aide de l'auto-injecteur. Pour terminer, nous avons échangé le double de nos cartes-clés de chambre d'hôtel.

Je me relève subitement et je fouille dans mon grand sac à main à la recherche de la carte. Heureusement, je la trouve rapidement. Je jette un dernier coup d'œil à Mini-Charlotte avant de me précipiter dans la chambre voisine.

J'ouvre le tiroir de la table de chevet de droite. Rien. Merde! Peut-être est-ce la gauche? Rien là non plus. «Comment ça que la trousse est pas là, Pierre-Olivier Gagnon?» dis-je tout haut.

Je retourne tout de go à ma chambre et je constate que l'état de Mini-Charlotte ne s'améliore pas. Son souffle est de plus en plus court et son visage est légèrement enflé. Pas une minute à perdre. Je compose fébrilement le numéro du cellulaire de P-O. Ça sonne une fois, deux fois, trois fois.

— *Envoye*, réponds!

C'est sa boîte vocale! De plus en plus paniquée, je hurle dans le téléphone en lui laissant un message.

— P-O, câ&*%#$, rappelle-moi! Charlotte fait une crise d'allergie!

Je raccroche et je décide que j'ai assez perdu de temps. Je prends Mini-Charlotte dans mes bras et je me rue vers l'ascenseur. Je sors de l'hôtel et je me retrouve directement sur la place D'Youville, remplie de gens venus célébrer cette dernière journée du Festival d'été de Québec.

— DÉGAGEZ!

Stupéfaits, les gens mettent quelques secondes à libérer le passage. Je cours en regardant de gauche à droite, à la recherche de quelqu'un pouvant m'aider. Un policier, un ambulancier, un agent de sécurité… J'en ai vu plein cette semaine. Où sont-ils, maintenant qu'on a besoin d'eux?

Dans mes bras, Mini-Charlotte râle de plus en plus. Il faut qu'on la soigne. Immédiatement. La solution, c'est de l'emmener à l'hôpital le plus proche, l'Hôtel-Dieu de Québec. En taxi ou en prenant un automobiliste en otage.

Mais je me rappelle que la rue Saint-Jean, celle qui mène à l'hôpital, est fermée à la circulation. Je n'ai pas le choix, je vais courir jusque-là ! Je colle Mini-Charlotte contre ma poitrine et je lui murmure : « Accroche-toi, ma Coccinelle, on part. »

Je franchis la porte Saint-Jean en un rien de temps. L'adrénaline me fait oublier les quinze kilos de Mini-Charlotte, la difficulté de courir avec des gougounes en caoutchouc et le regard ahuri des passants. Tous me dévisagent, mais aucun ne songe à m'offrir son aide. Bra-vo !

Plus loin dans la rue Saint-Jean, alors que j'en suis à la moitié du parcours, je sens mes forces diminuer. Non, non, ce n'est pas le moment de flancher. Je redouble d'ardeur, mais je sens que, malgré tout, je ralentis. Pourvu que je n'arrive pas trop tard ! Est-ce qu'on peut mourir d'une allergie alimentaire ? Je n'en suis plus certaine… mais il me semble que la réponse est oui.

Deux minutes plus tard, les jambes en feu, le cœur au bord des lèvres tellement l'effort a été grand, j'entre à l'Hôtel-Dieu de Québec.

— Vite… ma fille… allergie, dis-je, à bout de souffle.

Un gardien me dirige vers l'urgence, où une infirmière s'occupe immédiatement de Mini-Charlotte. Tout en la prenant dans ses bras pour l'emmener vers une salle de traitement, elle me demande quelles sont les allergies dont souffre « mon » enfant.

Je la suis et je lui réponds du mieux que je peux.

— Œufs… poulet, cacao, arachides et pis… fruits de mer.

— OK, elle est entre bonnes mains, assoyez-vous là et reposez-vous deux minutes, me rassure-t-elle avant d'entrer dans la petite salle avec Mini-Charlotte et de me fermer la porte au nez.

Furieuse d'être ainsi écartée, mais trop épuisée pour me battre, je me laisse tomber sur une chaise inconfortable de la salle d'attente. J'essaie de contrôler ma respiration et de retenir mes larmes.

Je réalise alors que je n'ai rien avec moi. Ni argent, ni cartes d'identité... ni cellulaire. Et P-O qui a peut-être essayé de me rappeler après avoir pris mon message. *Oh my God!* Il doit être dans tous ses états.

— T'aurais pas un cellulaire à me prêter, s'il te plaît? Faut absolument que j'avise quelqu'un.

Mon voisin, un adolescent qui porte des chaussures de sport bleues avec une immense languette et dont la main droite est enveloppée dans un bandage de fortune, me répond d'un petit signe de tête.

Maladroitement, il fouille dans la poche de sa veste pour en sortir un téléphone dernier cri, qu'il me tend.

— Merci. T'as eu un accident?

— Ouin, je suis tombé en *skate*.

— Pauvre toi.

— Bof... ça fait partie du *trip*.

— OK, d'abord.

Je me désintéresse de ce garçon, qui semble plutôt indifférent à ce qui se passe, et je compose le numéro de P-O. Il répond à la première sonnerie. Son ton en dit long sur son angoisse.

— P-O, c'est moi.

— Enfin! T'es où? Je suis à l'hôtel, je te cherche partout.

— À l'hôpital. L'Hôtel-Dieu. J'ai jamais trouvé la trousse d'urgence, fait que j'ai couru jusqu'ici.

De l'autre côté du comptoir de la réception des urgences, je vois le regard désapprobateur de la préposée se poser sur moi. Elle montre une affiche: *cellulaires interdits*. Je lui indique de me donner une minute. Elle secoue la tête de gauche à droite.

— P-O, faut que je raccroche.

— Comment elle va?

— Je sais pas trop, ils l'ont amenée dans une salle, ils s'en occupent.

— J'arrive.

Je raccroche et je redonne le cellulaire à son propriétaire sans lui jeter un regard. Mes yeux sont fixés sur la porte de la salle de traitement numéro trois. Je prie pour qu'elle s'ouvre bientôt sur une Mini-Charlotte complètement rétablie.

Quelques minutes plus tard, P-O arrive lui aussi à l'urgence, complètement à bout de souffle.

— Elle est où? me demande-t-il.

Je désigne la porte devant moi. Il l'ouvre sans même cogner et je me précipite derrière lui.

Je vois tout d'abord un médecin qui nous tourne le dos. Il examine Mini-Charlotte, étendue sur le lit d'examen, un drap blanc avec des lignes bleues recouvre son corps.

Je m'approche et je constate que la petite a les paupières fermées, que l'enflure et les rougeurs de son visage ont diminué et que sa respiration semble redevenue normale.

— Elle est correcte? demande P-O au médecin.

— Oui, tout va bien, maintenant.

Je sens toute la peur qui me nouait le ventre disparaître d'un seul coup. J'entends P-O pousser un énorme soupir de soulagement et murmurer quelques mots en italien pour lui-même. J'imagine que, comme moi, il remercie le ciel.

Il s'approche de sa fille et lui caresse doucement les cheveux. Mini-Charlotte semble apaisée.

— Elle est sauvée, vous êtes certain? dis-je pour être rassurée une nouvelle fois.

— Elle a juste besoin de se reposer, on va la garder en observation quelques heures, répond le médecin.

— Pas de séquelles?

— Non, aucune.

— Ah, que je suis contente d'entendre ça, moi. S'il avait fallu que…

Je suis incapable de terminer ma phrase. Prise entre le sentiment de soulagement et celui de culpabilité, j'éclate en sanglots.

Le médecin m'invite à sortir de la salle pour laisser l'enfant se reposer. Tout concentré qu'il est sur sa fille, P-O ne me prête aucune attention. Je quitte la salle de traitement et je retourne à l'hôtel. Tout le long du trajet, je me demande pourquoi P-O n'a pas réagi quand j'ai laissé sortir ma peine. Est-ce qu'il m'en veut ? Est-ce que nos relations vont redevenir froides et distantes ? Juste quand ça commençait à bien aller…

***

— Du bouillon de poulet ! Il y avait du bouillon de poulet dans le macaroni au fromage.

— Ben voyons, ma princesse, tu pouvais pas savoir.

Papa vient tout juste de rentrer à l'hôtel, après la fin du spectacle de clôture du Festival d'été de Québec. Nous sommes dans ma chambre et je viens de lui raconter en détail ce qui s'est passé. Et surtout ce que j'ai appris en allant interroger le cuisinier du resto de l'hôtel.

— Mais j'aurais dû le demander.

— On peut pas tout prévoir, Charlotte. T'as fait de ton mieux, faut pas t'en vouloir.

— Mais je m'en veux quand même. Et P-O aussi, je pense.

— Mais non. Je suis certain que non. Ce sont des choses qui arrivent.

— On s'entend qu'il NE faut PAS que ça arrive. Pis en plus, j'ai jamais trouvé la trousse. J'ai dû mal comprendre quand il m'a dit où il l'avait mise.

— Arrête d'être dure avec toi-même comme ça. Je te regarde aller avec la petite depuis le début et t'es vraiment extraordinaire. Et puis, l'important, c'est que tout se soit bien terminé.

— T'as peut-être raison.

— Ben oui, ton vieux père a toujours raison.

Papa me fait un sourire complice en se levant de son fauteuil.

— Mais là, je suis un peu crevé. Tout seul toute la soirée au camion, ç'a été du sport.

— Ah, excuse-moi, j'aurais dû aller t'aider.

— Ben non, je comprends, t'étais pas en état. Bon, je vais me coucher. Tu devrais faire pareil, ma princesse. On repart tôt demain matin.

— Je veux juste attendre que P-O revienne de l'hôpital, voir si tout est correct.

J'embrasse papa, qui quitte la pièce en traînant les pieds. Deux minutes plus tard, on cogne doucement à la porte de ma chambre. Enfin! J'ouvre, et P-O est là, devant moi, l'air las et les yeux rougis de fatigue.

— Ç'a ben été long! Comment elle va? Elle est où?

— Elle dort dans ma chambre. Viens.

Nous entrons dans la pièce voisine sur la pointe des pieds. Mini-Charlotte est plongée dans un profond sommeil sur un des deux lits doubles. Je m'agenouille et je la regarde tendrement pendant quelques minutes. Encore une fois, j'éprouve un immense soulagement, suivi d'un profond sentiment de culpabilité.

Je me relève et me tourne vers P-O. Assis sur l'autre lit, il est en train de retirer ses espadrilles noires Jimmy Choo.

— Écoute, P-O, je suis tellement désolée, dis-je en parlant tout bas. J'ai jamais pensé qu'il pouvait y avoir du bouillon de poulet dans un macaroni au fromage…

— Ah, c'était ça. Ça prend pas grand-chose, hein?

— Excuse-moi, je m'en veux tellement.

— C'est pas ta faute. C'est la mienne.

Son air triste et abattu me chavire le cœur. Je m'assois à ses côtés sur le couvre-lit blanc.

— Pourquoi tu dis ça?

— J'ai oublié de t'informer que j'avais changé la trousse d'endroit.

— Hein? Pourquoi t'as fait ça?

— Parce que Charlotte l'a trouvée et qu'elle a voulu jouer avec. Je l'ai mise en haut de la garde-robe. Pis j'ai oublié de te le dire.

Je garde le silence, soulagée de constater que je ne suis pas la seule responsable de ce qui s'est passé. Et contente aussi que P-O ne soit pas fâché contre moi.

— En tout cas, merci, Charlotte, pour tout ce que t'as fait. Quand je pense que t'as couru dans la foule avec ma fille dans les bras...

— Je savais tellement pu quoi faire, P-O. J'ai agi par instinct, dis-je en détournant le regard.

— T'as fait exactement ce qu'il fallait.

Je hausse les épaules, les yeux toujours fixés sur le sol. P-O s'approche de moi. Il prend mon menton entre ses doigts et tourne mon visage vers le sien. Il plonge ses grands yeux brun noisette dans les miens.

— Tu sais que tu vas être une maman extraordinaire.

— Tu crois?

— J'en suis convaincu.

Le silence se fait dans la pièce. Je reste immobile, troublée par les yeux de P-O qui scrutent mon âme et partagée entre mon désir de me réfugier dans ses bras et mon envie de m'enfuir en courant.

— Je... je pense que je vais...

Je n'ai pas le temps de finir ma phrase que les lèvres de P-O écrasent les miennes. Je résiste un quart de seconde avant de m'abandonner à ce baiser doux et passionné à la fois. La main de P-O descend tranquillement le long de mon dos, tire sur ma camisole pour se faufiler dessous, sur ma peau nue et traversée de frissons de désir. Ses doigts remontent jusqu'au milieu de mon dos et tentent de dégrafer mon soutien-gorge.

Soudainement, je détache mes lèvres des siennes et je m'éloigne.

— On peut pas faire ça.

P-O pousse un soupir et retire sa main de mon dos.

— Comme tu veux, dit-il froidement. Mais c'est la dernière fois que...

— C'est pas ça, P-O.

— C'est quoi?

D'un signe de tête, je désigne le lit sur lequel dort sa fille.

— Ahhh, c'est juste ça?

— Ben, c'est assez, non? Tout à coup qu'elle se réveille, pis qu'elle nous surprenne? Il n'est pas question que je fasse l'amour dans la même chambre qu'une enfant.

— Je pense pas qu'elle va se réveiller, elle est assez sonnée. Et puis on a juste à aller sous les couvertures et à pas faire de bruit, me suggère-t-il en soulevant ma jupe pour caresser ma cuisse.

Je souris devant l'air implorant de P-O, mais je secoue la tête.

— J'ai envie de toi, Charlotte.

— Je serai pas capable, P-O, je vais être trop nerveuse.

Ses doigts continuent de remonter le long de ma cuisse et effleurent maintenant la dentelle de mon *string*. Je suis sur le point de succomber, mais le léger toussotement qu'émet Mini-Charlotte me ramène à la raison.

— OK, c'est assez, là, dis-je en me levant précipitamment. On va se reprendre à Montréal, OK?

— Non. Moi, ça fait trop longtemps que je t'attends.

Il se lève à son tour et, pendant un court instant, j'ai l'impression qu'il va me prendre de force tellement il semble décidé. Mais je le vois s'éloigner vers la sortie de la chambre en me demandant de ne pas bouger.

Une minute plus tard, il revient dans la chambre, accompagné de papa, vêtu d'une vieille robe de chambre en ratine de velours brune.

— Mais qu'est-ce que…

P-O m'interrompt pour s'adresser à Reggie:

— Tu viens cogner juste s'il y a une urgence, OK?

— Oui, oui, c'est beau.

Sans un mot de plus, P-O me prend par la main et m'entraîne tout d'abord vers ma chambre… pour m'emmener ensuite directement au ciel.

27

C'est *soooo* Charlotte!

— *J*e sais pas ce que j'ai à être nerveuse comme ça. C'est pourtant pas la première fois que je fais de la télé.

— C'est normal, c'est la première. Et on a une demi-heure de plus à faire en ondes.

Mon chum vient déposer un petit baiser sur ma joue en ajoutant que tout va bien se passer. Ces paroles m'apaisent un peu et je lui souris tendrement. Je suis venue dans sa loge exactement pour ça, me faire rassurer. Et il l'a compris.

P-O a fière allure avec son tablier gris rayé blanc, qui affiche le nouveau logo de l'émission au centre. C'est la première de la saison de *Plaisirs épicés* (un titre que nous avons voulu sexy), que nous diffusons en direct. Une émission qui dure maintenant une heure et demie, soit de 10 heures à 11 h 30.

Voilà maintenant près de deux mois que je suis devenue officiellement la blonde de mon coanimateur.

C'est arrivé peu après cette nuit d'amour brûlante que nous avons vécue à Québec. Le lendemain, j'ai repris ma liste des pour et des contre et j'y ai écrit : *complicité sexuelle* dans la colonne des arguments en faveur de P-O.

Puis, les jours suivants, j'ai ajouté plusieurs qualités à la liste. Certaines que je connaissais, d'autres que je découvrais. Ainsi, aux inévitables *chef extraordinaire, bon papa* et *homme d'affaires accompli* se sont ajoutées *généreux, protecteur, affectueux* et *beaucoup moins égoïste que je le pensais.*

Sur la liste des arguments contre, j'ai inscrit *caractère explosif* et *léger manque de raffinement*. Il faut dire qu'avec Maxou j'ai été particulièrement gâtée... De toute façon, c'est quelque chose qui se corrige, non ?

Mais ce qui m'a le plus étonnée dans ces quelques jours passés collée contre P-O, à l'évaluer à son insu, c'est quand j'ai découvert qu'il était jaloux. Pour moi, la jalousie peut être autant une qualité qu'un défaut. Et comme je n'ai aucune raison de penser que celle de P-O pourrait devenir envahissante, je la classe actuellement dans la liste des pour.

Une fois mon travail d'évaluation complété, j'ai convoqué Ugo et Marianne à un souper péruvien à la maison. J'ai préparé un ceviche au tilapia en entrée et un *lomo saltado* en plat principal. J'adore ce mets festif, composé d'un tas de frites, de lanières de bœuf et d'oignons rouges.

J'ai servi à mes amis un *pisco sour* en apéro et j'ai brandi la liste sous leur nez. Ils l'ont lue attentivement dans un silence que j'ai trouvé lourd. C'est Marianne qui s'est aventurée en premier pour me poser des questions.

— C'est bien beau, cette liste-là, Charlotte, mais l'amour, là-dedans, t'en fais quoi ?

— Ben, je l'aime beaucoup, P-O. On s'entend bien, avais-je rétorqué.

— Oui, mais es-tu amoureuse de lui ?

— Je suis bien avec lui.

— Tu réponds pas à ma question, Charlotte. Es-tu a-mou-reu-se de lui? C'est ça que je veux savoir.

— Assez pour penser faire un bout de chemin avec lui. Et puis, l'amour… le grand amour, c'est *overrated*.

Ugo et Marianne m'avaient alors regardée comme s'ils ne me reconnaissaient pas.

— Il me semble que c'est pas toi, ça, Charlotte, s'était risqué Ugo.

— C'est la nouvelle moi, Ugo. C'est la Charlotte qui s'est mariée avec le grand amour de sa vie, qui a cru au rêve de princesse, à l'amour éternel et à tout le tralala. Mais qui, aujourd'hui, n'y croit plus.

— Plus du tout?

— Plus du tout. Et si tu veux tout savoir, mon cœur va toujours appartenir à Maxou.

— On en revient toujours à lui, hein?

— Oui.

— T'as eu de ses nouvelles récemment? m'avait interrogée Marianne.

— On s'est écrit quelques courriels, sans plus. C'est clair qu'on s'aime, mais c'est pas possible de vivre en couple sur le même continent.

— Au moins, tu le sais.

— Certain que je le sais. C'est pour ça que je veux vivre ma vie, ici et maintenant. Il faut que j'aille de l'avant une bonne fois pour toutes.

— Allez-vous divorcer? avait ajouté Ugo.

— Un jour, oui, mais on en a pas reparlé.

— Et tu penses que tu peux être heureuse avec P-O? m'avait doucement demandé mon amie.

— Oui. Je vais essayer, en tout cas.

Ce soir-là, j'étais allé dormir chez celui qui allait devenir mon nouveau chum s'il acceptait ma seule et unique condition. Me jurer fidélité jusqu'à sa mort. Il l'avait fait sans broncher, en ajoutant qu'il le promettait sur la tête de sa mère et de sa fille. Et ça m'avait rassurée suffisamment pour que j'accepte de plonger.

Aujourd'hui, deux mois plus tard, je sais que j'ai eu raison de lui donner une chance. Plus le temps passe et plus je me sens près de lui. Mes sentiments envers P-O n'ont rien à voir avec ceux que j'éprouvais – et que je ressens encore – pour Maxou, mais je l'aime. Moins passionnément, mais avec autant d'attachement. Et puis, les papillons dans le ventre, c'est certes enivrant, mais c'est épuisant à la fin.

Et puis on a une belle dynamique de couple. Oui, parfois, ça brasse. On s'obstine et on se chicane même un peu, mais la plupart du temps l'harmonie règne. Nous partageons les mêmes valeurs, et nos sujets de discorde sont plutôt anodins. Par exemple, on se dispute sur la façon de faire des copeaux de parmesan. P-O trouve que les miens sont trop droits, trop parfaits, alors que les siens sont, à mon avis, trop inégaux.

Ce qui ajoute aussi à mon nouveau bonheur, c'est tout ce qui est venu avec mon chum. Mini-Charlotte, bien sûr, mais aussi sa maman, Angela. Une femme qui m'a accueillie dans la famille à bras ouverts et qui me traite comme sa propre fille.

Depuis deux mois, Angela m'a montré comment préparer une foule de *dolci*: *fragole al limoncello*, *torta fina al cioccolato*, *pralinato alla Piemontese* et bien sûr ses fameux *cartellate di Puglia*. Les petits desserts typiques de sa région que nous cuisinerons ensemble à Noël. Angela, c'est la maman que j'aurais voulu avoir.

J'ai l'impression qu'Angela me connaît depuis toujours, et les moments que nous passons ensemble sont magiques. J'ai d'ailleurs déjà hâte à samedi pour la corvée de tomates. Un incontournable du mois de septembre chez les Lombardi-Gagnon.

Angela est là, aujourd'hui. Assise dans le public à attendre que l'émission commence. Fière de son fils et de sa bru. Avec Angela, tout est simple. Elle et son mari passent leur temps à me répéter que je suis ce qui est arrivé de plus beau dans la vie de P-O. Avec Mini-Charlotte, bien entendu.

En matière de belle-mère, on pourra dire que je suis passée d'un extrême à l'autre. De l'acariâtre Victoria à la *mama* débordante d'amour de P-O, c'est ce qu'on pourrait appeler une promotion. Une immense promotion.

Autant Victoria refusait de me voir faire partie de la vie de Maxou, autant Angela me presse de m'engager plus à fond avec son fils. Tout d'abord en déménageant chez lui, donc tout près de chez elle. Ensuite, en lui faisant un petit-fils ou une petite-fille.

Je lui ai promis que tout ça viendrait, mais en temps et lieu. Pour l'instant, je préfère garder mon appartement et aller y dormir à l'occasion. Et pour les bébés, je veux seulement attendre que notre nouvelle émission prenne son envol sur des bases solides avant de m'y mettre.

Ce matin, papa aussi est présent pour assister à la première de sa fille… et de son amante. Même si je n'ai aucune preuve de ce que j'avance, je suis convaincue que papa et Martine prennent du bon temps ensemble. Ils essaient de me le cacher, mais je ne suis pas dupe. Et j'entends bien les démasquer bientôt.

— Il nous reste combien de temps?

— Quinze minutes, répond P-O en regardant la montre Zoppini que je lui ai offerte pour ses trente-huit ans, la semaine dernière.

— OK, j'y vais. Tu viens me rejoindre sur le plateau?

— Hum, hum, dans deux. Je veux juste réviser ma recette avant.

Il s'assoit devant son ordinateur et pose les yeux sur la nouvelle recette de *pastas* qu'il a écrite hier soir en catastrophe quand nous avons décidé de changer le menu de la première émission.

— Ça t'énerve?

— C'est certain que je préfère essayer mes recettes avant de les faire en ondes.

— Ça va aller. T'es le meilleur.

Mon chum lève les yeux de son ordi et me sourit tendrement.

— Viens ici, toi.

Je m'approche, et P-O se lève pour me prendre dans ses bras et me serrer très fort.

— *Ti amo*, me souffle-t-il à l'oreille.

— Moi aussi.

Et j'espère qu'un jour je serai capable de lui dire que je l'aime avec la même intensité que lui le fait.

***

— Elle vous fait découvrir son coup de cœur du jour ! C'est *soooo* Charlotte ! lance la voix de l'annonceur maison, qui résonne dans tout le studio.

C'est l'heure de mon segment de fille. Si j'ai laissé tomber l'idée d'avoir mon prénom dans le titre de l'émission, j'ai cependant insisté pour avoir mon petit moment juste à moi.

Ainsi, tout juste avant la fin du *show*, je présente un objet hyper *girlie*. La fin du *show*. Déjà. L'émission s'est déroulée à la vitesse de l'éclair. Et, à mon grand soulagement, sans aucune embûche. Tout a été parfait. P-O a réussi ses pâtes haut la main, Martine a été très pertinente avec sa liste des dix trucs pour réussir la garde partagée des enfants avec son ex, et notre invité maraîcher a ajouté de la couleur à l'émission avec son humour bon enfant.

Et moi ? Eh bien, je pense avoir joué mon rôle de co-animatrice avec brio. Et surtout avec une assurance que je n'étais plus certaine d'avoir. Ma nervosité a disparu dès les premières secondes de l'émission. Et je me suis sentie étrangement calme tout au long de la diffusion. Est-ce que ma nouvelle tranquillité d'esprit se reflète aussi en ondes ? Est-ce que de m'être finalement casée fait de moi non seulement une personne plus posée, mais aussi une animatrice plus sûre d'elle ? Possible…

Voilà ce qui me passe par la tête pendant que j'écoute le narrateur présenter ma chronique et y ajouter par la suite les coordonnées pour me joindre. Adresse courriel, page Facebook, compte Twitter... Tout y est, même le nouveau numéro de téléphone de mon service de traiteur.

Eh oui, j'ai tellement aimé mon expérience de cuisinière de rue cet été que j'ai décidé de poursuivre l'aventure. D'une façon différente, toutefois. J'offre un service de traiteur sous forme de cocktail dînatoire pour des groupes de cinq à dix personnes. Ça me permet de continuer à faire plaisir aux autres en cuisinant et de gagner encore plus d'argent.

C'est aussi quelque chose que je fais seule. Sans P-O. Et pour moi, c'était primordial. Mon chum a émis de sérieuses réserves quant à mon projet, alléguant que, si je voulais être traiteur, je pouvais travailler avec l'équipe de ses restos. Mais j'ai refusé. Déjà qu'on bosse ensemble à la télé, pas question de le faire dans ses entreprises.

Ensuite, P-O s'est inquiété de mon emploi du temps. Il m'a demandé où j'allais trouver les heures et l'énergie nécessaires pour organiser des cocktails dînatoires. Je lui ai répondu que je choisirais mes clients et que j'allais m'occuper simplement de la préparation des plats, chez moi, tranquillement. Et que je ferais appel à ses employés pour s'occuper du service à domicile. Ainsi, je peux continuer à être créative dans la cuisine, ce qui n'est pas évident quand ton chum est un chef professionnel et qu'il prend beaucoup de place derrière les chaudrons.

La voix de l'annonceur maison s'éteint et le petit voyant rouge de la caméra deux s'allume devant moi. J'y plonge le regard et je présente ma trouvaille aux téléspectatrices.

Aujourd'hui, je parle de ma nouvelle pelle à tarte en forme d'escarpin. Et j'en profite pour cuisiner rapido une tarte pommes et caramel. Nous avons convenu qu'une personne du public m'assisterait. Ma pelle argent et rose bien en main, je me dirige vers l'audience, ayant l'air de choisir quelqu'un au hasard. Pas toujours facile quand les gens se doutent que tout est « arrangé avec le gars des vues ». Mais bon, c'est ça, la télé, aussi. Un jeu, une comédie, une grosse mascarade. Parfois, mais pas toujours, heureusement.

Je tends la main à une jeune fille aux grands yeux marron, choisie pour son dynamisme et sa belle chevelure lisse, d'un roux flamboyant. Juste avant de retourner à ma table de travail avec celle qui aura son quinze minutes de gloire, j'aperçois une silhouette derrière le technicien qui occupe la caméra trois.

Une autre longue chevelure. Cette fois-ci, noire et bouclée. Un regard sombre et perçant. Une connaissance de mon passé, pourtant pas si lointain, mais que je ne voulais voir revenir pour rien au monde : Aïsha.

Celle à qui je n'ai pas osé avouer que j'avais un nouveau chum. Et surtout qu'il s'agissait de l'homme qui l'avait trahie. Celle de qui je n'ai eu aucunes nouvelles depuis des mois. Et dont l'air furieux m'indique qu'elle m'en veut à mort. Qu'est-ce qu'elle fait là, au juste ?

Pendant une fraction de seconde, nos regards se croisent. Juste assez longtemps pour que je sente toute sa rage et qu'elle comprenne que je me sens terriblement coupable.

Soudain, je n'ai plus du tout envie que l'émission prenne fin dans neuf minutes. Je souhaite qu'elle dure pour l'éternité, ce qui me permettrait d'échapper aux foudres de mon ex-meilleure amie.

Je termine pourtant l'émission comme la professionnelle que je suis, sans que mon visage trahisse le malaise que j'éprouve depuis que j'ai vu Aïsha. Comme une automate, le sourire bien accroché aux lèvres, je continue à animer les dernières minutes de l'émission. Jusqu'à ce que la musique du générique joue et que les lumières des projecteurs s'éteignent.

— Wow ! Méchant *show* ! s'exclame aussitôt P-O.

— Mets-en, c'était super bon. Bravo, tout le monde! dis-je en vérifiant où se trouve maintenant mon ex-meilleure amie, peut-être ex-amie tout court.

Aucune Aïsha à l'horizon. Pourquoi est-elle venue en studio? Simplement pour me faire sentir *cheap*? J'imagine qu'elle a quitté les lieux en voyant que ça avait fonctionné et, aussi, pour éviter de croiser son ex-amoureux.

Angela et papa quittent leur place dans le public pour venir nous embrasser et nous féliciter. Tous les deux me serrent tout à tour de longues secondes dans leurs bras. Visiblement, ils sont très fiers.

P-O offre à toute l'équipe de venir le rejoindre sur le plateau pour partager les restes des plats cuisinés à l'émission et quelques autres que nous avons préparés hier soir en vitesse. Une proposition que plusieurs semblent trouver alléchante, surtout quand P-O ajoute que le tout sera accompagné d'un bon mousseux. Je rappelle à papa et à ma belle-mère qu'ils sont également invités.

— Commencez sans moi. Je reviens, je vais juste me démaquiller et changer de chaussures.

— Dépêche-toi, dit Angela.

— Oui, oui, deux minutes.

Je m'éloigne vers ma loge, heureuse à l'idée de pouvoir décompresser toute seule quelques minutes. J'ouvre la porte, sur laquelle une affiche avec mon prénom écrit en rose est apposée, et je constate que quelqu'un m'attend. J'aurais bien dû savoir que je ne m'en tirerais pas si facilement!

Aïsha est assise comme une diva sur mon fauteuil en velours rouge, les jambes croisées et les doigts de la main droite qui pianotent d'impatience sur l'accoudoir en bois verni.

— Je comprends pourquoi tu m'as pas donné de nouvelles! lance-t-elle tout de go.

Je garde le silence, résignée à endurer ses reproches et ses sarcasmes. Après tout, je l'ai un peu cherché. J'ai transgressé cette loi non écrite qui stipule que les ex de vos amies ne doivent devenir ni vos amants ni vos chums. Ce n'est peut-être pas la règle de toutes les filles, mais c'est la mienne et j'y ai toujours adhéré… jusqu'à présent.

— Moi, je viens à Montréal pour une réunion avec la direction du réseau. Je sais que tu vas être là, parce que c'est ta première émission, et je suis toute contente à l'idée de te revoir.

Aïsha se lève pour continuer son monologue que j'écoute sans broncher.

— Et là, qu'est-ce que j'apprends ? Que les deux coanimateurs de *Plaisirs épicés* forment un beau p'tit couple dans la vraie vie ! Je suis tombée en bas de ma chaise.

— Laisse-moi t'expliquer.

— J'en reviens pas que tu sortes avec ce gars-là, Charlotte. Coudonc, tu te rappelles pas tout ce qu'il m'a fait ?

— Il a changé.

— Pff… Voyons donc ! Un gars comme P-O, ça change jamais. Au début, il va être fidèle, pis après quelques mois il va sauter tout ce qui bouge, comme avant. C'est clair.

— Je pense pas, non.

— Dans le fond, t'as juste ce que tu mérites… Me faire ça. Je pensais qu'on était des amies. Moi, je t'aurais jamais fait ça.

Quoi ? Si je suis convaincue d'une chose concernant Aïsha, c'est bien que notre amitié ne l'a jamais empêchée d'agir comme il lui plaît. Si l'occasion s'était présentée, je suis certaine qu'elle n'aurait pas hésité à coucher avec un de mes ex. Si ce n'est pas déjà arrivé.

La situation me semble profondément injuste. J'ai droit au bonheur ! Ce n'est tout de même pas ma faute si P-O est amoureux de moi. Amoureux fou, comme il ne l'a jamais été avec elle.

— Qu'est-ce que je t'ai fait, au juste, Aïsha ? Rien. Je t'ai rien enlevé.

— Tu sais très bien ce que je veux dire.

— Non, je suis pas certaine de bien saisir. C'est terminé entre toi et P-O depuis un an. Me semble que tu devrais passer à autre chose, pis arrêter de t'accrocher.

— Ç'a rien à voir. Je m'accroche pas.

— Dans ce cas-là, laisse-moi tranquille. C'est pas ma faute si t'es encore célibataire. Je suis pas responsable de ton malheur !

— Eille, je suis pas venue ici pour que tu m'engueules !

— Si t'étais moins fru, aussi, peut-être que tu pognerais plus avec les gars.

Peu habituée à ce que je l'insulte, Aïsha se fige. Je la toise d'un air de défi. Cette fois-ci, je ne me laisserai pas faire. T'as fini de me marcher sur les pieds, Aïsha Hammami !

Une moue de dégoût apparaît soudainement sur le visage de mon ex-amie. Elle recule pour gagner la sortie de la loge en me dévisageant.

— De toute façon, ça marchera jamais, entre toi et P-O. T'as pas ce qu'il faut pour le rendre heureux.

— Qu'est-ce que t'en sais, hein ?

— Il va se tanner de sortir avec une planche à repasser ! P-O, il aime les vraies femmes.

Aïsha redresse les épaules pour bien mettre en évidence son abondante poitrine. Mais ses sarcasmes ne m'atteignent pas. En fait, ils ne m'atteignent plus. Premièrement, mes seins sont peut-être petits, mais pas au point de pouvoir entrer dans la catégorie des filles plates comme des planches à repasser. Et deuxièmement, je suis convaincue que P-O n'y accorde pas tant d'importance.

— Pauvre Aïsha. Comme si l'amour se résumait au sexe et à une grosse poitrine.

S'attendant à une tout autre réaction de ma part, Aïsha semble déboussolée. Je la regarde et, tout ce que je ressens pour elle en ce moment, c'est de la pitié. Le silence s'installe entre nous. Tout ce que nous avions à nous dire a été dit. Il est l'heure de tourner la page. Définitivement, cette fois-ci.

— Excuse-moi, faut que je me change.

Et j'indique à Aïsha de quitter la pièce.

Elle s'exécute sans un mot. Je referme la porte derrière elle, mettant ainsi un terme à dix ans d'amitié chaotique. Et le seul sentiment que j'éprouve, c'est un immense soulagement.

J'envoie valser mes chaussures inconfortables et j'enfile mes ballerines en cuir verni rouge. J'attrape une lingette humide, que je me passe rapidement sur le visage pour enlever la couche de fond de teint qui fige mes traits. Débarrassée de ces artifices et d'une relation qui me pesait depuis trop longtemps, je sors de ma loge pour aller trinquer avec les miens. Le sourire aux lèvres, le cœur et le pas légers, je marche vers ma vie qui m'attend.

***

— Ah, que je suis contente que tout ce soit bien passé ! Une première… ça peut rouler carré, on le sait tous. Encore bravo, tout le monde !

Sur ces paroles, j'avale une gorgée de *prosecco* et je croque dans un crostini aux pleurotes.

— Moi, je savais que tout irait bien. Mon thème astral me l'avait prédit.

Denise est assise, comme toujours, un peu en retrait. On ne peut pas prétendre qu'elle prend beaucoup de place dans notre groupe. Surtout que ses centres d'intérêt sont loin des nôtres. Depuis notre retour au boulot, elle essaie tant bien que mal de nous vendre les bienfaits de son Académie internationale de l'âme, mais je pense qu'elle prêche dans le désert. Il semble toutefois que rien ne la décourage puisqu'elle revient à la charge. Une fois de plus.

— Je vous ai dit, hein, que l'Académie organisait un symposium dimanche prochain?

— Oui, Denise, ça fait trois fois que tu nous en parles, lance Martine, exaspérée, en s'éloignant.

— Oui, oui, on le sait, ajoute P-O avant d'aller s'asseoir un peu plus loin pour savourer ses ailes de poulet général Tao en toute tranquillité.

Ma réalisatrice ne se laisse pas démonter et se tourne vers moi pour m'informer que son groupe a maintenant un nouveau président et qu'elle aimerait bien que nous le recevions à l'émission.

— Oui, oui, quand on aura un trou, dis-je en n'en pensant pas un mot.

Elle peut bien aller se rhabiller avec son gourou à la con! Pas question de donner du temps d'antenne à une organisation qui ne m'inspire pas confiance et que je soupçonne d'être sectaire.

— Et puis tu sais, Charlotte, qu'on compte de nouveaux membres presque tous les jours?

— Hum, hum.

J'en ai strictement rien à foutre et j'aimerais beaucoup que Denise me fiche la paix pour que je puisse participer à la conversation passionnante que semble avoir Martine avec une technicienne. J'entends d'ici les mots «chaussures», «moitié prix» et «solde». Ainsi que «Burberry», «Fendi» et «Jimmy Choo»… Et ça me fatigue. Avouez que je cadrerais beaucoup mieux dans cette discussion, hein? Mais comme je ne veux pas froisser ma réalisatrice, je fais semblant de l'écouter poliment.

— Même qu'un de nos nouveaux adeptes est quelqu'un que tu connais.

— Ah ouin? dis-je pour la forme.

J'essaie plutôt de suivre le fil de la conversation de mes deux collègues. Elles semblent maintenant parler de mode québécoise: robes Ève Gravel, sacs à main Harricana, colliers Anne-Marie Chagnon…

— Oui, poursuit Denise, et tu sauras que Justin est très apprécié par notre communauté.

Justin ? J'ai bien entendu ? Mon attention revient soudainement à Denise. Là, je veux en savoir plus.

— Ah oui ? Il fait vraiment partie de ta sec… euh… de ton groupe, là ?

Denise fronce les sourcils et me dévisage quelques instants avant de répondre.

— Je tiens juste à te préciser, Charlotte, qu'à l'Académie tout le monde est libre d'y entrer et d'en sortir.

— C'est correct, je te crois.

— Sache toutefois qu'il est plutôt rare que les membres veuillent en sortir. Si tu savais tout le bien immense que ça procure. Je te le répète, c'est parfait pour toi, l'Académie.

— Oui, oui, je sais. Mais Justin, il est heureux avec vous autres ?

— Heureux ? Ce n'est pas le mot, Charlotte. Avec nous, Justin a enfin trouvé un sens à sa vie. Il ne cherche plus.

Je sens tout à coup un grand sourire illuminer mon visage. Quand j'ai offert le feuillet de l'Académie à Justin, je ne savais vraiment pas à quoi m'attendre. J'espérais bien qu'il suivrait mes conseils, mais j'étais loin d'en être certaine. Maintenant que j'apprends qu'il a joint l'organisation de Denise, j'éprouve une profonde satisfaction.

— Ça te fait plaisir ? me demande Denise d'un ton un peu suspect.

— Je suis contente pour lui, c'est tout.

En réalité, je suis plutôt contente pour Ugo. Entouré de ses nouveaux amis qui lui font un bien immense, comme dit Denise, Justin devrait finalement laisser Ugo tranquille. Et même si Ugo semble avoir tourné la page, je préfère qu'il se tienne loin de Justin. On ne sait jamais… Mon ami n'est pas à l'abri d'une récidive.

Ugo semble plutôt heureux ces temps-ci. Je le soupçonne même d'avoir un nouvel amant en Floride. Sinon pourquoi serait-il retourné à Key West deux fois cet été, en pleine canicule ? Je ne vois pas d'autre explication.

Mais comme toujours, Ugo est discret sur les relations qu'il entretient avec ses amis à l'étranger. Et ça m'énerve ! Même pas moyen de voir une photo de son ou de ses amants. Même en le harcelant. Il est fermé comme une huître.

La sonnerie de mon iPhone retentit au fond de mon sac orange brûlé. Celle qui m'indique que c'est un appel pour mon service de traiteur. Wow ! Déjà un premier client ! Je m'empresse de répondre.

— Traiteur Charlotte, bonjour, dis-je fièrement.

Au bout du fil, j'entends la voix d'une femme qui semble très angoissée. Elle parle à la vitesse de l'éclair et ses propos sont confus. Je crois comprendre qu'elle vient d'hériter de l'organisation de l'anniversaire de sa mère et qu'elle ne sait pas par quoi commencer.

— Calmez-vous, là. Une chose à la fois.

— Oui, mais vous comprenez pas. C'est ma sœur qui devait faire le souper, mais là, ça lui tente plus. Elle dit que c'est toujours elle qui fait tout et que c'était mon tour.

— OK. Et c'est quoi, le problème ?

— Le problème ? Le problème, c'est que moi, je sais PAS cuisiner, je suis même pas capable de faire cuire un œuf.

— Ben non, ça doit pas être si pire que ça, voyons.

— Je vous le jure, je suis complètement nulle. Tout ce que je sais faire, c'est des toasts.

Il y a des choses dans la vie qui m'échappe. Si je me fie à sa voix, cette femme semble avoir mon âge. Comment peut-on ne pas être autonome dans une cuisine ? Tout au moins pour l'essentiel.

— Oui, mais vous mangez quoi, dans la vie de tous les jours ?

— Ben, je suis capable de me faire de la soupe en boîte, mais sinon je mange au resto. Ou je me fais livrer des trucs.

J'éprouve soudainement un élan de pitié envers cette fille qui semble complètement démunie.

— Pauvre chouette ! Ça doit pas être drôle.

— Bof, je suis habituée. Mais là, le souper pour ma mère, je peux pas le faire. Vous allez m'aider, hein ?

— Ben oui, c'est sûr. On va se tutoyer, d'accord ?

— OK.

— Regarde, tu vas me dire combien vous serez et ce que vous voulez manger. Ensuite, je vais décider si je te prends comme cliente ou si je t'envoie au resto de mon chum, qui a aussi un traiteur. Ça te va ?

— Oui super ! J'ai bien fait de t'appeler, je savais que t'allais me sortir du pétrin. T'as l'air tellement fine à la télé.

— Merci, c'est gentil. Bon, la première chose, c'est quoi, ton nom ?

— Gabrielle. Je m'appelle Gabrielle Painchaud.

— Painchaud, hein ? Avec un nom comme ça, tu devrais pourtant aimer la cuisine.

— Ouin, c'est vrai, j'avais jamais fait le lien.

Soulagée, Gabrielle éclate de rire. Je fais de même en me promettant de bien m'occuper de cette fille qui m'apparaît hyper sympathique, mais qui aurait intérêt à mieux se débrouiller dans une cuisine. Pas capable de faire cuire un œuf… Pas très prometteur, comme avenir.

28

« Dix questions pour savoir
si vous êtes prête à aller vivre avec lui. »
Quiz tiré du magazine *Psychologie 101*, numéro de mai 2007,
traînant dans la salle d'attente du dentiste de Charlotte.

*J*e suis assise à l'indienne, en plein milieu de mon
salon, sur un petit tapis orange que j'ai acheté spé-
cialement pour ma nouvelle activité : la méditation.
J'ai lu que c'était très *in* et que ça calmait les angoisses.
Donc j'essaie de m'y employer. J'essaie, ai-je bien dit.

Inutile de vous préciser que de rester concentrée sur
ma respiration pendant plus de deux minutes est un
exercice qui ne cadre pas du tout avec ma personnalité.
Et méditer est d'autant plus difficile à faire les matins
où je *décide* que j'ai une *décision* à prendre. Ce qui est
le cas en ce dimanche du congé de l'Action de grâces.

Et la musique de l'espace – c'est le nom qu'on lui
donne sur la pochette – qui joue dans la pièce n'a pas
l'effet escompté. Elle ne m'apaise pas, elle me tape sur
les nerfs !

Bon, c'est assez ! J'essaierai plus tard. Je me lève, je
tire sur mon t-shirt blanc qui colle à mon pantalon de
yoga fuchsia et je roule mon tapis.

Je me dirige vers la cuisine pour préparer ce qui sera mon troisième espresso de la journée. Ce qui explique aussi peut-être mon énervement.

Alors, Charlotte, tu te décides? C'est le moment ou pas? J'ai beau analyser la situation sous tous les angles, je n'arrive pas à faire mon choix. Je crois que j'ai besoin d'aide. J'attrape mon iPhone sur la table de la salle à manger encore encombrée des deux bouteilles de vin que nous avons bues, P-O et moi, hier soir, quand il est rentré après le boulot.

Fréquenter un restaurateur n'est pas de tout repos. Les soirs de week-end, il est absent la plupart du temps, ainsi que plusieurs soirs de semaine. Les dimanches midi, il lui arrive souvent de superviser les brunchs. Les jours de semaine, il partage son temps entre la station et ses restos. Des horaires de fous qui changent constamment.

Sauf quand il a la garde de Mini-Charlotte, maintenant une fin de semaine sur deux. Ces jours-là, il ne prend aucun rendez-vous et ne répond qu'aux urgences du restaurant. Il se consacre entièrement à sa fille et à moi. Ce sont les moments de ma vie que je préfère, actuellement. Ceux où on part tous les trois cueillir des pommes au mont Saint-Hilaire, voir le dernier film pour enfants en 3D au cinéma ou écouter l'heure du conte à la Grande Bibliothèque de Montréal. Des heures de bonheur, qu'on passe ensemble dans notre petite bulle.

Je reviens à ce qui me préoccupe et je compose le numéro d'Ugo.

— Charlotte, je te rappelle, je suis déjà au téléphone, répond mon ami.

Et il raccroche sans plus de façon. Il est bien bête, lui! Comme si l'appel qui l'occupait était plus important que sa meilleure amie qui a besoin de ses conseils.

Je bois mon café d'un trait. J'ouvre le garde-manger et j'attrape un sac de scones que j'ai cuisinés hier ainsi qu'un pot de confitures de fraises à l'estragon. J'enfile ensuite ma veste de laine mauve, mes nouvelles chaussures de yoga, souples et confortables, et je descends chez mon ami.

Aussitôt que j'ouvre la porte de l'appartement d'Ugo, j'entends son rire franc résonner. Avec qui peut-il bien s'amuser autant, au bout du fil? Je referme doucement la porte pour éviter qu'il m'entende et je tends l'oreille pour écouter sa conversation. J'en saisis quelques bribes.

— … je t'assure… moi, ça m'est jamais arrivé… oh, allez…

«Oh, allez»? Depuis quand Ugo utilise-t-il cette expression… plutôt française? Et depuis quand parle-t-il avec cet accent légèrement chiant? Ne me dites pas que?... Non! Ça ne se peut pas! Serait-il resté en contact avec Boris? Il me l'a caché? Ah, l'espèce!

Je tousse pour lui signifier ma présence. Aussitôt, la voix mielleuse d'Ugo s'éteint. Il sort précipitamment du salon où il devait être vautré pour parler à Boris et il me jette un regard contrarié. Il me tourne ensuite le dos pour s'adresser à son interlocuteur.

— Écoute, je vais devoir te laisser. J'ai de la visite.

— …

— Oui, c'est ça.

— …

— Promis. Et on se rappelle, hein?

— …

— À bientôt.

Ugo raccroche et se retourne pour me faire face. Il n'a pas l'air très content. S'il pense qu'il va m'impressionner. Pff…

— Alors, comment il va, le beau Boris?

— De quoi tu parles, Charlotte?

— Essaie pas, Ugo, je t'ai entendu.

Mon ami se fige. Je passe devant lui pour me rendre à sa cuisine. Il ne bouge toujours pas.

— *Envoye*, reste pas là. Viens faire du thé pour accompagner mes scones. Pis profites-en donc pour tout me raconter.

J'entends Ugo soupirer profondément

— T'as le choix, Ugo. C'est ça ou j'appelle Boris moi-même pour tout savoir.

***

Quelques minutes plus tard, j'ai un bon portrait de la situation. Ugo et Boris trippent ensemble de temps à autre, comme le définit mon ami. Sans engagement, sans comptes à rendre, sans questions. Juste du bon temps.

Ils se sont vus deux fois cet été. Non, Ugo n'allait pas en Floride. Il rejoignait Boris dans une destination de rêve. Une fois, c'était à Barcelone ; la seconde, c'était dans les Highlands en Écosse. Son amant s'y trouvait pour réaliser des reportages photo.

— Et vous êtes pas amoureux ?

— Non. On s'aime bien, mais on est pas amoureux.

— Bizarre…

— C'est pas bizarre du tout. C'est une relation très claire, très simple.

— Mais lui, il a encore des femmes dans sa vie ?

— Ça doit.

— Ah ! Vous autres, des fois…

— Bon, ça veut dire quoi, ça ?

— Ça veut dire que je sais pas comment tu fais. Tu couches avec quelqu'un pis tu sais même pas c'est quoi sa vie. Moi, je serais pas capable.

— Toi, c'est toi. Moi, c'est moi.

— Ben voyons, Ugo ! On n'est pas si différents que ça ! Me semble que, pour toi aussi, c'est important de vivre avec quelqu'un.

— Mon histoire avec Boris ne m'empêche pas de rencontrer d'autres gars. Et si je tombe sur le bon, je vais arrêter ça, c'est tout.

— Si tu le dis…

— Bon, on change de sujet, suggère Ugo en débarrassant la table et en ramassant les miettes de scones sur le napperon avec son mini-aspirateur en forme de champignon que je lui ai offert récemment.

— Tu voulais me parler de quoi, au juste, Charlotte ?

— Tu sais que P-O veut que j'aille habiter avec lui, dans son condo de la Petite-Italie.

— Oui, tu m'en as déjà parlé, me rappelle mon ami en se rassoyant à mes côtés pour me donner toute son attention.

— En théorie, je préférerais attendre la fin de mon bail. Ça me donnerait encore du temps pour être certaine de prendre la bonne décision.

— C'est une bonne idée. C'est très raisonnable. Qu'est-ce qui t'empêche de faire ça ?

— C'est que j'aurais une occasion pour sous-louer mon appart. P-O vient d'engager un nouveau sous-chef, il arrive de Québec et il se cherche un appart sur le Plateau.

— Ah oui ? Et il faudrait que tu partes quand ?

— Genre… dans deux, trois jours.

— Si vite ?

— Ben oui, il commence à travailler au Terminus vendredi et il faut bien qu'il s'installe. Faut que je me décide, ça fait presque une semaine que P-O m'en parle et je suis toujours pas capable de lui donner ma réponse.

— Si tu veux aller habiter avec lui, je te comprends, Charlotte. Tu peux sous-louer ton appartement. Je suis un propriétaire accommodant.

— Je sais, chéri. Mais c'est pas ça le problème.

— C'est quoi alors ?

— Je sais pas si c'est la bonne décision. Ça fait quand même juste trois mois qu'on est ensemble, P-O et moi.

— L'important, c'est d'abord de savoir si, TOI, t'as envie de vivre avec lui.

— Je sais pas trop. TOI, qu'est-ce que tu ferais à ma place?

Ugo se lève pour aller remplir sa bouilloire Breville et faire du thé. Typique. Quand il ne veut pas répondre, il fuit.

— Ugo, réponds-moi, s'il te plaît!

Mon ami laisse sa bouilloire de côté et vient déposer un petit bisou sur ma tête. Debout derrière moi, il m'enlace tendrement.

— Tout ce que je peux te dire, Charlotte, c'est que tu devrais écouter ton cœur.

— Ah! Maudite réponse poche! Ugo, *come on*! Tu déménagerais, toi? dis-je.

Ugo soupire et se rassoit à mes côtés. Il a compris que je ne le laisserai pas tranquille tant qu'il ne m'aura pas donné une réponse claire.

— Je pense, Charlotte, que je plongerais.

— Ah oui?

— Oui. Et si ça marche pas, tu t'en iras, c'est tout. T'es déjà partie de Paris, t'es bien capable de partir de la Petite-Italie.

L'exemple de mon ami me ramène le sourire.

— En plus, ajoute-t-il, je sais pas comment tu fais pour vivre dans des meubles de grand-mère aussi affreux!

J'éclate de rire en pensant au vieil ameublement que m'a laissé l'ancienne locataire et que je n'ai jamais eu le temps de changer.

— OK, je pense que j'ai ma réponse. Merci, chéri.

J'embrasse Ugo tendrement et il continue de me faire voir les bons côtés de mon déménagement: le marché Jean-Talon à deux pas, les pizzérias typiques et ma quincaillerie préférée, celle où j'achète depuis toujours ma vaisselle colorée.

— Ouin, mais tu seras pas là, toi.

— Je serai jamais loin, Charlotte, tu le sais bien.

— T'es mieux!

***

Quelques minutes plus tard, je suis allongée sur mon vieux canapé, mon téléphone à la main. J'envoie un texto à mon chum :

« J'ai pris ma décision pour l'appart. »

La réponse de P-O ne tarde pas :

« Ça marche ? »

Je décide de le faire attendre quelques heures, histoire de pimenter un peu notre vie de couple. Non pas nécessairement qu'elle en ait besoin, mais c'est toujours bon de se laisser désirer.

« Tu le sauras ce soir. Viens chez moi après le travail. »

« Ça va être long. Miss you. »

« Miss you too xx »

« Je m'occupe du souper. »

« OK »

Je dépose mon téléphone sur la table à café vieillotte et je commence à me tourner les pouces. Comment vais-je occuper mon temps d'ici à son retour ? Je suis trop énervée pour faire quoi que ce soit. J'ai tellement hâte que P-O rentre pour lui annoncer la nouvelle !

J'ouvre mon portable et je navigue à la recherche de nouvelles recettes.

Depuis que j'ai ma petite entreprise de traiteur – le *sideline* parfait pour moi –, j'ai eu quatre clients. Je les ai soigneusement choisis et ils ont tous été enchantés par mes bouchées. Surtout Gabrielle Painchaud, qui m'a même envoyé des fleurs pour me remercier de « lui avoir sauvé la vie ». Trop *cute* !

Je vérifie maintenant s'il y a du nouveau sur ma page Facebook. Les téléspectatrices m'écrivent souvent des messages pour me demander où j'ai acheté ma robe, mes souliers ou mon collier. Je me fais toujours un devoir de leur répondre. Ah, tiens, j'ai quelques messages, justement.

J'ouvre le premier. Il vient de Christine Desforges et elle l'a envoyé vendredi. Oups! Je n'ai pas l'habitude de répondre à mes admirateurs deux jours plus tard. Son message a dû me passer sous le nez. Je le lis attentivement.

Madame Lavigne,
Nous sommes une firme de communications qui vient de s'établir à Montréal. Nous souhaitons faire appel à vos services pour notre cocktail d'ouverture, qui aura lieu ce jeudi dans nos bureaux de la rue McGill College.

Jeudi? CE jeudi? Il est déjà tard pour organiser tout ça. Je regarde au bas du message et j'y vois un numéro de téléphone. Je m'empresse de le composer sur mon iPhone.

— Christine Desforges, bonjour.

Je me présente à la dame en question, en m'excusant de la déranger un dimanche midi, et je lui demande plus d'explications sur le cocktail. Elle m'explique que la nouvelle boîte qu'elle représente souhaite souligner en grand son inauguration et qu'il y aura une soixantaine d'invités, dont des dignitaires. Tout de suite, je l'arrête.

— Je suis désolée, mais je ne fais que de petits événements. Toutefois, je peux vous recommander un autre traiteur.

— Ah bon? Vous m'embêtez un peu, là.

— Mais pourquoi?

— C'est que mon associé tient beaucoup à ce que ce soit vous qui vous occupiez de la soirée.

Bon, encore un imbécile qui veut profiter de ma célébrité et qui va exiger que je sois présente lors de l'événement. Non merci!

— Écoutez, ce ne sera pas possible.

— Ah, pourtant, mon associé m'a juré que vous ne lui refuseriez pas ce service.

— Un service? Votre associé me connaît?

— C'est ce qu'il m'a dit. Maximilien Lhermitte, ça vous dit quelque chose, non?

29

« Je veux tout, toi et les autres aussi.
Aux quatre coins de ma vie.
Sur les cœurs, il n'y a pas de prix.
Je veux tout, tout de suite et ici. »
ARIANE MOFFATT, *Je veux tout*,
tiré de l'album *Tous les sens*, 2008.

Il est revenu. Maxou est revenu vivre au Québec. Je suis encore sous le choc de la nouvelle. Il est revenu pour moi et parce qu'il ne pouvait pas envisager de passer le reste de ses jours sans l'amour de sa vie. C'est ce qu'il vient de me confier, au téléphone, il y a quelques minutes. À ma demande, Mme Desforges m'a donné le numéro de son associé. Un numéro de cellulaire dans le 438, le nouvel indicatif de la région de Montréal.

Il m'a dit avoir pris sa décision en juin, quand nous nous sommes vus pour mon anniversaire. Ce week-end-là, il a compris que je l'aimais encore plus que tout au monde. Il s'est promis qu'à l'avenir on ne se quitterait plus.

Le lundi, il n'est donc pas parti à l'aéroport. Il est resté à Montréal toute la semaine à la recherche d'un partenaire pour lancer son entreprise de relations publiques. Il a plutôt trouvé une partenaire en une amie du temps où il habitait ici, Christine Desforges, une femme dans la cinquantaine, une relationniste déjà bien implantée dans le milieu et qui souhaitait depuis longtemps avoir sa propre boîte.

Maxou a passé les mois suivants à monter sa clientèle. Et finalement, au début d'octobre, il était prêt pour la grande aventure de l'Amérique. Il ne m'en a jamais soufflé mot, préférant me faire la surprise de ma vie.

Et pour une surprise, c'est toute une surprise. Le problème, à l'heure actuelle, c'est que je ne sais pas si elle est bonne ou mauvaise. Mille et une émotions s'entremêlent dans mon cœur. J'éprouve une immense joie, celle de savoir que mon mariage n'est peut-être pas terminé. Mais, en même temps, je suis choquée de savoir que Maxou a tout planifié dans mon dos, sans m'en parler ni me consulter. Comment pouvait-il être certain que j'allais retomber dans ses bras ? Monsieur débarque et, moi, je devrais me plier à son bon désir ? Toujours aussi macho, Maximilien Lhermitte. Pourquoi est-il aussi sûr de lui ?

Je le rappelle pour en avoir le cœur net. Tout à l'heure, j'ai raccroché un peu rapidement, trop bouleversée par ce que je venais d'apprendre.

— Bonjour, ma chérie. Tu t'es remise de la surprise ?

— Pas encore, je l'avoue. Mais là j'ai besoin de te poser une question.

— Laquelle ?

— Pourquoi étais-tu aussi certain que j'allais accepter de reprendre avec toi ?

— C'est simple, Charlotte. Parce que je t'aime. Parce que tu m'aimes. Et parce que, ensemble, on va faire des parents formidables.

— Qu'est-ce que t'as dit ? Des parents ?

— Oui, des parents formidables, c'est clair, non ?

Il me faut quelques secondes pour assimiler l'information. Maxou veut des enfants ?

— T'as changé d'idée ?

— Je ne t'ai jamais dit non, Charlotte. Je t'avais seulement demandé du temps de réflexion. Et voilà, c'est tout réfléchi.

— Tu veux vraiment ?

— Vraiment, je t'assure.

Je suis tellement émue que je ne trouve pas les mots. Pour l'instant, je n'ai plus qu'un désir, me retrouver dans ses bras le plus tôt possible.

— Alors, ma chérie, je peux aller te rejoindre maintenant ?

— Euh, pas tout de suite, Maxou. Mais bientôt, très bientôt.

***

La porte d'entrée de mon appartement s'ouvre avec fracas.

— *Honey, I'm home !* lance P-O à la blague.

C'est un *running gag* entre nous depuis quelques semaines. Notre façon de nous dire qu'on a envie de faire l'amour. Assise à la table de la salle à manger, une bouteille de vin à moitié vide devant moi, je prends une grande respiration pour me donner du courage.

— Charlotte, t'es où ?

— Dans la cuisine.

— Salut, dit-il en entrant dans la pièce. J'ai apporté des *cavatelli* au lapin braisé pour le souper. Ça te va ?

Je ne réponds pas. Il dépose son plat sur la table et vient vers moi. Debout derrière ma chaise, il glisse les mains sur mes épaules et m'enlace tendrement. Je me fige, incapable de bouger ne serait-ce que le petit doigt.

— J'ai pas arrêté de penser à toi.

Il m'embrasse dans le cou et je ferme les yeux, à la recherche de ce courage qui ne semble pas vouloir se manifester du tout.

— J'ai hâte de savoir ce que t'as décidé. Mais si je me fie à ton texto, je pense que je vais être content.

Tout mon corps est maintenant tendu comme une corde de violon.

— Je te sens stressée, Charlotte.

Je prends une autre grande respiration, j'ouvre les yeux, je me lève pour me dégager de l'étreinte de P-O. Il me regarde, inquiet.

— Qu'est-ce qui se passe ? T'as pas l'air de filer pantoute.

Si je m'écoutais, je m'enfuirais comme une voleuse. Sans aucune explication. Mais je ne peux pas lui faire ça. Pas après tout ce qu'il a fait pour moi.

— Assieds-toi, P-O, faut que je te parle.

30

« Avec les yeux fixés sur mon rêve
À la fin du jour, mes doutes s'achèvent. »
PINK MARTINI, *Ojala*, 2007.

Rêveuse, je regarde par la fenêtre de ma nouvelle maison. De gros flocons étincelants tombent et recouvrent ma petite cour d'un beau drap blanc. J'essaie d'imaginer de quoi elle aura l'air cet été. La clôture de bois traitée, qui donne accès à la ruelle, sera couverte de vignes. L'immense lilas qui trône au milieu de la cour viendra embaumer notre chambre en mai. Et mes boîtes de fines herbes décoreront la petite galerie où nous mangerons, une fois le beau temps venu.

Maxou et moi, on vient d'emménager dans ce duplex converti en résidence unifamiliale. Un petit bijou de maison, à deux pas de chez Ugo.

Sur le comptoir en carreaux de céramique bleue, j'aperçois notre contrat hypothécaire. Je le relis encore une fois, toute fière d'y voir mon nom apparaître en tant que copropriétaire. J'ai même contribué à la mise de fonds. Fini la dépendance financière. Cette maison, elle est autant à moi qu'à Maxou.

Bip!

L'alarme de ma nouvelle cuisinière au gaz m'avertit que mon four a atteint la chaleur souhaitée. J'y enfourne la dinde que nous allons manger tous ensemble ce soir, à l'occasion de Noël.

C'est déjà le 24 décembre et, à mon grand bonheur, je reçois ma famille et mes amis dans mon nouveau chez-moi.

Cette année, j'ai renoué avec les traditions. Enfin, presque. J'ai préparé une dinde teriyaki, un ragoût de boulettes de cerf aromatisé aux épices de la route de la soie, un pâté à la viande de sanglier, une purée de pommes de terre et de céleri-rave à la coriandre et des petits pois à la menthe.

Pour le dessert, je m'apprête à cuisiner une bûche de Noël à l'orange et au Grand Marnier.

— Putain! Mais ça va où, ce machin?

La voix de mon mari se fait entendre depuis le salon. Maxou a hérité de la tâche de dresser le sapin de Noël, ce qui semble l'irriter au plus haut point.

— Laisse faire, Maxou. Si tu n'y arrives pas, je vais appeler papa.

— Non, mais tu rigoles! Je peux très bien me débrouiller.

— D'accord, je m'en mêle pas.

Je laisse mon mari à ses illusions et je m'offre une pause bien méritée avant de m'attaquer à mon dessert.

— Je fais de la tisane, tu en veux?

— Charlotte, tu m'as déjà vu boire de la tisane? En revanche, si tu me préparais un espresso, je ne dirais pas non.

Je sers un café à mon mari, j'infuse ma tisane à la fleur d'oranger et je monte me reposer dans notre chambre. Je suis tellement contente de pouvoir souffler un peu pendant deux semaines. Les vacances de Noël sont vraiment appréciées après l'enfer que j'ai vécu au bureau cet automne.

P-O ne m'a jamais pardonné de l'avoir laissé tomber. Il m'ignore totalement et s'adresse à moi seulement si c'est nécessaire. Je trouve ça horriblement pénible. J'ai tout tenté pour lui faire comprendre que je n'avais rien prémédité, que j'étais sincèrement heureuse avec lui et prête à ce qu'on fasse un bout de chemin ensemble. Mais il ne veut rien entendre. Il croit que je me suis servie de lui et que je suis la pire *bitch* de la Terre.

Rompre avec P-O a été extrêmement difficile, d'autant plus que j'ai perdu l'amitié d'Angela et la présence de ma Coccinelle. Je sais que j'ai brisé le cœur de son père en mille miettes et je me sens encore terriblement coupable. Mais je ne pouvais pas passer à côté de ma vie. Même si j'étais bien avec P-O, j'ai toujours su que le véritable homme de ma vie, c'était Maxou.

Maxou a tout quitté pour moi : son pays, sa position, sa fille et sa mère, Victoria. Mon adorable belle-mère qui, contre toute attente, a ouvert une porte à son fils en tombant amoureuse, ce qui a permis à Maxou de s'éloigner d'elle sans éprouver trop de culpabilité.

Quant à sa fille, elle a exprimé le désir de connaître l'Amérique et il est question qu'elle vienne vivre avec nous d'ici quelques années. Un scénario auquel je refuse de m'attarder pour le moment. Je passerai les deux prochaines semaines en sa compagnie et on verra bien pour la suite.

Quand je pense qu'Alixe, Victoria et son nouvel amoureux débarquent demain ! *OMG !* Respire, Charlotte, respire.

J'attrape un paquet de noix de Grenoble qui traîne sur ma table de chevet et j'en savoure quelques-unes avec ma tisane. Je repense à tout ce qui s'est passé ces dernières semaines. Ma vie a été un véritable feu roulant. Tout d'abord, le magasinage de la maison, ici même sur le Plateau. Maxou a proposé qu'on s'installe à Saint-Lambert, mais j'ai refusé, alléguant qu'il était hors de question que je vive à plus de deux minutes à pied de mon meilleur ami.

Ensuite, il y a eu le déménagement à organiser. Acheter de nouveaux meubles, dont cet adorable fauteuil en velours rouge et noir, en forme d'escarpin, faire peinturer les pièces du rez-de-chaussée, se procurer des rideaux, des stores, tout le tralala !

Nous avons jonglé avec la possibilité de faire transporter l'ameublement que Maxou possède à Paris. Mais comme il a gardé son appartement du 7ᵉ arrondissement pour le louer, nous avons décidé de tout laisser là-bas.

Et ça, c'est sans compter le boulot, qui m'a demandé encore plus de temps cet automne. L'émission va super bien, les cotes d'écoute n'ont jamais été aussi élevées. À l'écran, P-O et moi, on est les meilleurs amis du monde. Je me surprends moi-même à jouer les hypocrites en ondes.

Et comme si ce n'était pas suffisant, j'ai eu à gérer une crise entre Martine et papa. Ma collègue a débarqué dans mon bureau un mardi matin de novembre pour me demander de parler à mon père. C'est là que j'ai appris que Martine et Reggie ont eu une liaison qui a duré cinq mois. Tout de suite, j'ai prévenu Martine de ne me donner aucun détail. Elle allait devoir se débrouiller toute seule, je n'interviendrais certainement pas dans les affaires de cœur de mon père.

Elle m'en a toutefois assez dit pour que je comprenne que c'est elle qui avait mis un terme à leur relation et qu'elle trouvait que mon père était un peu trop intense dans ses tentatives de la séduire à nouveau.

Je lui ai répondu que c'était impossible, que papa n'est pas ce genre d'homme, prêt à tout pour qu'on l'aime. Ce à quoi elle m'a répondu : « Ben voyons, chère, t'es pareille comme lui. » Pff… Sottises, tout ça !

Quoi qu'il en soit, je n'en ai jamais parlé à papa, qui ne semble pas du tout souffrir de sa rupture. Ça ne m'étonnerait pas que Martine ait exagéré la situation pour se rendre intéressante.

Bon, assez pensé au boulot. Les choses sérieuses, maintenant. Je termine ma tisane aussi rapidement que possible, j'ouvre le tiroir de ma table de chevet et je sors tout le nécessaire pour me faire une manucure caviar.

***

— J'avais jamais mangé ça, de la dinde teriyaki. C'est vraiment bon.

— Merci, papa.

— Ça fait différent des repas traditionnels que préparait ma mère, hein, Charlotte?

Je souris tendrement à Marianne qui évoque de si beaux souvenirs d'enfance. Quand j'étais petite, tous les 26 décembre, mes parents et moi allions souper chez les Lapointe. Entre voisins. Et, invariablement, on mangeait les restes de la veille. Dinde, tourtière, atocas…

Et de retrouver ma précieuse amie à ma table de Noël, vingt-cinq ans plus tard, me fait vraiment chaud au cœur.

La table que j'ai dressée en cette veille de Noël est vraiment magnifique. Tout est rouge et blanc, avec une petite touche de doré. La nappe rouge brille de mille feux. De petites guirlandes de plumes blanches encerclent chacun des plats de service, également blancs.

Au centre de la table, j'ai déposé la création florale que m'a offerte maman en arrivant. Un peu quétaine avec ses roses blanches, ses œillets rouges et ses boules dorées, mais comme maman l'a choisie spécifiquement pour s'harmoniser avec les couleurs de ma table, je n'ai pas osé la décevoir.

Mais ce qui m'importe le plus, ce soir, ce sont les gens qui sont autour de moi. Tout d'abord Maxou, mon mari qui est de retour dans ma vie pour de bon. Ugo, avec qui j'ai passé les huit derniers réveillons et avec qui je passerai les huit prochains. Enfin, j'espère. Marianne, avec qui je suis heureuse d'avoir renoué. Et sa copine Karen que j'apprends à connaître et à apprécier, d'autant plus qu'elle est presque devenue parfaitement bilingue.

Papa, qui m'apporte, lui aussi, une bonne dose de réconfort. Et maman... Bon, maman, c'est maman, mais la bonne nouvelle, c'est qu'elle est venue seule ce soir. Et non encombrée d'un homme qui pourrait être mon frère. Pas toujours facile, la vie de cougar. Les proies semblent être plus rares pour maman.

Tous ceux que j'aime sont réunis à ma table. C'est ça, le vrai bonheur! Et j'ai bien l'intention d'en profiter au maximum. Surtout que, demain, ce sera autre chose. Bon, n'y pense pas, Charlotte. La France débarque demain, pas ce soir!

Je prends une bouchée de ragoût de boulettes de cerf tout juste assez relevé. Vraiment délicieuse, cette version d'un classique.

Je termine mon assiette et je me lève pour aller récupérer quelque chose que j'ai caché un peu plus tôt, dans un tiroir de la cuisine, sous une pile de napperons roses. L'édition du *Cinq jours* qui sera en kiosque après-demain et que j'ai reçue aujourd'hui en exclusivité.

Je retourne à ma place, mais je reste debout, les bras dans le dos pour dissimuler ma revue.

— Charlotte, ça va? me demande Maxou, intrigué par ma position.

— Oui, oui, tout va bien. En fait, je voulais vous montrer quelque chose. Imaginez-vous donc que je suis à la une du *Cinq jours*.

— Wow! C'est ben l'*fun*! lance Marianne.

— Montre-nous ça! ajoute papa.

Un grand sourire aux lèvres, je dépose le magazine sur la table. On y voit une photo de moi, vêtue de blanc et assise sur un sofa turquoise, souriant à pleines dents. À ma gauche, le titre se lit comme suit:

Un premier bébé pour Charlotte Lavigne. Et en bas de la page, on retrouve une de mes citations : « Mon enfant aura aussi la citoyenneté française. »

Autour de la table, le silence tombe quelques instants. La première à réagir est Marianne.

— T'es enceinte ?

— Oui, j'ai un polichinelle dans le tiroir !

Je suis vraiment fière d'utiliser cette expression chou et j'espère par la même occasion rappeler à mon mari que je n'oublie pas ses origines.

— Bravo ! ajoute Marianne pendant que les autres se mettent à applaudir.

Mon amie se lève pour venir m'embrasser. Pendant qu'elle me prend dans ses bras, je jette un coup d'œil à Maxou, toujours assis à ma droite. Je pense qu'il est sous le choc. Comme moi, il ne devait pas penser que je tomberais enceinte dès notre première tentative.

Je quitte les bras de Marianne pour tomber dans ceux de papa, visiblement très ému, lui aussi. Inquiète, je ne cesse de vérifier si Maxou n'est pas en train de faire une crise de panique. Puis, tout à coup, il se lève. Papa s'éloigne pour lui laisser la place.

Maxou me regarde directement dans les yeux. Il a ce même regard amoureux et fier que celui qu'il avait le jour de notre mariage. Il me serre contre lui et me murmure à l'oreille : « Je t'aime. »

Je pousse un soupir de soulagement. Depuis son retour, Maxou a beau me dire qu'il souhaite réellement avoir un enfant avec moi, j'ai toujours peur que ce soit plutôt pour me faire plaisir. Mais à cet instant, alors que son corps est collé contre le mien et que je sens des larmes couler sur ses joues, mes doutes s'envolent.

Je resterais là dans ses bras pendant des heures, à rêver à notre vie à trois, mais les paroles de Marianne me ramènent à la réalité.

— Ça veut dire que vous allez être grand-mère, Madeleine ?

Ouch! Marianne vient de commettre deux erreurs: mettre maman face à sa nouvelle réalité et ne pas l'appeler Mado. Tous les regards convergent sur maman. Ses traits légèrement figés m'empêchent de deviner les sentiments qui l'habitent. Je l'observe et, à mon grand bonheur, je ne vois aucune trace de colère ou de tristesse. Peut-être que j'aurai de la chance et qu'elle sera contente, au fond? Quelle femme ne serait pas heureuse d'apprendre que sa fille sera maman? Allez, maman, dis-moi ce que tu en penses. Et, surtout, donne-moi ton approbation. Celle que je cherche depuis des années.

— Je suis beaucoup trop jeune pour être grand-mère, lance Mado en éclatant en sanglots.

Elle quitte la table pour s'éloigner vers le salon. Papa se lève aussi pour la rejoindre. Je le vois prendre maman dans ses bras et s'asseoir avec elle sur le canapé en lui parlant doucement alors qu'elle continue de sangloter.

— Ah, Reggie, qu'est-ce que je vais faire? se plaint maman à voix haute.

— Ça va aller. Je vais m'occuper de toi, répond papa.

Je suis stupéfaite. Comment maman peut-elle être aussi mesquine? Je prends une grande respiration pour tenter d'oublier ma déception. La deuxième quant à ma grossesse. Ma première déception, elle vient d'Ugo.

Hier matin, après avoir passé trois tests de grossesse positifs, je me suis ruée chez mon ami. Quand je lui ai appris la bonne nouvelle, il était fou de joie. C'est après que ça s'est gâté.

— Charlotte, m'a-t-il dit, ça tombe bien que tu sois ici, il faut que je te parle de quelque chose.

— Quoi donc?

— Euh… C'est que… ben, tu sais…

— Quoi? Qu'est-ce qui se passe?

— Je vais partir, Charlotte. Je vais rejoin…

— Hein? Où ça? Quand ça? Comment ça, partir?

— Calme-toi! Je pars pas pour toujours. Juste quelques mois.

— Quelques mois? Tu peux pas me faire ça. Pas maintenant!

— Je savais pas que tu serais enceinte, mais, là, tout est prévu.

— Où tu t'en vas?

— En Asie. Je pars en janvier.

Quoi! Si loin que ça? ai-je songé.

— Qu'est-ce que tu vas faire là-bas?

— Rejoindre Boris. Il a été affecté en Asie pour quelques mois. Il va faire des photoreportages en Chine, au Vietnam, au Cambodge, en Thaïlande. Tu sais combien ça fait longtemps que je rêve de visiter ces pays-là.

Pas mon meilleur ami à l'autre bout du monde! Dites-moi que ce n'est pas vrai! Non, il ne peut pas partir comme ça, sans crier gare. Il n'en a pas le droit, ai-je pensé à ce moment-là.

— Ouin, mais tes boucheries?

— Premièrement, j'ai vendu celle de Longueuil à ma gérante. Et elle va s'occuper de la boucherie du Plateau pendant mon absence.

— T'as vendu? Quand?

— Il y a quelques semaines. J'attendais que tout soit réglé avant de t'en parler. Je ne voulais pas t'inquiéter pour rien. T'avais pas besoin de ça. Surtout après tout ce que t'as traversé dernièrement.

Je suis plus que surprise. Comment ça se fait qu'il ne m'ait rien dit avant? Faut croire qu'il craignait ma réaction.

— J'en ai vendu une. Pas deux. Je vais revenir, t'en fais pas.

— Quand?

— À l'été.

— F%&$!

Je me suis tue pendant quelques minutes, trop bouleversée à l'idée de vivre ma grossesse sans mon meilleur ami, mon frère, mon confident de toujours. Ugo s'est assis à côté de moi et il a pris ma main dans la sienne. Je me suis réfugiée dans ses bras pour pleurer toutes les larmes de mon corps.

— Qu'est-ce que je vais faire sans toi ? Je serai jamais capable.

— Mais non, ça va aller. T'es capable, chérie. Aie confiance, a-t-il dit en me berçant tendrement.

— Jure-moi que tu vas être revenu pour mon accouchement !

— Je te le promets.

Ses paroles m'ont un peu rassurée et j'ai retrouvé un certain calme avant de repartir chez moi.

Aujourd'hui, je suis encore triste de savoir qu'Ugo ne sera pas à mes côtés pour le début de ce qui sera la plus belle aventure de ma vie, mais je l'accepte. Enfin… Je me force à l'accepter. Parce que mon ami a le droit, lui aussi, d'être heureux. Et s'il doit s'exiler en Asie avec un amant bisexuel pour l'être, eh bien, soit. Qu'il y aille.

Et peut-être qu'il a raison. Peut-être que je suis capable, maintenant, de voler de mes propres ailes. Peut-être que j'en ai la force nécessaire.

Je jette un regard à Ugo, assis au bout de la table. Depuis le début de la soirée, je le sens vaguement triste de m'avoir fait de la peine. Il est temps de lui montrer que je ne lui en veux pas.

— Ugo, viens ici, dis-je en m'éloignant légèrement de la table.

Il s'approche et je prends sa main, que je dépose sur mon ventre.

— Tu sens ? Il bouge.

— Euh, non pas vraiment… Mais t'es sûre que c'est pas un peu tôt ? D'habitude, ça bouge plus tard, non ?

— Peut-être, mais, moi, c'est spécial. Je le sens déjà. Ou plutôt, je LA sens.

— Ah… si tu le dis. Tu penses que ça va être une fille ?

— J'en suis certaine.

Marianne, qui écoute notre conversation d'une oreille, vient nous rejoindre.

— T'as déjà passé une échographie ? me demande-t-elle.

— Ben non, c'est encore trop récent.

— Comment tu sais, d'abord, que c'est une fille ?

— Je le sens. Dans mon cœur.

— Ah, d'accord, répond Marianne, l'air sceptique.

— Fille ou garçon, de toute façon, ce que tu veux, c'est un bébé, non ? suggère Ugo.

— Un bébé en santé, c'est tout ce qui compte, ajoute la future marraine de mon enfant.

— Oui, oui.

Mes deux amis retournent à leur place pendant que je reste debout, songeuse. Non, je ne peux pas me tromper. C'est bel et bien une fille. Je le sens, je le sais.

Sinon je n'aurais jamais passé la journée d'hier sur Internet, à commander cinq paires de chaussures roses pour bébé, trois pyjamas mauves et treize adorables petites robes colorées pour fillette de un an.

Je n'aurais pas non plus acheté la maison de Barbie, l'avion de Barbie, la caravane de Barbie, l'ensemble Barbie-professeure de cuisine, le tricycle de Barbie et… une minicuisinette rose. Et finalement, je n'aurais pas inscrit ma fille sur une liste d'attente pour suivre des cours de ballet jazz dans quatre ans.

Maintenant que je sais que je vais être maman, c'est clair que je suis devenue une autre personne. Une Charlotte Lavigne finalement raisonnable, prévoyante, sage et équilibrée. Ça va de soi. Personne ne peut dire le contraire.

Remerciements

À Yves, pour avoir cru au projet de *Charlotte Lavigne* dès le départ. Merci d'avoir enduré mes mille et une angoisses d'auteure.

À Laurence, qui met du piquant dans ma vie de tous les jours et qui en a mis aussi dans celle de Charlotte.

À toutes mes amies de filles, mais particulièrement à celles qui ont le courage de mener de front une carrière et une vie de maman. Je pense ici à mes cousines Maryse, Claire, Josée (cinq enfants, *OMG!*), Christine et Marie-Pascale. Merci pour votre inspiration.

À mes nouvelles amies auteures, merci d'avoir partagé vos idées. Votre enthousiasme est contagieux.

À mon œnologue préféré, André, pour ses conseils sur les vins et aussi (surtout, en fait) pour toutes les dégustations.

À mon éditrice, Nadine Lauzon, pour sa présence rassurante et sa patience d'ange tout au long du projet. Merci de m'avoir ramenée sur terre à plus d'une reprise.

À toute l'équipe du Groupe Librex, Jean, Johanne, Véro, Aurélie, Delphine, Lison, Marike, Clémence et Pascale, pour leur passion des livres.

À mon agente Nathalie Goodwin, pour son soutien et ses précieux conseils.

Et, finalement, un immense merci à toutes mes fidèles lectrices, pour vos encouragements et vos bons mots sur ma page Facebook, mon compte Twitter et mon blogue. Vous m'avez littéralement donné des ailes pendant la rédaction du tome 3.

Suivez les Éditions Libre Expression
sur le Web :
www.edlibreexpression.com

Cet ouvrage a été composé en Minion 12/14
et achevé d'imprimer en septembre 2012 sur les presses
de Marquis imprimeur, Québec, Canada.

certifié   procédé   100% post-   archives   énergie
            sans chlore consommation permanentes   biogaz

Imprimé sur du papier 100 % postconsommation, traité sans chlore,
accrédité Éco-Logo et fait à partir de biogaz.